21世纪普通高等学校（本科）法学精品教材

民事诉讼法学

The Science of Civil Procedure Law

主　编　郑厚勇

暨南大学出版社
JINAN UNIVERSITY PRESS
中国·广州

图书在版编目（CIP）数据

民事诉讼法学 / 郑厚勇主编. —广州：暨南大学出版社，2009.3
（21 世纪普通高等学校（本科）法学精品教材）
ISBN 978-7-81135-177-4

Ⅰ.民… Ⅱ.郑… Ⅲ.民事诉讼法—法的理论—中国—高等学校—教材 Ⅳ.D925.101

中国版本图书馆 CIP 数据核字（2009）第 003739 号

出版发行：暨南大学出版社

地　址：中国广州暨南大学
电　话：总编室（8620）85221601
营销部（8620）85225284 85228291 85220693（邮购）
传　真：（8620）85221583（办公室） 85223774（营销部）
邮　编：510630
网　址：http://www.jnupress.com http://press.jnu.edu.cn

排　版：广州市天河星辰文化发展部照排中心
印　刷：湛江日报社印刷厂

开　本：787mm × 1092mm 1/16
印　张：19
字　数：450 千
版　次：2009 年 3 月第 1 版
印　次：2009 年 3 月第 1 次
印　数：1—3000 册

定　价：38.00 元

总 序

胡锦涛总书记在中国共产党第十七次全国代表大会上的报告中指出："最广泛地动员和组织人民依法管理国家事务和社会事务，管理经济和文化事业；坚持依法治国基本方略，树立社会主义法治理念，实现国家各项工作法治化，保障公民合法权益；坚持社会主义政治制度的特点和优势，推进社会主义民主政治制度化、规范化、程序化，为党和国家长治久安提供政治和法律制度保障。"依法治国是社会主义民主政治的基本要求，要全面落实依法治国的基本方略，建设社会主义法治国家，必备的法律知识应当成为人们尤其是普通高等学校学生知识结构的重要组成部分；熟悉和掌握法律法规，对于弘扬法治精神，形成自觉学法、守法、用法的社会氛围具有重大意义。

当前，党和国家致力于完善中国特色社会主义法律体系，建设公正、高效、权威的社会主义司法制度。在这样的背景下，对培养法律高级专门人才的高等学校法学教育提出了更新、更高的期望和要求。我国法学专业的教材建设处在一个高速发展的过程中，这为普通高等学校法学教育的具体实施提供了一定程度的保障。但从严格意义上来说，制约普通高等学校法学教育发展的教材问题依然存在，主要表现为法学教材理论与实际结合的程度不够，尤其表现在高职高专法学教材中。

为了适应法学教育发展的新形势，积极探索和总结高等法学教育教学改革的方法和经验，针对当前绝大多数法学教材理论脱离实际的倾向，暨南大学出版社组织了全国几十所大学共同编写了"21世纪普通高等学校法学精品教材"。这套教材分为本科和高职高专两个系列，内容涵盖了法学的全部学科，系统性强；囊括了最新立法成果、相关领域的理论研究成果和前沿热点问题，贴近时代发展，做到了理论性与实用性的较好结合。这两套系列教材堪称系统工程，其规模之大、覆盖面之广，在法学教材建设中首屈一指；在知识系统的完整性、理论观点的稳妥性、引用资料和法规的准确性以及文字表达的规范性和可读性等方面都达到了较高的水平。

教材是教学之本，好的教材对提高教学质量、提升科研水平有着重要的作用。组织编写和出版一套高质量的教材，殊非易事，由全国相关院校的专家学者认真编写的这套系列教材必将对全国法学高等教育起到积极的推动作用。衷心希望更多的高校学者和教师为建设适应新世纪法学教学和实践需要的教材继续贡献力量。是为序。

中华人民共和国司法部原部长 邹瑜

2008年3月3日

前 言

近几年来，我国民事诉讼法立法和司法解释领域发生了较大的变化。2007 年 10 月，第 10 届全国人大常委会第 13 次会议通过了《民事诉讼法》修正案，对《民事诉讼法》作了 19 项修改。2006 年 12 月 8 日，国务院第 159 次常务会议通过了《诉讼费用交纳办法》（2007 年 4 月 1 日起施行），对以前的诉讼费用规定进行了较大范围的修改。2006 年以来，最高人民法院先后发布了《关于人民法院受理共同诉讼案件问题的通知》（2006 年 1 月 1 日起施行）、《关于人民法院办理执行案件若干期限的规定》（2007 年 1 月 1 日起施行）、《关于进一步发挥诉讼调解在构建社会主义和谐社会中的积极作用的若干意见》（2007 年 3 月 1 日起施行）、《关于人民法院执行公开的若干规定》（2007 年 1 月 1 日起施行）、《关于人民法院审理涉外民事或者商事合同纠纷法律适用若干问题的规定》（2007 年 8 月 8 日起施行）、《关于调整高级人民法院和中级人民法院管辖第一审民商案件标准的通知》（2008 年 2 月 3 日起施行）、《民事案件案由规定》（2008 年 4 月 1 日起施行），等等。总之，民事诉讼法的修改，有关司法解释的不断出台，给民事诉讼法学教材的编写工作提出了新的要求。恰此之际，“21 世纪普通高等学校法学精品教材”编写工作会议在广州召开，本教材有幸入选该系列教材的本科法学教材之一。2008 年 12 月，本教材定稿后，最高人民法院又颁布了《关于适用“民事诉讼法”审判监督程序若干问题的解释》（2008 年 12 月 1 日起施行）、《关于适用“民事诉讼证据的若干规定”中举证期限规定的通知》（2008 年 12 月 11 日起施行）、《关于适用中华人民共和国民事诉讼法若干问题的解释（执行程序）》（2009 年 1 月 1 日起施行）等三个重要的民事诉讼司法解释，对民事再审、民事诉讼举证期限和民事诉讼执行等作出了一些新的解释和规定，我们及时地将这三个司法解释的内容充实到本教材中，保证了教材内容的新颖性和实用性。

本教材坚持以邓小平理论、“三个代表”重要思想和科学发展观为指导，面向 21 世纪法学教育，紧扣教育部教学大纲，一方面采用普通高校法学本科教材编写的习惯手法，阐述通用的法学理论，介绍常用的民事诉讼制度和民事诉讼法律知识，注重民事立法和民事司法解释的时效性，吸收民事诉讼研究领域的最新研究成果，探讨理论前沿的热点问题，注重本科教材的科学性、通用性、规范性和学术性；另一方面，致力于研究我国民事诉讼制度中的一些深层次问题，系统地评述我国现行民事诉讼制度的科学性、规范性，客观地揭示我国现行民事法律和司法解释中存在的一些问题和弊端，真诚地提出了进一步修改和完善我国民事诉讼法律的观点和看法。

本教材采用了编著型的撰写手法，力求规范、创新，别具一格。在内容上力求专精，通俗易懂。全书分为 20 章，基本上囊括了现行有效的民事诉讼法律和民事诉讼司法解释内容，特别注意介绍2007年10月修改后的民事诉讼法和最近几年颁布实施的民事诉讼司法解释。

本书主编、副主编和撰稿人员分工如下：

主编郑厚勇：撰写第1章、第3章、第4章，全书审稿、统稿和第18章以外的书稿定稿。

副主编杨春华：撰写第18章及第18章定稿，参与统稿。

副主编栾东：撰写第2章、第17章、第19章、第20章，参与统稿。

李煜：撰写第5章。

谭立：撰写第6章。

万崎：撰写第7章。

王春：撰写第8章、第9章。

傅懋兰：撰写第10章、第11章、第12章、第13章。

许红霞：撰写第14章、第15章、第16章。

由于我们水平有限，不足乃至错误之处在所难免，敬请各位同仁、专家不吝赐教并批评指正。

编者

2008年12月28日

目　录

第一章　民事诉讼法学概述

本章介绍民事诉讼、民事诉讼法和民事诉讼法律关系三个具有密切关系的基本概念以及相关的基本理论。重点把握民事诉讼的内容、民事诉讼的目的、民事诉讼法的效力范围和民事诉讼法律关系的构成要素，注意区分民事诉讼法律关系和民事实体法律关系。关于民事诉讼的目的，我国民事诉讼理论中存在“纠纷解决说”、“程序保障说”、“利益保护说”和“多层次说”等不同学说。我们认为，关于民事诉讼的目的研究，要结合我国目前改革开放和建设和谐社会的实际，并且要从与民事诉讼活动有关的所有主体的期望或者需要的角度来考察民事诉讼的目的。现代民事诉讼价值的多元化决定了民事诉讼目的的多重性，同时，民事诉讼主体的多元化也决定了民事诉讼目的的多重性。

第一节　民事诉讼

一、民事诉讼的概念

民事诉讼是指人民法院、人民检察院、当事人和其他诉讼参与人为解决民事案件，所依法进行的各种专门活动以及由这些专门活动所产生的各种诉讼法律关系的总和。这是当前理论界采用的民事诉讼的通用概念，根据这一概念，民事诉讼包含以下几层含义：

（1）民事诉讼的参与者，即民事诉讼的主体，包括人民法院、人民检察院、当事人和其他诉讼参与人。在民事诉讼中，人民法院和当事人是最基本的主体，是民事诉讼得以进行的不可缺少的参与者，缺少其中任何一个主体，民事诉讼都不能启动。人民法院在民事诉讼中处于主导地位并起主导作用，对当事人之间的纠纷或者争议依法进行裁判。大多数情况下，当事人有对立的双方，即原告和被告，有时，当事人分为三方，即原告、被告和第三人。最基本、最典型的民事诉讼形态或者构造就是：人民法院与对立的双方当事人呈等腰三角形之状，即人民法院作为中立裁判者居于等腰三角形的顶点，对立的双方当事人分居等腰三角形的底边和两腰的两个交点上，对立的双方当事人与人民法院都保持着同等的"司法"距离，[1]在人民法院的主持和监督下，对立的双方当事人平等地进行对抗、辩护和协商。人民检察院是国家法律监督机关，有权对民事诉讼进行法律监督，因其对发生法律效力的裁判提起抗诉而成为民事诉讼的主体。其他诉讼参与人包括诉讼代理人、证人、鉴定人、勘验人、翻译人，他们根据法律规定或者接受委托而协助人民法院和当事人进行民事诉讼，成为民事诉讼的主体。

（2）民事诉讼的任务是解决民事案件。民事案件又称民事争议案件，是指公民、法人或者其他组织因执行民法、商法、劳动法等调整平等主体之间社会关系的法律规范而产生的案件。在理论上，依据民事纠纷内容的不同，将民事案件分为两类：一是直接包含着民事权利义务纠纷内容的民事案件，这类案件占民事案件的大多数，也是典型的民事案件；二是不具有直接的民事权利义务纠纷内容的民事案件，又称非讼案件。当事人只是要求人民法院确认某种事实的存在，如认定公民无民事行为能力或者限制民事行为能力，认定财产无主的事实等。在 2008 年 4 月 1 日起施行的最高人民法院《民事案件案由规定》中，将人民法院主管的民事案件分为 10 类：①人格权纠纷案件；②婚姻家庭、继承纠纷案件；③物权纠纷案件；④债权纠纷案件；⑤知识产权纠纷案件；⑥劳动争议、人事争议案件；⑦海事海商纠纷案件；⑧与铁路运输有关的纠纷案件；⑨与公司、证券、票据等有关的纠纷案件；⑩适用特殊程序的民事案件（包括依民事诉讼法和海事诉讼特别程序法审理的案件）。这 10 类民事案件，又可细分为 361 种具体的民事案件。

（3）民事诉讼的内容包括民事诉讼参与者的诉讼活动以及由此产生的各种诉讼法律关系。在民事诉讼中，人民法院、人民检察院、当事人和其他诉讼参与人都各自依法进行诉讼活动，如人民法院的审判、执行等活动，人民检察院的抗诉活动，诉讼参与人的起诉、应诉、反诉、证明等活动，还包括诉讼代理人、证人、鉴定人、勘验人、翻译人的协助诉讼活动，这些都是民事诉讼的主要内容。诉讼关系是人民法院与人民检察院、当事人和其他诉讼参与人之间产生的诉讼权利义务关系。在民事诉讼中，人民法院处于主导地位并起主导作用，是民事诉讼的一方，即裁判方，人民检察院、当事人和其他诉讼参与人是另一方，即抗诉方、起诉方、应诉方和协助方。人民法院在具体的民事诉讼活动中不可避免地与人民检察院、当事人和其他诉讼参与人发生法律上的诉讼权利义务关系，这种诉讼权利义务关系是民事诉讼内容的不可缺少的组成部分，缺少这一组成部分，民事诉讼就会偏离法律的轨道而失去法律效力。

二、民事诉讼的特征

民事诉讼作为一种解决民事案件的法律方式，具有一些法律特征：

1. 解决民事案件具有强制性

民事诉讼以民事诉讼法为依据，民事诉讼法由国家制定，并由国家强制力保证实施。因此，民事诉讼是以国家强制力为后盾的解决民事案件的法律方式，相对于协商、

① 江伟. 民事诉讼法学. 上海：复旦大学出版社，2005. 16

调解、仲裁等解决民事案件的非诉讼手段来说，具有法律的强制性。虽然仲裁裁决也具有强制执行力，但仲裁裁决的强制执行力也是通过人民法院解决民事案件的强制执行手段来实现的，也就是说，仲裁裁决的实现是通过人民法院的民事诉讼活动来实现的。

2. 解决民事案件具有程序性

通过民事诉讼解决民事案件，要严格遵守法律规定的程序。从解决民事案件的过程来讲，要遵循起诉和受理、审理前的准备与开庭审理、裁判、执行等阶段性程序；从解决民事案件的具体方式来讲，要遵循第一审普通程序、第一审简易程序、第二审程序、特别程序、审判监督程序等操作性程序。解决民事案件的各种程序具有严格的法定性和科学的连贯性，并且各个诉讼程序相互衔接、相互联系，构成一个统一的民事诉讼程序体系。

3. 解决民事案件具有终结性

民事案件的解决方式有协商、调解、仲裁和诉讼等。协商是案件当事人通过自愿协商的方式解决民事纠纷案件，在理论上称为民事纠纷的私力救济机制。调解和仲裁是依靠社会力量来解决民事纠纷案件的一种方式，在理论上称为社会救济机制。民事诉讼是依靠人民法院为主导解决民事纠纷案件的一种特殊方式，是民事纠纷公力救济机制中的司法救济机制。通过协商、调解或者仲裁等方式处理民事案件，都不可能是民事案件的终结处理，当事人对协商或者调解达成的民事案件处理结果反悔，可以再选择民事诉讼来解决民事案件。有的民事案件经过仲裁后，还可以依据法律规定再通过民事诉讼解决。即使是解决民事案件的生效仲裁裁决，也要通过人民法院的执行活动来实现，从而终结该民事案件的处理。只有通过民事诉讼解决的民事案件，才会是民事案件的最终解决。

三、民事诉讼的目的

目前，理论界关于民事诉讼目的的概念，基本上达成了共识，民事诉讼的目的是指国家设立民事诉讼制度所期望达到的目标或者结果。[①]但是我们认为，民事诉讼的目的不仅包括国家设立民事诉讼制度和开展民事诉讼活动所希望达到的结果，还包括公民、法人和其他组织期望国家设立民事诉讼制度和按照民事诉讼制度进行民事诉讼活动所希望达到的结果。因此，民事诉讼的目的具体是指设立民事诉讼制度和进行民事诉讼活动所希望达到的结果。

关于民事诉讼目的理论，在大陆法系国家中早就形成了一套系统而完整的学说。19世纪初，德国历史法学派代表萨维尼提出了“私法权利保护说”；20世纪初，德国学者标罗提出了“私法秩序维持说”，与“私法权利保护说”的观点对立；第二次世界大战后，日本著名法学家提出了“纠纷解决说”，后成为日本民事诉讼法学理论的通说；到了20世纪90年代，日本学者受英、美、法的正当程序观念的影响，提出了“程序保障说”。在我国，关于民事诉讼目的的研究起步较晚，到了20世纪90年代中后期，我国

① 江伟. 民事诉讼法. 北京：高等教育出版社，2004. 5

民事诉讼目的的理论研究才出现一定成果，一些研究者提出了自己的理论观点，主要有“纠纷解决说”、“程序保障说”、“利益保障说”和“多元说”等。我们认为，关于什么是民事诉讼的目的与民事诉讼制度为什么设立的问题，要联系与民事诉讼活动有关的主体的期望或者需要，国家设立民事诉讼制度和开展民事诉讼活动是为了什么，民事主体期望国家设立民事诉讼制度和按照民事诉讼制度进行民事诉讼活动是为了什么，不能单纯从某一主体的需要或者从某一角度出发来理解民事诉讼的目的。今天，关于民事诉讼目的的研究，还要结合我国改革开放和建设和谐社会的实际。现代民事诉讼价值的多元化，决定了民事诉讼目的的多重性，同时，民事诉讼主体的多元化也决定了民事诉讼目的的多重性。从立法的角度考察，国家设立民事诉讼制度，开展民事诉讼活动，是为维护民商法等法律的实施，解决民事纠纷，保护公民、法人和其他组织的民事权益，从而维护社会稳定，构建和谐社会。《中华人民共和国民事诉讼法》（以下简称《民事诉讼法》）第 2 条规定：“民事诉讼法的任务，是保护当事人行使诉讼权利，保证人民法院查明事实，分清是非，正确适用法律，及时审理民事案件，确认民事权利关系，制裁民事违法行为，保护当事人的合法权益，教育公民自觉遵守法律，维护社会秩序、经济秩序，保障社会主义建设事业顺利进行。”这一条规定包含着“纠纷解决说”、“私法权利保护说”或者“利益保障说”、“法律秩序维持说”的内容，是关于我国民事诉讼目的的具体规定。从公民、法人和其他组织期望国家设立民事诉讼制度和进行民事诉讼活动的角度进行考察，他们的目的是为了解决与自己有关的民事纠纷，维护自己的私法权利。从这一点来看，民事诉讼目的也包含有“纠纷解决说”和“私法权利保护说”或者“利益保障说”的内容。

第二节　民事诉讼法

一、民事诉讼法的概念

民事诉讼与民事诉讼法是两个既有联系又有区别的法律概念，民事诉讼是民事诉讼法规定的内容，民事诉讼法是民事诉讼的法律规范。民事诉讼法是指国家制定或者认可的，规定人民法院、人民检察院、当事人和其他诉讼参与人如何进行民事诉讼活动以及由此产生的诉讼权利义务的法律规范的总称。民事诉讼法是人民法院主持处理民事案件的操作规范，也是人民检察院、当事人和其他诉讼参与人进行民事诉讼活动的行为指南。民事诉讼法规定的内容包括民事诉讼的任务、基本原则、基本制度、程序和方式以及人民法院、人民检察院、当事人和其他诉讼参与人的诉讼权利和义务等。

根据我国民事诉讼法律规范的存在现状，民事诉讼法有广义和狭义之分。广义的民事诉讼法包括 1991 年 4 月第 7 届全国人民代表大会通过的《中华人民共和国民事诉讼法》(2007 年 10 月修改)、最高人民法院制定颁发的关于《中华人民共和国民事诉讼法》和民事诉讼的司法解释、指导性规定以及其他法律中关于民事诉讼的有关规定等；

狭义的民事诉讼法单指《中华人民共和国民事诉讼法》。在我国民事诉讼司法实践中，要按照广义的民事诉讼法的规定进行民事诉讼活动、处理民事案件。

二、民事诉讼法的任务

《民事诉讼法》第2条规定："中华人民共和国民事诉讼法的任务，是为了保护当事人行使诉讼权利，保证人民法院查明事实，分清是非，正确适用法律，及时审理民事案件，确认民事权利义务关系，制裁民事违法行为，保护当事人的合法权益，教育公民遵守法律，维护社会秩序，保障社会主义事业顺利进行。"根据这一规定，我国民事诉讼法的任务包括四个方面。

（一）保障当事人正确行使诉讼权利

民事诉讼权利是民事实体权利的保障。法律赋予当事人享有民事诉讼权利，目的在于保障当事人各项民事实体权利的实现。民事诉讼法的首要任务就是要保障当事人能正确行使民事诉讼权利，使当事人能够通过民事诉讼活动，解决民事纠纷，维护民事权益。民事诉讼法中规定了当事人的各项诉讼权利和诉讼义务，也规定了人民法院保障当事人行使诉讼权利的各项措施，这就充分保证当事人能正确行使诉讼权利，履行诉讼义务，避免当事人的诉讼权利被限制或者被剥夺的情况。

（二）保证人民法院正确行使审判权

当事人依法行使诉讼权利，维护自己的合法权益，需要人民法院的职权行为作为保证。因此，民事诉讼法规定了保证人民法院正确行使审判权的重要任务。《民事诉讼法》中的有关程序性规定，是为保证人民法院能依法查明案件事实，分清是非，正确适用法律，及时审理案件，制裁民事违法行为，有效解决民事纠纷。

（三）教育公民、法人和其他组织遵守法律

民事诉讼实践中的当事人包括公民、法人和其他组织，这些当事人既是我国社会主义现代化建设的主体，也是我国现实社会中各种法律关系的主体。教育公民、法人和其他组织遵守法律法规，增强法制观念，从而预防和减少民事纠纷的发生。这是民事诉讼法的重要任务。依据民事诉讼法处理民事纠纷案件，制裁民事违法行为，可以教育公民、法人和其他组织尊重他人的民事权利，不得侵犯他人的合法权益，并且要切实履行民事义务，否则就要受到法律的制裁。同时也教育公民、法人和其他组织，当自己的民事权利受到侵犯或者与他人发生纠纷时，要依照合法程序解决，不能采取非法手段解决民事纠纷。

（四）维护社会秩序，构建和谐社会

依据民事诉讼法正确、合法、及时地解决民事纠纷，化解当事人之间的各种矛盾，有利于维护社会秩序和经济秩序，保障社会主义市场经济又好又快地发展，建设社会主

义和谐社会。

三、民事诉讼法的效力

民事诉讼法的效力是指民事诉讼法对哪些人、哪些事以及在哪些空间和时间范围内发生法律拘束力，也称民事诉讼法的适用范围。民事诉讼法的效力包括空间效力、时间效力、对事效力和对人效力。

（一）空间效力

民事诉讼法的空间效力是指民事诉讼法发生法律拘束力的地域范围，也指民事诉讼法在哪些地域范围内适用。

我国《民事诉讼法》第4条规定："凡在中华人民共和国领域进行民事诉讼，必须遵守本法。"这是关于民事诉讼法空间效力范围的一般性规定。中华人民共和国领域包括领土、领空以及领土的延伸部分。只要在这些领域范围内进行民事诉讼活动，都必须适用我国民事诉讼法。但是，我国民事诉讼法对一些特殊地区的民事诉讼作了特别规定。《民事诉讼法》第17条规定："民族自治地方的人民代表大会根据宪法和本法的原则，结合当地民族的具体情况，可以制定变通或者补充的规定。"根据这一规定，如果民族自治地方的人民代表大会对我国民事诉讼法中的某些规定作了变通或者补充的规定，就意味着民事诉讼法的这些规定在民族自治地方不能适用或者不能完全适用。另外，根据"一国两制"原则，我国香港、澳门两个特别行政区适用特别行政区基本法，不适用中华人民共和国民事诉讼法。台湾是我国领土不可分割的部分，是我国的领域范围。由于历史的原因，台湾有其系统的法律制度，不适用中华人民共和国民事诉讼法。

（二）时间效力

民事诉讼法的时间效力是指民事诉讼法在哪些时间内适用，具体内容包括生效时间、失效时间以及对民事诉讼法生效前发生的民事案件是否有溯及力等。2007年10月修改前的民事诉讼法于1991年4月9日公布并实施，该时间为生效时间，失效时间为公布废止时间。我国民事诉讼法具有溯及既往的效力，具体地说，新民事诉讼法生效后，审理新民事诉讼法生效前受理但未审结的案件，适用新民事诉讼法。

（三）对事效力

民事诉讼法的对事效力是指人民法院依照民事诉讼法主管民事案件的范围，也就是哪些民事案件由人民法院依据民事诉讼法解决。我国《民事诉讼法》第3条规定："人民法院受理公民之间、法人之间、其他组织之间以及他们相互之间因财产关系和人身关系提起的民事诉讼，适用本法的规定。"这一条规定的民事诉讼主要是平等主体之间因民法、商法、劳动法、合同法等调整的财产关系和人身关系发生的纠纷案件。另外，有关政治权利性质的选民资格案件以及其他有关非诉讼案件，也由人民法院主管。关于涉外民事诉讼，适用我国民事诉讼法，如果我国缔结或者参加的国际条约与我国民事诉讼法有不同规定，适用我国缔结或者参加的国际条约的规定，但是我国声明保留的条款除外。

（四）对人效力

民事诉讼法的对人效力是指民事诉讼法适用于哪些人，对哪些人有法律拘束力。根据我国《民事诉讼法》第 4 条规定，凡在中华人民共和国领域范围内进行民事诉讼的人，不论是中国人还是外国人、无国籍人，都必须遵守我国民事诉讼法。在中华人民共和国领域内进行民事诉讼的人包括以下几种人：①中国公民、法人和其他组织；②居住在中国境内的外国人、无国籍人；③在中国设立的外国公司、企业及其他组织；④申请在中国进行民事诉讼的外国人、无国籍人与外国公司、企业及其他组织。根据《民事诉讼法》第 237 条规定，享有外交特权与司法豁免权的外国人、外国组织或者国际组织在我国提起民事诉讼，应当依照我国有关法律和我国缔结或者参加的国际条约的规定办理，一般不适用我国民事诉讼法。

第三节　民事诉讼法学

一、民事诉讼法学的概念

民事诉讼法学是法学理论的一个分支理论学科，是法学理论体系的一个重要组成部分。民事诉讼法学是对民事诉讼法律规范、民事诉讼理论、民事诉讼实践活动等进行研究、分析的科学。我国民事诉讼法学早在春秋战国时期就产生了，[①]但由于我国古代长期都是刑法与民法不分、实体法与程序法相混，直到民国初期才形成独立的理论学科。新中国的民事诉讼法学是一门独立的年轻学科。[②]1982 年 3 月，《民事诉讼法（试行）》颁布实施，随后逐步形成了独立的民事诉讼法学。

二、民事诉讼法学的研究对象

关于什么是民事诉讼法学的研究对象，在民事诉讼法学创立时，理论界的认识不尽一致。有人认为民事诉讼法学的研究对象是民事纠纷，有人认为民事诉讼法学的研究对象是民事诉讼法律关系，还有人认为民事诉讼法学的研究对象是民事诉讼法及审判实践。近年来，理论界对民事诉讼法学的研究对象初步形成共识，民事诉讼法学的研究对象主要包括以下四个方面。

① 常怡. 民事诉讼法学. 北京：中国政法大学出版社，1994. 1

② 田平安. 民事诉讼法学. 北京：中国检察出版社，2002. 15

（一）民事诉讼法律规范

民事诉讼法律规范包括民事诉讼法典和有关民事诉讼的其他规范性法律文件。研究民事诉讼法律规范，具体研究现行民事诉讼法的立法宗旨、基本原则、诉讼程序和规则、古今中外民事诉讼法的历史和发展规律等。

（二）民事诉讼理论

民事诉讼理论研究是在研究民事诉讼法律规范的基础上进行的深层次理论阐释和概括，它与民事诉讼法律规范和民事诉讼实践研究有着密切关系。民事诉讼理论研究的内容主要包括民事诉讼的目的与任务、民事诉讼的社会价值、民事诉讼的基本模式、民事诉讼法律关系等。

（三）民事诉讼实践

民事诉讼实践主要包括人民法院的审判、执行活动和当事人及其他诉讼参与人的诉讼活动。民事诉讼实践研究：一是研究怎样将复杂的具体的诉讼问题特定化，以便于正确适用民事诉讼法律规范；二是研究诉讼实践中出现的没有法律规定而又无法回避的问题，以寻求解决的方法和对策。①

（四）民事诉讼法学与其他法学学科的关系

民事诉讼法与宪法、民法、刑事诉讼法、行政诉讼法等法学学科的关系，也是民事诉讼法学的研究对象。

三、民事诉讼法学的理论体系

每门法律学科都有独立的理论体系，民事诉讼法学也是如此。新中国成立后，我国民事诉讼法学的理论体系基本上接受了前苏联民事诉讼法学的理论体系。1982 年 3 月《民事诉讼法（试行）》颁布实施后，我国民事诉讼法学就以民事诉讼法典的立法体系为基础，形成了独特的理论体系。民事诉讼法典的体例分为总则、审判程序、执行程序和涉外民事诉讼程序四个部分，民事诉讼法学理论体系基本上与民事诉讼法典的体例保持一致，在具体研究的内容上可作一些调整。本教材以民事诉讼法典和民事诉讼法学理论体系为基本依据，确立自己的理论体系。教材共有 20 章内容，具体内容分为三大部分，第一部分包括第 1 章民事诉讼法学概述，第 2 章民事之诉，第 3 章民事诉讼法基本原则，第 4 章民事审判基本制度，第 5 章民事诉讼主管和管辖，第 6 章诉讼参加人，第 7 章民事诉讼证据，第 8 章期间、送达和诉讼费用，第 9 章民事诉讼保障制度，内容为总则中的一般性规范和基础理论知识。第二部分为我国民事诉讼程序的规定和理论，包括第 10 章第一审普通程序、第 11 章简易程序，第 12 章第二审程序，第 13 章民事裁判，

① 蔡虹，李汉昌. 民事诉讼法学. 北京：中国法制出版社，1999. 3

第 14 章特别程序，第 15 章再审程序，第 16 章督促程序，第 17 章公示催告程序，第 18 章民事执行程序，内容涉及审判、执行。第三部分为涉外民事诉讼，包括第 19 章涉外民事诉讼程序，第 20 章涉港、澳、台民事诉讼程序。这一体系包含了民事诉讼法典的全部内容，同时兼顾了其他有关民事诉讼规范性法律文件，如最高人民法院的司法解释和对有关民事诉讼的指导意见等。同时，在每一部分内容中又包含了民事诉讼理论研究的最新动态和研究成果。

四、民事诉讼法学的研究方法

民事诉讼法学是一门独立的法学科学，在研究中应把握科学和恰当的方法，以取得更好的研究成果。民事诉讼法学的理论性和实用性都很强，理论层次深，实用范围广。因此，在研究中要注意把握一些研究方法。

（一）理论与实践相结合的方法

理论联系实践，是民事诉讼法学的根本研究方法。民事诉讼法学的理论从实践中产生，随着实践的发展而发展，并接受实践的检验，同时又不断研究实践中出现的新情况、新问题，为民事诉讼的立法、审判等实践活动提供理论依据。民事诉讼法学研究的目的是解决社会主义市场经济中出现的民事案件，维护公民、法人和其他组织的合法权益，为构建社会主义和谐社会服务。因此，研究民事诉讼法学要坚持理论与实践相结合的方法，阐述民事诉讼法的整体内容、基本原则和精神，系统地掌握民事诉讼法学理论，并运用于社会主义市场经济建设的实践。

（二）比较方法

对某一事物的研究，都应将该事物与其他事物加以比较，有比较才有鉴别，有鉴别才有新的发现和发展。进行民事诉讼法学的研究，要将现行民事诉讼法与古今中外的民事诉讼法律制度加以比较、分析，探讨它们之间的共性和个性，取其精华，去其糟粕，以达到古为今用、洋为中用的目的。

（三）程序法与实体法相结合的方法

民事诉讼法是民事诉讼程序法，它与民事实体法是形式与内容的关系，联系十分紧密。这种紧密的联系主要表现为民事诉讼程序法是为实施民事实体法而制定，没有民事实体法就没有民事诉讼程序法。同时，民事实体法的内容需要民事诉讼程序法来表现，并由民事诉讼程序法来保证实施。民事诉讼程序法与民事实体法是一种相互依存的关系。另外，在民事实体法中，包含民事诉讼程序法的规范内容，如婚姻法中的离婚起诉、调解等规定，民法通则、继承法、合同法等关于诉讼时效的规定，都是民事诉讼程序性规定。因此，研究民事诉讼法学，必须把民事诉讼程序法与民事实体法结合起来，从而使研究得以全面而深入地开展。

第四节　民事诉讼法律关系

一、民事诉讼法律关系的概念

民事诉讼法律关系是指人民法院、人民检察院、当事人和其他诉讼参与人在民事诉讼活动中形成的以诉讼权利和诉讼义务为内容的具体的法律关系。民事诉讼法律关系包括审判法律关系和争讼法律关系。[①]我国民事诉讼法中没有民事诉讼法律关系的规定，民事诉讼法律关系是理论上的概念。但是，发生在民事诉讼活动中的民事诉讼法律关系是客观存在的，虽然民事诉讼法没有明确规定，但也应受民事诉讼法的调整。

民事诉讼法律关系的一方是人民法院，另一方是当事人和其他诉讼参与人，有时，人民检察院也参与再审程序的诉讼活动，成为民事诉讼活动的监督方。人民法院代表国家行使审判权，在民事诉讼法律关系中始终处于主导地位。当事人、诉讼代理人、证人是民事案件的对立双方；鉴定人、勘验人、翻译人是为民事案件的处理提供专业技术服务的人员，对民事案件中对立的双方来说，是中立方。人民检察院以提起抗诉的方式参与再审程序的诉讼活动，代表国家对民事诉讼进行法律监督。人民法院与当事人和其他诉讼参与人、人民检察院之间是一种审判法律关系，即人民法院对当事人和其他诉讼参与人的诉求和意见以及人民检察院的抗诉进行审判而形成的诉讼法律关系；当事人、其他诉讼参与人、人民检察院（人民检察院的抗诉兼顾对立双方的利益）之间是一种争讼法律关系，即民事诉讼活动对立的双方相互抗辩而形成的诉讼法律关系。

二、民事诉讼法律关系的构成要素

民事诉讼法律关系是法律关系中的一种。任何一种法律关系都由主体、内容和客体三个要素构成，民事诉讼法律关系也不例外。

（一）民事诉讼法律关系主体

民事诉讼法律关系主体是指在民事诉讼中依法享有诉讼权利和承担诉讼义务的人，包括人民法院、人民检察院、公民、法人和其他组织。从参与民事诉讼活动的人的特定身份和角色来讲，公民、法人和其他组织表现为当事人、诉讼代理人和其他诉讼参与人。

1. 人民法院

人民法院是国家审判机关，是在民事诉讼中起主导作用的主体。人民法院依法享有审理、裁判、执行等诉讼职权。从维护当事人合法权益的角度来讲，人民法院的这些职

---

① 江伟. 民事诉讼法. 北京：中国人民大学出版社，2004. 28

权也是其诉讼义务。

2. 人民检察院

人民检察院是国家的法律监督机关，有权对人民法院的审判活动进行监督。人民检察院的监督行为具体表现为：发现人民法院已经发生法律效力的裁判确有错误的，依据《民事诉讼法》第 187 条规定提出抗诉，并派员参加再审程序中的诉讼活动。人民检察院的抗诉活动从表面上看是为了维护一方当事人的合法权益，实质上是为了纠正人民法院审判中的错误，保证国家法律的正确实施，体现其国家法律监督机关的本质属性。

3. 当事人

民事诉讼当事人是引起民事诉讼法律关系发生的主体，没有当事人的起诉、申请、上诉和申请再审等诉讼行为，民事诉讼法律关系就不可能发生。第一审程序中的民事诉讼当事人包括原告、被告、第三人、申请人等。

4. 诉讼代理人

诉讼代理人是代理当事人进行诉讼的人。根据《民事诉讼法》第 5 章第 2 节规定，诉讼代理人包括法定诉讼代理人和委托诉讼代理人。

5. 其他诉讼参与人

民事诉讼法没有诉讼参与人的具体规定，只有其他诉讼参与人的提法。《民事诉讼法》第 122 条、第 123 条中提及其他诉讼参与人，根据 1992 年 7 月最高人民法院《关于适用“中华人民共和国民事诉讼法”若干问题的意见》（以下简称《适用民事诉讼法意见》）第 155 条规定，其他诉讼参与人是指诉讼代理人、证人、鉴定人、勘验人和翻译人员。这里的其他诉讼参与人不包括诉讼代理人，根据《民事诉讼法》第 5 章第 2 节规定，诉讼代理人属于诉讼参与人的范畴。其他诉讼参与人与案件处理结果没有法律上的利害关系，不受人民法院裁判的约束。但是，其他诉讼参与人在民事诉讼中也享有诉讼权利和承担诉讼义务，他们在民事诉讼中担负着不同的诉讼任务，是民事诉讼法律关系中不可缺少的主体。

（二）民事诉讼法律关系内容

民事诉讼法律关系内容是指民事诉讼法律关系主体在民事诉讼法律关系中享有的诉讼权利和所应承担的诉讼义务。每一个民事诉讼法律关系主体在民事诉讼中享有的诉讼权利和所应承担的诉讼义务是不同的，这种不同也决定了他们在民事诉讼中所处的地位和所起的作用不同。人民法院的诉讼权利和诉讼义务决定其在民事诉讼中处于主导地位和起主要作用。人民检察院、当事人和其他诉讼参与人的诉讼权利和诉讼义务决定了他们在民事诉讼中起监督和协助的作用。

1. 人民法院的诉讼权利和诉讼义务

人民法院的诉讼权利主要表现为依法受理与不受理民事案件，对受理的民事案件进行审判和执行等；诉讼义务主要表现为本着以事实为依据，以法律为准绳的原则，正确、合法、及时地处理民事案件，维护当事人的合法利益，保证国家法律的正确实施。

2. 人民检察院的诉讼权利和诉讼义务

人民检察院的诉讼权利同时也是诉讼义务。人民检察院有责任、有义务根据《民事诉讼法》第187条规定提起抗诉，派员参与人民法院再审程序中的诉讼活动，同时要遵守民事诉讼法关于抗诉的有关规定。

3. 当事人的诉讼权利和诉讼义务

当事人是民事诉讼法律关系中的重要主体，为了保护当事人的合法权利，民事诉讼法赋予其广泛的诉讼权利。当事人享有起诉、答辩、反诉、申请回避、质证、辩论、处分、上诉、申请执行、申请再审等各项诉讼权利，同时负有到庭应诉、缴纳诉讼费、举证、履行生效裁判等各项诉讼义务。

4. 诉讼代理人的诉讼权利和诉讼义务

诉讼代理人以当事人的名义参加诉讼，代表当事人行使各项诉讼权利，履行各项诉讼义务。另外，诉讼代理人又是相对独立的诉讼主体，享有法律赋予的特殊权利，如调查收集证据、查阅案卷材料等权利。同时，诉讼代理人也担负着依法行使诉讼代理权，尽力维护当事人的合法权益和各项权利，服从法庭指挥、遵守法庭秩序等诉讼义务。

5. 其他诉讼参与人的权利和义务

作为证人、鉴定人、勘验人和翻译人的其他诉讼参与人，不是享有民事实体权利的诉讼主体，也不是单纯为了哪一方的利益而参加诉讼，他们参加诉讼，主要是协助人民法院查明案件事实，为人民法院正确处理案件而从事某一个方面的服务。每一个其他诉讼参与人都享有特定的诉讼权利和承担特定的诉讼义务。证人有权使用本民族语言文字，有权核对书记员所作的证言笔录，有权要求当事人和法庭补偿因出庭作证所支付的各项费用等；证人的义务表现为必须按时到庭，如实陈述有关案件事实等。鉴定人、勘验人有权了解案件的有关情况，索取鉴定、勘验所需要的有关材料，有权要求获取一定报酬等；鉴定人、勘验人的义务表现为如实、客观、公正地作出鉴定、勘验，按时出庭，如实回答提问等。

（三）民事诉讼法律关系客体

民事诉讼法律关系客体是指民事诉讼法律关系主体的诉讼权利和诉讼义务共同指向的对象。在民事诉讼中，民事诉讼法律关系主体之间存在着各种不同的具体民事诉讼法律关系，因而各个民事诉讼法律关系主体所享有的诉讼权利和承担的诉讼义务是不同的，这就导致诉讼权利和诉讼义务所共同指向的对象——民事诉讼法律关系客体，也有所区别。

人民检察院提起抗诉是为了督促人民法院纠正错误的裁判，维护法律的正确实施。因此，人民法院和人民检察院之间的诉讼权利和诉讼义务共同指向的对象，是人民法院发生效力的裁判所认定的案件事实和适用的法律规范。抗诉提起后，人民法院就案件认定的事实和适用的法律再次进行审理和裁判。

人民法院的诉讼权利和诉讼义务体现为正确认定案件事实，依法作出裁判，确认当事人的实体权利和义务；当事人的诉讼权利和诉讼义务体现为证明所主张的案件事实，请求作出有利于自己的裁判。因此，人民法院和当事人之间的诉讼权利和诉讼义务共同指向的对象，是案件事实、实体权利要求及对实体权利要求的准允或者不准允。

诉讼代理人参加民事诉讼，其诉讼权利和诉讼义务表现为协助人民法院查清案件事实，以确认当事人之间的实体权利和义务，维护当事人的合法权益。因此，诉讼代理人与人民法院之间的诉讼权利和诉讼义务共同指向的对象，也是案件事实、实体权利要求及对实体权利要求的准允或者不准允。

其他诉讼参与人参加民事诉讼，不能像当事人和诉讼代理人那样提出具体的实体权利要求，他们在民事诉讼中的诉讼权利和诉讼义务仅体现为协助人民法院查清案件事实。因此，其他诉讼参与人与人民法院之间的诉讼权利和诉讼义务共同指向的对象是案件事实。

案例分析

【案情】

李敏是西安一家民营医院的女护士。2002 年 5 月，该医院以进行橱窗宣传为由，为李敏和另外一些漂亮的护士拍摄了穿着护士服的工作照。2003 年 9 月，李敏发现医院刊登在媒体上的商业广告使用了自己的肖像，而自己事先对此全然不知。为此李敏多次找医院交涉，但双方未能达成一致意见，关系闹僵后，她出于无奈被迫辞职。2004 年 8 月，李敏将该医院告上西安市某区人民法院，要求被告停止侵权，消除影响，并赔偿精神抚慰金 15 000 元。为证明自己的主张，李敏向人民法院提供了刊登商业广告的报纸。

被告辩称，医院使用原告及医院其他一些护士的肖像做广告是经过原告及其他护士同意的，并已达成了无偿使用协议，不存在侵犯原告肖像权的问题。为此，医院提供了其他护士的证言。

2004 年 11 月 10 日，某区人民法院就此案件作出一审判决，认定被告某医院的行为侵犯了原告李敏的肖像权，判令被告某医院在判决生效之日起 7 日内，在原刊登其商业广告的 3 家媒体上刊登致歉声明，同时支付原告李敏精神抚慰金 10 000 元。

【问题】

在本案中，民事主体之间形成了民事诉讼法律关系，民事诉讼法律关系与民事实体关系有何区别?

【解析】

在本案中，人民法院分别与李敏、某医院、作证的护士之间形成了民事诉讼法律关系。民事诉讼法律关系是由民事诉讼法调整的人民法院和当事人以及其他诉讼参与人之间在诉讼过程中形成的诉讼权利和诉讼义务关系。民事实体法律关系是民事主体之间在民事活动中形成的民事权利和民事义务关系。民事诉讼法律关系与民事实体关系存在明显的不同。在本案起诉前，李敏与某医院之间存在着民事实体法律关系，李敏的起诉被某区人民法院受理后，李敏和某医院分别与某区人民法院形成了民事诉讼法律关系。①

① 案例、问题及解析来源：张淑兰，刘芝祥. 民事诉讼法案例教程. 北京：知识产权出版社，2005. 37

第二章　民事之诉

民事之诉是民事诉讼法学的基本理论问题，也是民事诉讼法学领域中一个争论较多的问题，属于民事诉讼法教学中的难点之一。民事诉讼中的诉既是一种请求，也是一种制度，它是指当事人向人民法院提出的保护自己民事权益的请求，同时也是指当事人进行民事诉讼所依据的法律规范体系。因此，诉包括诉的请求和诉的制度。本章主要介绍民事之诉的概念、特征、类型和构成要素，阐述民事之诉的合并、变更和追加的含义以及它们之间的联系，明确提起反诉的条件和被告反诉与反驳的区别。

第一节　民事之诉概述

一、民事之诉的概念和特征

民事之诉是指民事案件当事人向人民法院提出的保护自己民事权益的请求。民事之诉具有双重含义，它包括程序意义上的民事之诉和实体意义上的民事之诉。程序意义上的民事之诉是指当事人根据民事诉讼法的规定，向人民法院提出的审判请求。程序意义上的民事之诉是启动民事诉讼程序与人民法院开始民事审判活动的前提和基础。实体意义上的民事之诉是指当事人关于保护民事权益或者解决民事纠纷的请求。程序意义上的民事之诉和实体意义上的民事之诉虽然具有不同的内容和功能，但两者是紧密联系，相互依存的。程序意义上的民事之诉是实体意义上的民事之诉的实现方式，实体意义上的民事之诉是程序意义上的民事之诉的目的。民事之诉是实体请求与程序请求的统一。民事之诉具有三个法律特征。

（一）民事之诉只能由民事案件的当事人提出

民事案件的客观存在是提起民事之诉的前提，没有民事案件，民事之诉就无从提起；民事之诉只能由民事案件的当事人提出。当事人无诉讼行为能力的，由其法定代理人代为提出。

（二）民事之诉是当事人向人民法院提出的保护自己民事权益的请求

民事之诉的本质是当事人请求“公力救济”，请求人民法院利用国家审判权来解决民事纠纷和保护民事权益。

（三）民事之诉的内容是当事人请求人民法院解决民事权益争议

民事之诉的内容仅限于请求人民法院保护民事权益，如果当事人请求的内容不是保护民事权益，这种请求就不是民事之诉。

二、民事之诉的类型

根据诉的目的和内容不同，可以把民事之诉分为确认之诉、给付之诉和变更之诉三种类型。

（一）确认之诉

1. 确认之诉的概念和特征

确认之诉是指一方当事人请求人民法院确认其与对方当事人之间是否存在某种民事法律关系之诉。确认之诉是针对社会生活中某些法律关系的不确定状态设定的。

确认之诉的目的在于请求人民法院就某一法律关系是否存在，以及存在的状态和内容给予法律上的评断和确认，以消除当事人的争议，恢复常态的民事法律关系。确认之诉具有如下特征：

（1）确认之诉所要确认的民事法律关系必须是现存的。只有当事人对现存的民事法律关系是否存在或者存在的范围有争议时，才能请求人民法院作出肯定或者否定的确认裁判。

（2）当事人只请求人民法院确认其与对方当事人之间是否存在某种民事法律关系，并不要求人民法院判令对方当事人履行民事义务。

（3）人民法院对确认之诉进行审理后所作出的判决，没有给付内容，不具有执行性。

2. 确认之诉的分类

根据当事人请求目的的不同，确认之诉可以分为肯定的确认之诉和否定的确认之诉。

（1）肯定的确认之诉（又称为积极的确认之诉）是指当事人请求人民法院确认其与对方当事人之间存在某种民事法律关系的诉。例如，请求人民法院确认其与对方当事人之间的房屋买卖关系成立之诉，请求人民法院确认其与对方当事人之间存在收养关系、借贷关系之诉等，都属于肯定的确认之诉。

（2）否定的确认之诉（又称为消极的确认之诉）是指当事人请求人民法院确认其与对方当事人之间不存在某种民事法律关系的诉。例如，请求人民法院确认其与对方当事人之间不存在婚姻关系、父子关系、委托关系之诉等，这些都属于否定的确认之诉。

(二)给付之诉

1. 给付之诉的概念和特征

给付之诉是指一方当事人请求人民法院判令对方当事人履行一定民事义务的诉。这里所说的“给付”不仅包括金钱给付、实物给付，还包括行为给付。一切法定或者约定的义务未能实际履行，当事人一方都可以通过给付之诉来促使对方当事人履行义务。例如，请求人民法院判令被告给付一定数额的金钱、维修某一房屋等。给付之诉具有以下特征：

(1)双方当事人之间存在权利义务关系，即一方享有权利，另一方承担某种义务。当事人一方依法存在请求权，对方依法应承担某种义务，或者当事人双方都分别享有某种权利和应承担某种义务，而应履行义务的一方又拒绝履行义务。

(2)双方当事人之间有权利义务之争，对如何行使权利和履行义务发生争议，因而请求人民法院予以裁判。

(3)人民法院在审理给付之诉时，首先要确认给付关系是否存在，并且在此基础上判令义务人履行其义务。给付之诉与确认之诉可以在同一案件中并存，人民法院对确认之诉作出的肯定判决，对将来可能提起的与此有关的给付之诉具有预决性。

(4)人民法院对给付之诉进行审理后所作出的判决具有给付内容，具有可执行性。是否具有可执行性是确认之诉与给付之诉的根本区别。

2. 给付之诉的分类

根据请求给付的时间和内容不同，给付之诉可以分为两种类型：

(1)根据请求给付的时间不同，给付之诉可以分为现在给付之诉和将来给付之诉。现在给付之诉是指在给付判决生效后，义务人应向权利人履行一定义务的给付之诉。将来给付之诉是指在给付判决生效后，在履行期到来时，义务人向权利人履行一定义务的给付之诉。

(2)根据请求给付的内容不同，给付之诉可以分为特定物给付之诉、种类物给付之诉和特定行为给付之诉。特定物给付之诉是指请求对方交付某个不能代替的特定物品之诉。种类物给付之诉是指要求对方交付具有共同物理性能和经济意义的、可以互相代替的、能够用度量衡计算的实物之诉。特定行为给付之诉就是要求义务人为一定的行为或者不为一定的行为之诉。

(三)变更之诉

1. 变更之诉的概念和特征

变更之诉是指当事人请求人民法院改变或者消灭与对方当事人之间现存的民事法律关系的诉。例如，解除收养关系之诉、变更或者撤销买卖合同之诉等都是变更之诉。变更之诉具有如下特征：

(1)当事人对现存的法律关系无争议，但对这一法律关系是否变更或者如何变更有争议。

(2)当事人只要求人民法院对某一法律关系加以变更，不要求解决权利的享有或者义务的承担问题。

（3）在人民法院的变更判决生效以前，当事人之间的法律关系保持不变。

2. 变更之诉的种类

根据请求变更范围和目的不同，可以将变更之诉分为改变性变更之诉和消灭性变更之诉。改变性变更之诉是指当事人请求人民法院改变与对方当事人之间现存的民事法律关系的诉。如请求人民法院变更抚养费的数额等。消灭性变更之诉是指当事人请求人民法院消灭与对方当事人之间现存的民事法律关系的诉。如请求结束婚姻关系，请求解除收养关系等。

三、民事之诉的构成要素

民事之诉的构成要素是指构成一个独立的民事之诉所必须具备的基本因素。关于诉的构成要素，在理论界有着不同的认识，主要有二要素说和三要素说。二要素说认为民事之诉的构成要素包括诉讼标的和诉讼理由（或诉讼根据）；三要素说认为民事之诉的构成要素包括当事人、诉讼标的和诉讼理由（或诉讼根据）。我们认为，一个完整的民事之诉的构成要素必须具备诉的主体、诉讼标的、诉的理由等三个要素。

（一）诉的主体

诉的主体就是指诉讼当事人。通常情况下，一个诉除了必须有提出请求的一方，还必须有与其相对的一方，人民法院才能对案件进行审理。如果诉没有当事人这一要素，诉就无法特定化，人民法院的审判就失去了针对性，诉讼就无法进行。民事诉讼法明确规定，起诉、反诉、上诉以及再审之诉都必须有相互对应的双方当事人存在。在特定情况下，诉可以只有一方主体，如宣告公民失踪、死亡等适用特殊程序的案件，其中就只有一方当事人。

（二）诉讼标的

1. 诉讼标的的概念

诉讼标的是指当事人之间发生争议，并要求人民法院作出裁判的民事法律关系。诉讼标的实际上就是人民法院审判的对象，是人民法院依据审判权所要解决的民事法律关系，它决定了人民法院的审判范围。

诉讼标的是诉不可缺少的核心内容。如果没有诉讼标的，人民法院受理诉之后就失去了审判对象，就没有审判的必要。一个案件至少有一个诉讼标的，有的案件可能有两个以上的诉讼标的。如离婚案件可能涉及解除夫妻关系、分割共有财产、子女抚养问题。某一具体案件以何种法律关系为诉讼标的，应以提起诉讼的当事人所表明的意思而定，也就是说，应以请求人民法院裁判的事项而定。

2. 诉讼标的与标的物的关系

诉讼标的是指当事人之间发生争议并要求人民法院以裁判的形式予以解决的民事法律关系；诉讼标的物则是指作为诉讼标的的民事法律关系中的权利义务所指向的对象。它总是表现为一定的金钱、物或者行为。例如，在房屋租赁中，诉讼标的是房屋租赁关系，标的物是所租赁的房屋。

3. 诉讼标的与诉讼请求的关系

诉讼标的与诉讼请求既有联系又有区别。诉讼标的是双方当事人之间存在争议的法律关系。诉讼请求则是当事人通过人民法院向对方当事人所主张的具体权利。如果法律关系不存在，或者虽有法律关系，但原告在这一法律关系中不享有权利，诉讼请求也就不能存在。

（三）诉的理由

诉的理由是指当事人向人民法院请求审判保护和进行诉讼的根据，它又称为诉讼理由，包括事实根据和法律根据两方面的内容。例如，万某（女）诉李某（男）离婚一案中，其声称夫妻感情已经破裂的理由为：①婚后经常发生争吵，并遭受李某的殴打，身体多次受伤；②李某还有赌博的恶习，多次劝说不但无效，反而招致拳打脚踢；……根据《婚姻法》第32条的规定，请求法院判解除与李某的婚姻关系。本案中，①、②为事实根据，《婚姻法》第32条规定为法律根据。

诉的要素必须具有诉的理由这一内容。当事人向人民法院提出保护自己合法权益的请求没有理由，请求就不能实现。没有诉讼理由的诉是不完整的诉，人民法院不能受理案件。即使人民法院受理案件，当事人的请求也不受保护。

第二节　民事之诉的合并、变更和追加

一、民事之诉的合并

（一）诉的合并的概念

诉的合并是指人民法院将两个以上独立而又有一定联系的诉合并，并适用同一诉讼程序予以审判的行为。诉的合并有利于简化诉讼程序，提高审判工作效率，节省人力、物力和财力，并可以防止人民法院对几个有关联的诉作出互相矛盾的判决。

（二）诉的合并的条件

人民法院将两个以上的诉合并审判，必须符合四个条件。

1. 若干诉之间存在一定的联系

若干诉之间存在一定的联系，包括诉讼主体方面的联系和诉讼客体方面的联系。诉讼主体方面的联系如同一原告对同一被告提出若干诉讼请求，诉讼客体方面的联系如本诉与反诉的牵连关系，有时诉的合并在主体方面和客体方面都有联系。

2. 若干诉被同一人民法院合法受理

人民法院对若干诉都有管辖权，也可以是人民法院对若干诉中的某一个诉拥有管辖权，在不违反法律强制性规定前提下，可以行使合并管辖权而受理数个诉。

3. 诉的合并必须有合并的利益

人民法院将两个以上的诉合并审判，能达到诉的合并的目的。

4. 合并的若干诉必须适用同一个诉讼程序

当事人提出的诉讼适用的是简易程序，增加的诉讼请求不能适用简易程序，则不能合并在简易程序中进行审理。本诉适用的是简易程序，反诉请求不能适用简易程序时，反诉与本诉不能合并。当然，如果本诉适用的是普通程序，而反诉也可以适用简易程序，则反诉可以与本诉合并，适用普通程序。

（三）诉的合并的种类

1. 诉的主体合并

诉的主体合并（又称诉的主观合并）即诉讼当事人的合并，是指当事人的一方或者双方为两人以上的诉讼，合并在同一案件中审理的情形。诉的主体合并又叫共同诉讼，包括必要的共同诉讼引起的诉的合并和普通的共同诉讼引起的诉的合并。必要的共同诉讼是指当事人一方或者双方为两人以上，诉讼标的是共同的，人民法院必须合并审理而引起的诉的合并。对这种诉讼，人民法院只能合并审理，不能分开审理。如共同赡养的诉讼与共同继承的诉讼，对合伙组织的诉讼均属于这一类情况。普通的共同诉讼引起的诉的合并是指当事人一方或者双方为两人以上，诉讼标的是同一种类，人民法院认为可以合并审理而引起的诉的合并。对这种诉讼，人民法院既可以合并审理，也可以分开审理。

2. 诉的客体合并

诉的客体合并是指在同一诉讼程序中，人民法院将同一原告向同一被告提出的两个以上的诉讼请求予以合并审理的情形。如在离婚案件中，人民法院将离婚、分割共同财产、子女抚养等诉讼请求予以合并。

3. 有独立请求权的第三人参加诉讼而形成的诉的合并

在有独立请求权的第三人参加的诉讼中，一方面有独立请求权的第三人是将本诉中的原告、被告作为其所参加之诉的共同被告，形成诉的主体合并；另一方面有独立请求权的第三人提起的诉与本诉，又形成诉的客体合并。有独立请求权的第三人参加诉讼而形成的诉的合并，既包括诉的主体合并，又包括诉的客体合并，是混合的诉的合并。

4. 因被告提起反诉而引起的诉的合并

在民事诉讼中，被告对原告提起的反诉成立后，形成了本诉和反诉。本诉和反诉的合并与诉的客体合并的相同之处在于都是将两个以上的诉讼请求予以合并审理，不同之处在于它不是同一原告对同一被告提出数宗请求，而是原告、被告双方都向对方提出了独立的诉讼请求。

以上四种诉的合并形式除了必要的共同诉讼的合并必须合并审理外，其他情况引起的诉的合并是否需要合并审理，由人民法院决定。诉的合并只是程序上的合并审理，各个诉的独立性并不因此而丧失，人民法院应当对各个诉分别审查后作出裁判。

二、民事之诉的分离

诉的分离是指人民法院受理案件后，将若干诉从一个案件中分离出来，作为若干个独立的案件分别进行审理的行为。

诉的分离是针对诉的合并而言的，在民事诉讼中，有些比较复杂的诉合并后，由于头绪过多，案情复杂，不仅不能简化诉讼过程，反而使案件复杂化，没有诉的合并利益。为了避免诉讼程序的复杂化，正确及时地处理民事案件，应当将几个诉从一个案件中分离出来，作为若干个独立的案件分别进行审理解决。已经合并了的，也可以将其中一个或者几个诉分离出去，另立案解决。在分开审理前，人民法院和当事人已经进行的一切诉讼行为，分开后仍然有效。诉讼实践中，发生诉的分离的情形，主要有以下几种：①将普通共同诉讼分为若干案件审理；②将第三人之诉从本诉中分离出来作为独立的案件审理；③将同一原告对同一被告提出的几个诉分开审理；④将反诉与本诉分开审理；⑤将不宜合并或者不应合并而又已经合并受理的几个诉分开审理。[①]

三、诉的变更

（一）诉的变更含义

诉的变更可分为狭义的诉的变更和广义的诉的变更。狭义的诉的变更是指替换变更，以新的诉讼标的替换原来的诉讼标的。广义的诉的变更是指诉讼请求的变化，它包括替换变更和追加变更。所谓追加变更即诉的追加，是指在维持原来的诉讼标的的基础上，另外增加了诉讼标的。广义的诉的变更实际上是因诉讼标的追加而形成诉的客体合并。在德国、日本和奥地利等国家，诉的变更包含诉的追加，不另将诉的变更与诉的追加相区分，因为在法律适用方面，两者并无差别。[②]我国民事诉讼法和最高人民法院的司法解释明确将诉的变更与诉的追加予以区别，分别对两者的有关情形作了规定。在我国，诉的变更是指狭义的诉的变更。诉的变更是指在诉讼过程中，当事人提出新的实体权利主张来代替原来的实体权利主张。

（二）诉的变更的情形

（1）诉讼请求量的变更即诉讼请求数额的变更。例如，原先请求给付 1 万元，后来增加到 15 000 元或者减少到 8 000 元，这实际上并未改变诉讼标的或者诉讼请求质的规定性，还是原诉。在理论上和实务中，诉在量上变更一般都被人们认同，诉讼中当事人变更诉讼请求是许可的。

（2）诉讼请求质的变更即变成另诉。诉讼请求质的变更，具体包括两种情况：一是原告变更权利保护形式，例如，原告原先请求确认自己享有某特定物的所有权，在诉讼

① 常怡. 民事诉讼法学. 北京：中国政法大学出版社，1995. 140

② 邵明. 民事之诉法理研究. 北京：中国人民大学出版社，2004. 231

中变更请求，请求判决给付该特定物，即权利保护形式由确认变更为给付。二是在一定情形中，案件事实发生变更也可能构成诉讼标的或者诉的变更。

四、诉的追加

诉的追加是指当事人在诉讼过程中，在原诉讼请求的基础上，又提出新的诉讼请求。一方面，在诉的追加中，原有的诉讼请求是存在的，如果新的诉讼请求的提出替代了原有的诉讼请求，就是诉讼请求的变更；另一方面，新的诉讼请求不同于已经存在的诉讼请求，但诉讼请求的对方仍然是本案被告。

诉的追加与诉讼请求的变更不同，虽然两者都提出了新的诉讼请求，但前者以原诉讼请求不变为基础，后者则以放弃原诉讼请求为前提。诉的追加应符合两个条件：一是必须在人民法院受理案件后尚未作出裁判之前提出；二是增加的诉讼请求必须与原诉有联系。对于符合上述条件而增加的诉讼请求，人民法院应当将其与原诉讼请求合并审理。

第三节　反诉

一、反诉的概念

反诉是指在已经开始的民事诉讼（诉讼法上称为本诉）程序中，本诉的被告以本诉原告为被告，向受诉人民法院提出的与本诉有牵连的独立的反请求，借以达到抵消、动摇或者吞并原诉的目的。本诉的原告在反诉中被称为反诉被告，本诉的被告被称为反诉原告。

设立反诉制度是世界各国的通例。允许被告反诉是民事诉讼当事人双方诉讼权利平等的体现，是保护被告合法权益的有力举措。人民法院将反诉与本诉合并审理，可以简化诉讼程序，节省人力、物力和时间，同时也避免了在相关问题上作出互相矛盾的判决。

二、反诉的特征

反诉与本诉相比，具有五个特征。

（一）反诉当事人的特定性

反诉中的原告是本诉中的被告，反诉中的被告是本诉中的原告。如果不是本诉的被告向本诉的原告提起的诉讼，就不是反诉。

（二）反诉请求的独立性

反诉与本诉都是以实体法和程序法为根据提起的完整的独立之诉，具备当事人、诉讼标的、诉讼理由等诉的要素。被告提出反诉后，原告的起诉无论是自愿撤回或者是被驳回，对反诉的审理均不发生影响。同样，反诉的撤回也不影响本诉的继续审理。

（三）反诉时间的限定性

最高人民法院《关于民事诉讼证据的若干规定》第 34 条规定："当事人增加、变更诉讼请求或者提起反诉的，应当在举证期限届满前提出。"在举证期限届满前提出反诉，便于人民法院将反诉与本诉合并审理。

（四）反诉目的的对抗性

被告提起反诉的目的在于抵消或者吞并原告所提起之诉，使原告败诉，以保护自己的合法权益。

（五）反诉的请求和理由与本诉请求和理由具有关联性

反诉的诉讼请求与本诉的诉讼请求虽然是相互对立的，但提出反诉的诉讼请求和理由所依据的事实和法律应与本诉的诉讼请求和理由具有关联性。

三、被告的反诉与反驳

被告的反驳是指被告为了维护自身的合法权益提出理由和证据来反对原告的诉讼请求，并使原告败诉的方法和手段。反驳是被告对原告诉讼主张的附理由、附证据的否认。在程序意义上的反驳称为抗辩，也就是以程序上的理由反对原告的请求，用事实证明原告不具备起诉条件，要求人民法院驳回原告的起诉。这种抗辩一旦成功，不论实体问题是什么，原告都会败诉。被告在实体意义上的反驳称为答辩，是指以实体法上的理由来反对原告的请求，用事实来证明原告不具备实体意义上的诉权，并使原告败诉的一种诉讼方法。被告反诉与被告反驳的区别主要有以下几个方面：

（1）反诉是被告针对原告的本诉提起的，是一个独立的完整的诉，具有诉的性质，必须有实体方面的内容；反驳则是被告否认原告诉讼请求的一种诉讼手段，不是独立存在的诉，不具有诉的性质，没有实体方面的诉讼请求，甚至可以不涉及实体内容，如抗辩。

（2）反诉是以承认本诉的存在为前提，被告对原告的诉讼请求并不加以否定；反驳则是以否定原告提出的部分或者全部诉讼请求为前提。

（3）反诉的目的除抵消、吞并原告提起的诉讼请求，使本诉的原告败诉外，还对本诉的原告提出了独立的反请求，主张独立的权利；反驳的目的则是否定原告提出的诉讼请求，没有提出独立的诉讼请求。

（4）反诉成功可以抵消、吞并本诉的请求，甚至增加新的权益；反驳一旦成功，则必然导致原告败诉。

四、反诉的提起与审理

（一）反诉的提起

我国民事诉讼法对提起反诉的方式未作出规定，一般认为反诉应当以反诉状的方式提起。反诉是一种独立之诉，提起反诉首先要符合民事诉讼法规定的起诉条件。但反诉又不同于起诉，提起反诉还必须具备三个方面的条件。

1. 管辖方面的条件

反诉的管辖属于牵连管辖，反诉只能向受理本诉的人民法院提起。如果反诉属于其他人民法院专属管辖的，审理本诉的人民法院因为无管辖权，不得将反诉与本诉合并审理。

2. 程序方面的条件

反诉能与本诉适用同一程序。如果本诉适用的是简易程序，反诉应当适用普通程序，则不能在本诉的诉讼中提起反诉。但是，如果本诉适用的是普通程序，反诉属于可以适用简易程序的简单民事案件时，由于普通程序不排斥简单民事案件，反诉可以和本诉合并适用普通程序审理。

3. 理由方面的条件

反诉与本诉在诉讼标的或者理由上，存在着牵连关系。如果本诉的被告提起的诉与本诉毫无联系，则应是两个独立案件，应分开审理。

反诉符合上述条件，人民法院应当受理，并与本诉合并审理。被告提起的反诉不符合上述条件的，人民法院应告知被告另行起诉。

（二）反诉的程序

反诉作为一种诉，在程序上与本诉的提起是相同的。反诉也应当预交案件受理费，诉讼标的相同的不再就反诉收取案件受理费。

人民法院在本诉被告提出反诉后，应当对反诉进行审查。经审查，认为符合反诉条件的，应当予以受理，并通知被告在 7 日内预交案件受理费及不交的后果；认为不符合反诉条件的，应当作出不予受理的裁定，并告知被告另行起诉。

法律设立反诉制度的目的主要是为了寻求诉讼经济和避免人民法院在相关联的问题上作出相互矛盾的判决。一般情况下，反诉应当与本诉合并审理，并一同作出判决。

被告提起的反诉被人民法院受理后，如果原告撤回本诉，人民法院应当对反诉继续进行审理，并作出裁判。

案例分析

【案情】

甲公司和乙公司签订货物买卖合同后，买方乙公司没有按合同约定支付货款。甲公司将乙公司起诉到人民法院，要求人民法院判决乙公司支付货款。乙公司提起反诉，要求法院确认该合同无效，并判令本诉原告支付其因保管货物所支付的费用。

【问题】

本案中存在哪些具体的诉讼请求？这些诉讼请求各属于诉的分类中的哪一类？

【解析】

本案中存在三个具体的诉讼请求。

（1）甲公司要求人民法院判令乙公司支付货款的诉讼请求为给付之诉。给付之诉是指一方当事人请求人民法院判令对方当事人履行一定民事义务的诉。本案中甲公司请求人民法院判令乙公司支付货款，符合给付之诉的概念和特征。

（2）乙公司要求人民法院确认合同无效的诉讼请求为确认之诉，并且是确认之诉中的否定的确认之诉。确认之诉是指一方当事人请求人民法院确认其与对方当事人是否存在某种民事法律关系之诉。其中请求人民法院确认其与对方当事人之间不存在某种民事法律关系之诉为否定的确认之诉。本案中乙公司请求人民法院确认其与反诉被告甲公司之间不存在合法有效的合同关系，因而属于否定的确认之诉。

（3）乙公司要求人民法院判令原告支付保管货物所支付的费用的诉讼请求为给付之诉。

第三章　民事诉讼法基本原则

本章介绍民事诉讼法与行政诉讼法共同适用的三个原则和民事诉讼法特有的两个原则。学习本章内容，重点了解同等和对等原则、当事人诉讼权利平等原则、辩论原则、处分原则、人民法院调解原则的含义和内容，把握和解结案、调解结案的基本条件以及辩论的对象和方式，正确认识处分权的相对性和人民法院调解原则中的自愿性、合法性与查清事实、分清是非的要求之间的关系。对于民事诉讼法和司法解释要求调解在查清事实、分清是非的前提下进行的问题，理论界的一些人士认为，民事案件涉及的权利主要是私权，如果当事人请求人民法院进行调解，希望在不伤和气的情况下尽快结案，人民法院应当尊重当事人的要求和选择，只要不违反法律规定，即使案件事实未调查清楚，也应进行调解。

第一节　民事诉讼法基本原则概述

一、民事诉讼法基本原则的概念

民事诉讼法基本原则是指贯穿民事诉讼的全过程，对民事法律关系主体在民事诉讼的各个主要阶段和重要环节的诉讼活动起指导作用的根本性准则。

民事诉讼法基本原则集中反映了民事诉讼的基本精神和基本原理，体现了民事诉讼法的法理价值，它既是制定民事诉讼法的重要依据，也是实施民事诉讼法的基本要求，对民事诉讼具有普遍的指导意义，为民事诉讼法律关系主体的诉讼活动指明了方向。我们要对民事诉讼法基本原则有一个清楚明了和正确的认识，只有掌握了民事诉讼法基本原则，才能全面正确地理解民事诉讼法的立法精神和基本制度，读懂民事诉讼法的条款内容并加以灵活运用。掌握了民事诉讼法基本原则，还可以帮助我们解决民事诉讼中出现的民事诉讼法没有规定的新情况、新问题，为民事诉讼法的修改和完善提供理论素材和实践依据。

二、民事诉讼法基本原则的分类

目前，理论界关于民事诉讼法基本原则的分类，多倾向于两分法，即民事诉讼法与刑事诉讼法、行政诉讼法共有的基本原则和民事诉讼法特有的基本原则。这种分法与民事诉讼法、刑事诉讼法和行政诉讼法的规定不相符。如辩论原则，按照两分法就不能界定其是属于共有原则还是属于特有原则。辩论原则不是刑事诉讼法的基本原则，所以不是三个诉讼法的共有原则，但也不是民事诉讼法的特有原则，它是民事诉讼法和行政诉讼法的共有原则。有的教材将辩论原则列为民事诉讼法的特有原则是欠妥的。我们认为，民事诉讼法基本原则的分类，按照其适用范围的不同，应采用三分法，即将民事诉讼法基本原则分为民事诉讼法、刑事诉讼法和行政诉讼法共同适用的原则，民事诉讼法和行政诉讼法共同适用的原则和民事诉讼法特有的原则。这种分法，符合民事诉讼法、刑事诉讼法和行政诉讼法的规定。

根据宪法、人民法院组织法、民事诉讼法、刑事诉讼法和行政诉讼法的规定，民事诉讼法、刑事诉讼法和行政诉讼法共同适用的原则有：审判独立原则，以事实为依据、以法律为准绳原则，适用法律一律平等原则，民族语言文字原则，检察监督原则。民事诉讼法和行政诉讼法共同适用的原则有：同等原则和对等原则、当事人诉讼权利平等原则与辩论原则。民事诉讼法特有原则有：处分原则、人民法院调解原则。民事诉讼法适用的基本原则有 10 个，有的教材将支持起诉和人民调解列为民事诉讼法的特有原则，[①]我们认为它不符合民事诉讼法基本原则的标准。民事诉讼法基本原则是贯穿民事诉讼的全过程，对民事法律关系主体在民事诉讼的各个主要阶段和重要环节的诉讼活动起指导作用的根本性准则。支持起诉和人民调解的规定与诉讼过程中的主要阶段和重要环节没有关联，对诉讼程序没有起到指导作用，没有这两项规定，也不影响诉讼进程和诉讼公正。因此，应将支持起诉和人民调解排除在民事诉讼法基本原则之外。另外，有的教材将直接原则、言词原则、诚实信用原则、[②]效率原则和公正原则[③]都列为民事诉讼法的特有原则。我们认为，这些原则属于理论上的诉讼原则，民事诉讼法没有作出规定，并且这些原则是民事诉讼法、刑事诉讼法和行政诉讼法共同适用的原则。不管审判什么案件，进行何种诉讼活动，都要做到诚实信用，讲究效率与公正，并且要遵循直接言词原则，由人民法院的审判人员亲自参与其中，听取双方当事人的陈述和辩论，核实证据，然后作出裁判。本章就民事诉讼法和行政诉讼法共同适用的原则以及民事诉讼法特有的原则进行阐述。

---

①③ 石先钰. 民事诉讼法学新编. 武汉：华中师范大学出版社，2002. 44~48

② 江伟. 民事诉讼法学. 上海：复旦大学出版社，2005. 86

第二节 同等原则和对等原则

一、同等原则

《民事诉讼法》第 5 条第 1 款规定：“外国人、无国籍人、外国企业和组织在人民法院起诉、应诉，同中华人民共和国公民、法人和其他组织有同等的诉讼权利义务。”这一规定就是同等原则的法律依据，它表明外国人、无国籍人、外国企业和组织在我国进行民事诉讼，与我国公民、法人和其他组织有同等的诉讼权和诉讼义务。

同等原则是国际法中国民待遇原则和平等互惠原则在我国民事诉讼法中的体现，它为外国人、无国籍人、外国企业和组织在我国进行民事诉讼提供了法律依据，是我国法律为外国人、无国籍人、外国企业和组织提供的一项基本的人权保障。在涉外民事诉讼中，一国对外国人、无国籍人、外国企业和组织的诉讼权利都不应作限制性规定，应该赋予他们与本国公民、企业和组织同等的诉讼权利，这是发展世界各国人民之间友好关系的需要，也是现代各国民事诉讼立法的必然要求。

二、对等原则

《民事诉讼法》第 5 条第 2 款规定：“外国法院对中华人民共和国公民、法人和其他组织的民事诉讼权利加以限制的，中华人民共和国人民法院对该国公民、企业和组织的民事诉讼权利，实行对等原则。”根据这一规定，对等原则是指外国法院对我国公民、法人和其他组织在其国家进行民事诉讼时的民事诉讼权利加以限制的，我国人民法院对该国的公民、企业和组织在我国进行民事诉讼时的诉讼权利进行同等的限制。

由于国际关系的复杂性和多变性，国与国之间的关系时常会处在友好、摩擦甚至对立的不断变化中。在这种情况下，一国对他国的公民、企业和组织的诉讼权利可能会加以限制，他国也会采取相应的措施，实行对等限制。我国民事诉讼法也实行这一原则，这是在处理涉外民事诉讼中维护民族尊严、保护国家利益的一种自我保护方法。

第三节 诉讼权利平等原则

一、诉讼权利平等原则的概念

诉讼权利平等原则是指当事人在民事诉讼中平等享有和行使诉讼权利，人民法院在民事诉讼中，应当平等地保障和便利当事人行使诉讼权利。诉讼权利平等原则是宪法中平等原则在民事诉讼法中的体现，是保障民事诉讼程序公正的重要规定，是我国民事诉讼法的首要原则。

二、诉讼权利平等原则的内容

《民事诉讼法》第 8 条规定："民事诉讼当事人有平等的诉讼权利。人民法院审理民事案件，应当保障和便利当事人行使诉讼权利，对当事人在适用法律上一律平等。"这是诉讼权利平等原则的法律依据。这一规定包含三个方面的内容：一是双方当事人享有平等的诉讼权利；二是人民法院应当平等地保障和便利双方当事人行使诉讼权利；三是对双方当事人在适用法律上一律平等。前两个内容是一层含义，是诉讼权利平等原则的内容，后一内容又是另一层含义，是适用法律一律平等原则的内容。因此，我们将第 8 条规定的内容可以概括为两个基本原则，也就是当事人诉讼权利平等原则和适用法律一律平等原则。在刑事诉讼中，当事人诉讼权利平等原则是不能适用的，犯罪嫌疑人、被告人与公诉人、被害人在刑事诉讼中的一些权利是不平等的。因此，诉讼权利平等原则是民事诉讼法和行政诉讼法共同适用的原则，不是刑事诉讼法适用的原则。适用法律一律平等原则是民事诉讼法、行政诉讼法和刑事诉讼法共同适用的原则。下面，我们主要阐述诉讼权利平等原则的内容。

（一）当事人享有平等的诉讼权利

当事人平等地享有诉讼权利，首先要求当事人地位平等。《行政诉讼法》第 7 条在规定这一原则时，强调了当事人地位平等，虽然《民事诉讼法》第 8 条中没有当事人地位平等的规定，我们理解时应当全面和正确地把握其含义。当事人诉讼地位平等是当事人平等享有诉讼权利的前提，没有诉讼地位的平等就没有诉讼权利的平等。在民事诉讼中，当事人诉讼权利平等主要体现在三个方面：

（1）在民事诉讼中，当事人不分民族、种族、性别、职业、宗教信仰、教育程度、社会地位，也不分是公民还是法人和其他组织，都平等地享有诉讼权利，平等履行诉讼义务，不允许一方享有更多的权利，也不允许一方履行更多的义务。

（2）双方当事人享有民事诉讼法规定的相同的权利，如有权委托代理人，申请回避，查阅案件有关材料，提供证据，进行辩论，请求人民法院调解，提起上诉等。

（3）双方当事人享有对等的权利，如原告对被告有提起诉讼的权利，被告对原告的起诉有答辩和反诉的权利。双方当事人的诉讼权利和义务都是相互对应的，一方享有权利，另一方履行相应的义务，反之亦然。

（二）人民法院应当平等地保障和便利当事人行使诉讼权利

法律赋予当事人平等的诉讼权利，这是当事人享有平等诉讼权利的依据和前提。实现这些诉讼权利取决于人民法院的保障行为。在民事诉讼中，人民法院要为双方当事人行使诉讼权利创造均等的机会和提供平等的便利条件，主动告知双方当事人享有哪些诉讼权利，怎样行使这些诉讼权利。对于一方深谙法律规定、熟知诉讼权利，另一方缺少文化知识、不懂法律的，人民法院应当给予法律帮助，帮助他们克服诉讼困难和障碍，保证他们在诉讼中能与对方一样能够切实行使诉讼权利，自如地处理诉讼中的一些法律问题。总之，人民法院要为双方当事人营造平等行使诉讼权利的良好诉讼环境，不偏袒、不歧视任何一方。

第四节 辩论原则

一、辩论原则的概念

《民事诉讼法》第12条规定："人民法院审理民事案件时，当事人有权进行辩论。"根据这一规定，辩论是当事人享有的一项重要诉讼权利，是指在民事诉讼中，双方当事人有权就案件事实、证据和适用法律等问题各自发表自己的观点和意见，相互进行质询和反驳。辩论原则就是在民事诉讼中，人民法院对当事人的辩论权予以充分保障的诉讼准则。辩论原则是当事人诉讼权利平等原则派生的基本原则，在民事诉讼中，不论是原告、被告，还是第三人，都有平等的辩论权，人民法院根据当事人对案件事实、证据以及适用法律等问题的辩论，对案件作出裁判。因此，遵循辩论原则，不仅维护了当事人的辩论权，也是人民法院正确处理民事案件的一项重要保障。

二、辩论原则的内容

辩论原则是案件审判阶段必须遵循的一项重要原则，在民事诉讼中，人民法院应当切实贯彻辩论原则，充分保障当事人行使辩论权。辩论原则主要包括四个方面的内容。

（一）辩论的目的

当事人就案件事实、证据和适用法律等问题发表自己的观点和意见，对对方的观点和意见进行质询和反驳，是为了论证自己的诉讼主张，支持自己的诉讼请求，维护自己的合法权益。人民法院提供充裕的时间让当事人相互进行辩论，并采取措施保障当事人行使辩论权，是为了贯彻诉讼民主，保证诉讼公正，也是对案件的正确裁判提供事实和法律依据。

（二）辩论的对象

人民法院主要应当听取当事人以下三个方面的辩论意见：一是就案件事实的辩论，如民事法律关系是否存在，侵权行为是否发生，侵权或者违约的事实怎样，原告或者被告的主张所依据的事实是否存在，具体情况怎样等。二是就案件适用法律的辩论，如案件处理适用哪一部法律，如何理解所适用法律的具体规定等。三是就程序问题的辩论，如原告是否符合资格要求，受诉人民法院是否对本案有管辖权，诉讼代理人是否具有代理权等。

(三)辩论的方式

当事人进行辩论的方式，有口头方式和书面方式两种。口头方式的辩论主要是在庭审阶段进行。口头辩论方式具有一定灵活性，便于当事人及时反驳对方的主张和意见，论证自己的主张和意见。但是口头辩论方式往往容易发生偏差或者口误，给对方口实。书面形式不仅可以在法庭辩论时使用，也可以在休庭后供审判人员详阅，这样可以使审判人员充分了解辩论的主张和意见，为案件裁判提供依据。

(四)辩论的时间

在第一程序、第二程序和再审程序中，人民法院都应当充分保障当事人行使辩论权，当事人的辩论不仅限于案件审理阶段，而且适用于从起诉到诉讼终结的全过程。

三、辩论原则与辩护原则的区分

辩护原则是指在刑事诉讼中，犯罪嫌疑人、被告人及其辩护人根据事实和法律，针对控告进行申辩或者反驳。辩论原则与辩护原则的区分主要表现在以下几个方面：

(1)民事诉讼中的辩论是各方当事人的诉讼权利；刑事诉讼中的辩护是一方当事人即犯罪嫌疑人、被告人的一项诉讼权利。无罪、轻罪或者轻处罚的辩护与有罪、重罪或者重处罚的控诉构成刑事诉讼中的辩论。

(2)民事诉讼中的辩论是建立在各方当事人诉讼地位平等的基础上，各方当事人是平等的诉讼主体，辩论是平等基础上的辩论；辩护建立在公诉权与辩护权分立的基础上，公诉人与犯罪嫌疑人、被告人在刑事诉讼中的地位是不平等的，辩护的主体始终处于被审判的地位。

(3)民事诉讼中辩论的对象范围广泛，双方当事人既可以就民事诉讼中的实体问题进行辩论，也可以就程序问题进行辩论，还可以对如何适用法律问题提出自己的主张和意见。辩护的范围只能是犯罪和刑罚处罚问题，即就是否犯罪、罪行轻重和处罚轻重进行辩论。

第五节 处分原则

一、处分原则的概念

《民事诉讼法》第 13 条规定：“当事人有权在法律规定的范围内处分自己的民事权利和诉讼权利。”这是处分原则确立的法律依据，处分原则确立的理论依据是当事人应当享有处分自己民事权利和诉讼权利的权利。民事诉讼中的处分原则就是法律允许当事人在法律规定的范围内处置自己的民事权利和诉讼权利。

处分原则是民事诉讼本质特征的体现，是由民事法律关系的特点和民事权利的性质决定的。民事法律关系主体的地位平等决定了民事主体有权按照自己意志处理民事权利，进而处理诉讼权利。因此，当事人在其民事权利受到侵害或者与他人发生争议时，有权决定是否提起诉讼，在诉讼中怎样处理自己的民事权利和诉讼权利。一般情况下，国家不干预民事主体对民事权利和诉讼权利的处分，只有当事人的处分行为损害国家利益、集体利益或者其他个人利益时，国家才予以干预。

二、处分原则的内容

在民事诉讼中，当事人依法能够处分的权利对象是多种多样的，归纳起来包括两类：一是民事实体权利，二是诉讼权利。处分原则的法律规定内容除了指当事人依法能够处分的权利对象外，还包括法律对当事人行使处分权利的保障和限制。因此，民事诉讼法规定的处分原则应包括四个方面的内容。

（一）当事人对民事实体权利的处分

当事人对民事实体权利的处分主要表现为两种处分行为：

（1）当事人对实体权利保护对象和范围的选择权。这是指民事案件发生后，当事人在起诉时有权选择请求司法保护的对象和范围，人民法院不得限制当事人选择实体权利的保护对象和范围。如夫妻双方因一方严重过错，另一方起诉离婚时，起诉人是只请求人民法院判决准允离婚，还是既要求判决准允离婚又要求过错方赔偿损失，对此，起诉人有自主选择权。

（2）当事人在诉讼进行中的实体权利的处分权。在诉讼进行中，原告可以扩大或者缩小自己的诉讼请求，也可以全部撤回自己的诉讼请求；被告可以承认原告的诉讼请求，也可以否定原告的诉讼请求。并且在对案件进行实质性处理时，当事人都可以作出让步，达成和解协议或者调解协议。

（二）当事人对诉讼权利的处分

当事人的诉讼权利与民事实体权利密切相关，并且当事人对民事实体权利的处分，一般都是通过对诉讼权利的处分实现的。当事人对诉讼权利的处分主要表现在以下四个方面：

（1）当事人对是否起诉有选择权。民事案件发生后，是否以诉讼方式解决，取决于当事人对起诉权的处分。如果当事人选择起诉，进而向人民法院提起诉讼，这就可能导致民事诉讼程序的启动。被告也可以对原告的起诉提出反诉来主张自己的民事实体权利。

（2）当事人对诉讼程序是否继续进行有选择权。在诉讼进行过程中，原告可以申请撤回起诉，要求人民法院终结诉讼程序。

（3）当事人对人民法院的裁判是否上诉、申请再审有选择权。人民法院的第一审裁判作出后，当事人在法定期限内有选择上诉或者不上诉的权利，对于已经发生法律效力的裁判，有选择申请再审或者不申请再审的权利。

（4）当事人对是否申请执行有选择权。当事人对已经发生法律效力的裁判，有选择申请执行或者不申请执行的权利。

（三）人民法院对当事人行使处分权利的保障

在民事诉讼中，人民法院处于主导地位，当事人的处分权能否实现，在很大程度上取决于人民法院是否切实贯彻《民事诉讼法》第 13 条规定，保障和便利当事人行使诉讼权利。首先，人民法院应当尊重当事人对处分权的行使，不能利用审判权的优势随意干涉或者阻挠当事人行使处分权。其次，要提醒和引导当事人如何正确行使处分权，保证当事人行使处分权的行为符合法律规定，发生其预期的法律后果。只有这样，民事诉讼法规定的处分原则才能在民事诉讼中得到贯彻实施。

（四）人民法院依法对当事人行使处分权利的监督和限制

民事诉讼法规定的处分原则不是赋予当事人绝对的处分权，而是相对的处分权。当事人行使处分权不得违反法律的规定，不得损害国家、集体利益，不得损害他人的合法权益。如原告放弃自己的诉权而申请撤诉，是否准许由人民法院决定。当原告的撤诉损害国家、集体利益或者他人的利益时，人民法院就不准许撤诉。

第六节　人民法院调解原则

一、调解原则的概念和意义

《民事诉讼法》第 9 条规定："人民法院审理民事案件，应当根据自愿和合法的原则进行调解；调解不成的，应当及时判决。"根据这一规定，人民法院调解原则是指在民事诉讼中，双方当事人在人民法院的主持下就案件争议的问题进行自愿协商，互谅互让，力争达成协议，以达到解决案件纠纷的目的。调解原则是我国民事诉讼法的一大特色，它是人民法院审理和解决民事案件的一种重要方法，是我国长期以来民事审判工作的优良传统和成功经验。适用调解原则，有利于人民法院及时解决民事案件，彻底化解当事人之间的纠纷和矛盾，消除不稳定因素，促进社会和谐。

人民法院调解是一种民事诉讼活动，它不同于人民调解委员会的调解活动。人民调解委员会是在基层人民政府和基层人民法院指导下调解民间纠纷的群众性组织，人民调解委员会的调解是一种诉讼外的调解。《民事诉讼法》第 16 条第 2 款规定："人民调解委员依照法律规定，根据自愿原则进行调解。当事人对调解达成协议的应当履行；不愿调解、调解不成或者结果反悔的，可以向人民法院起诉。"正因为是一种民事诉讼之外的调解，人民调解委员会的调解协议不具有强制执行的效力，人民法院调解达成的协议，制作成调解书送达当事人签收后，具有强制执行的效力。人民法院的调解也不同于民事诉讼中当事人的和解，根据《民事诉讼法》第51条规定，当事人对民事案件中有争议的问题，可以自行和解。根据这一规定，和解可以分为诉讼外的和解和诉讼中的和解。诉讼中的和解是指在民事诉讼过程中，双方当事人自愿平等协商，达成协议，解决纠纷，从而自动终结诉讼程序。

二、人民法院调解原则的内容

（一）人民法院调解的种类

根据民事诉讼法和司法解释的有关规定，结合审判实践，人民法院调解可分为答辩前调解、开庭前调解、开庭中调解和开庭后调解。

1. 答辩前调解

根据最高人民法院《关于民事调解工作若干问题的决定》(2004年11月1日起施行，以下简称《调解工作规定》) 第1条和第6条规定，人民法院在征得当事人各方同意后，可以在答辩期满前进行调解。人民法院在答辩前进行调解，适用普通程序的案件在当事人同意调解之日起15天内与适用简易程序的案件在当事人同意调解之日起7天内未达成调解协议的，经各方当事人同意，可以继续调解，延长的调解期间不计入审限。

2. 开庭前调解

最高人民法院《第一审经济纠纷案件适用普通程序开庭审理的若干规定》(1993年11月16日发布) 第6条规定："合议庭审查案卷材料后，认为法律关系明确、事实清楚，经征得当事人双方同意，可以在开庭前径行调解。"根据这一规定，开庭前的调解要符合两个基本条件：一是法律关系明确，案件事实清楚；二是各方当事人同意。只要符合这两个基本条件，不论是普通程序，还是简易程序，也不论是第一审程序，还是第二审程序，人民法院都可以在开庭前进行调解。开庭前调解有助于及时化解当事人之间的矛盾和纠纷，提前结束诉讼，减少当事人和人民法院的诉讼成本。

3. 开庭中调解

开庭中调解是指人民法院在开庭审理案件时对案件进行的调解。根据审判实践，开庭中调解一般是在法庭辩论结束后进行。此时，通过法庭调查，案件事实清楚，是非责任明确，如果合议庭能够及时进行调解，有利于当事人达成调解协议。但是，法庭辩论后进行调解也有不利的一面。当事人在法庭辩论中，唇枪舌剑，据理力争，互不相让，心中难免积下怨气，容易意气用事，即使知道自己胜诉无望，往往也会赌气不接受调解。因此，开庭中调解应成为人民法院调解的主要方式的观点，不一定有实践依据。[1]休庭后，待当事人冷静思考，并经诉讼代理人阐明法律规定和有关利害关系后，更容易接受人民法院的调解。

4. 开庭后调解

开庭后调解是指经开庭审理休庭后，人民法院继续对案件进行的调解。《民事诉讼法》第128条规定："法庭辩论终结，应当依法作出判决。判决前能够调解的，还可以

① 江伟. 民事诉讼法学. 北京：中国人民大学出版社，1999. 541

进行调解，调解不成，应当及时判决。”这一条规定的判决前调解在实践中较多地表现为休庭后的调解，因为多数案件在法庭辩论终结后都不能及时判决，待休庭后合议庭对案件进行合议后再行判决。此时，判决作出前有一定的时间，人民法院利用这段时间进行调解，有利于促使当事人心平气和地进行协商，达成调解协议，调解结案。

（二）人民法院调解适用的原则和前提条件

根据《民事诉讼法》第9条、第85条规定，人民法院对案件进行调解要遵循两个原则，符合一个前提条件。两个基本原则为自愿原则和合法原则，一个前提条件是查清事实、分清是非。

自愿原则是指人民法院必须在当事人自愿的基础上进行调解，各方当事人同意以调解方式结案，并在实体权利义务上进行协商，力争达成调解协议。人民法院不能未经当事人同意就依职权进行调解，迫使当事人接受调解的结案方式和关于实体权利义务的调解意见。

合法原则是指人民法院调解必须依法进行，具体是指调解的程序合法和调解的内容合法。程序合法要求人民法院的调解活动应严格按照法定的程序进行，在调解中，应采用说服、疏导、教育的方式，促使当事人自愿协商、互谅互让，力求达成调解协议。调解必须由审判员主持或者合议庭主持，必要时可以邀请有关单位的代表和个人协助调解。达成调解协议后，应制作调解协议书，并将调解协议书送达各方当事人签收。实体合法是指达成的调解协议的内容合法，具体是指调解协议中实体权利的享有和实体义务的承担不违反法律规定，不得损害国家、集体或者个人的利益，不得借调解协议逃避法定义务和约定义务。

查清事实、分清是非是指人民法院必须在查清事实、分清是非的前提下进行调解。查清事实、分清是非是人民法院适用调解的前提条件，对此，《民事诉讼法》第85条和最高人民法院《第一审经济纠纷案件适用普通程序开庭审理的若干规定》都作了明确规定。一般情况下，人民法院查清事实、分清是非后，可以根据具体的法律规定，有针对性地对当事人进行说服、疏导和教育，有助于促使当事人自愿协商，互谅互让，达成调解协议。如果案件事实未调查清楚，是非曲直未依法理清，盲目地要求当事人进行协商，就难以取得调解成功的效果。但是，法律要求人民法院必须在查清事实、分清是非的前提下进行调解，有违处分原则。民事案件涉及的权利主要是私权，如果当事人请求人民法院进行调解，希望在不伤和气的情况下尽快结案，人民法院应当尊重当事人的要求和选择，只要不违反法律规定，即使案件事实未调查清楚，也应进行调解。例如，原告起诉被告，称被告借款20万元，偿还了4万元，要求偿还16万元。被告称偿还了8万元，只欠12万元，案件事实一时难以查清。原告为了不伤双方的和气，又想尽快结案，请求人民法院进行调解，要求被告偿还14万元。被告接受了人民法院的调解，同意偿还14万元。这就是案件事实未查清而进行的有效调解，在民事司法实践中，这类例子很多。在该案中，虽然事实未查清，人民法院不知道被告究竟欠原告多少钱，是非责任也未明确，此时，人民法院能够促使原告和被告自愿达成调解协议，也不失为一种成功的结案方法。因为这样结案，当事人愿意，调解内容也不违反法律规定，又没有损害国家、集体或者个人的合法权益，与查清事实、分清是非的前提下的成功调解没有实质性的区别。有论者认为，未查清事实、分清是非的调解是“和稀泥”的调解，不允许这样的调解。但是，如果查清了事实，分清了是非，有理的一方当事人有时可能为了不大的经济利益，据理力争，不轻易让步，调解就难以成功。如果当事人愿意“和稀泥”式的调解，人民法院就不能干预当事人的处分权。因此，将查清事实、分清是非作为人民法院调解的前提条件，限制了调解功能的发挥，也与处分原则相冲突。

（三）人民法院调解的案件范围

从民事权益争议的内容来讲，民事案件包括民事实体权利义务争议案件和与民事实体权利相关的争议案件。一般来讲，涉及民事实体权利义务争议的案件，人民法院都可以进行调解，力争以调解的方式结案。审理这些案件时，不论是在第一程序还是在第二审程序，都可以进行调解。根据《调解工作规定》第 2 条规定，适用特别程序、督促程序、公示催告程序、破产还债程序的案件，婚姻关系、身份关系确认案件以及其他依案件性质不能进行调解的民事案件，人民法院不予调解。另外，人民法院确认合同无效并追缴罚款的案件，有违法行为需要予以经济制裁的案件，也不适用调解。

（四）人民法院调解的方式

人民法院对民事案件进行调解，总的方式是对当事人进行说服、疏导和教育，促使当事人自愿协商，互谅互让，力求达成调解协议。根据《民事诉讼法》和《调解工作规定》规定，人民法院在调解中采取的具体方式主要有三种。

1. 审判员或者合议庭调解

根据《民事诉讼法》第 86 条规定，人民法院调解可以由审判员一人主持，也可以由合议庭主持，且可以采用简便的方式通知当事人、证人出庭。

2. 有关单位或者个人协助人民法院调解

根据《民事诉讼法》第 87 条和《调解工作规定》第 3 条规定，在调解中，人民法院可以邀请与当事人有特定关系或者与案件有一定联系的企业事业单位、社会团体或者其他组织和具有专门知识、特定社会经验、与当事人有特定关系并有利于促成调解的个人协助调解工作。

3. 人民法院委托有关单位或者个人调解

根据《调解工作规定》第 3 条第 2 款规定，经各方当事人同意，人民法院可以委托与当事人有特定关系或者与案件有一定联系的企业事业单位、社会团体或者其他组织和具有专门知识、特定社会经验、与当事人有特定关系并有利于促成调解的个人对案件进行调解，达成调解协议后，人民法院应当依法予以确认。

（五）人民法院进行调解的程序

《民事诉讼法》第 85 条至第 91 条对人民法院调解的过程和程序作了明确的规定。人民法院调解的过程和程序包括调解启动、调解进行、调解结束。

1. 调解启动

调解启动是指人民法院调解工作以怎样的方式开始。在司法实践中，调解既可以是人民法院依审判职权征得当事人同意后开始，也可以由当事人提出申请开始。调解开始的时间可以是立案受理后开庭审理前，也可以是开庭审理中和休庭后，只要是判决作出前的任何一个阶段，都可以作为调解开始的时间，调解开始的时间可根据具体情况，灵活掌握。调解开始的地点既可以是人民法院内，也可以是当事人所在地或者案件发生地。

2. 调解进行

调解进行是指人民法院对当事人进行说服、疏导和教育，促使当事人自愿协商，互谅互让，力求达成调解协议的过程。

3. 调解结束

调解结束是指人民法院进行调解后达成调解协议或者调解不成而终结调解。调解达成协议，人民法院应当制作调解书，调解书应当写明诉讼请求、案件事实和调解结果。调解书由审判员、书记员署名，加盖人民法院印章，送达当事人。调解书经各方当事人签收后，具有法律效力。调解书送达前一方当事人反悔的，人民法院应当及时判决。经人民法院调解，双方当事人或者一方当事人不接受调解意见而导致调解失败的，人民法院也应当及时判决。

根据《民事诉讼法》第 90 条第 2 款规定，对不需要制作调解书的调解协议，当事人各方同意在调解协议上签名或者盖章后生效，经人民法院审查确认后，应当记入笔录或者将协议附卷，并由当事人、审判人员、书记员签名或者盖章后即具有法律效力。当事人请求制作调解书的，人民法院应当制作调解书送交当事人。当事人拒收调解书的，不影响调解协议的效力。一方不履行调解协议的，另一方可以持调解书向人民法院申请执行。

三、《关于进一步发挥诉讼调解在构建社会主义和谐社会中积极作用的若干意见》

2007 年 3 月 1 日，最高人民法院颁发了《关于进一步发挥诉讼调解在构建社会主义和谐社会中积极作用的若干意见》(以下简称《意见》)。《意见》明确指出了诉讼调解在构建和谐社会中的重大意义，要求人民法院充分运用诉讼调解这一正确处理社会矛盾的重要方法与构建和谐社会的有效手段，最大限度地增加和谐因素，最大限度地减少不和谐因素，承担其促进和发展和谐社会的重大历史使命和政治责任。《意见》中关于诉讼调解的指导和规范性意见主要包括四个方面。

(一) 关于“案结事了”的调解目标

人民法院的民事审判工作，应当以“定纷止争、胜败皆明、案结事了”为目标，确保实现法律效果和社会效果的有机统一。人民法院在诉讼调解中，要积极采取有效措施，充分保障当事人能够真实地表达自己的意愿，依法行使处分权利。确保当事人真心实意地接受调解，促使相互之间实现互谅互让，力争彻底化解矛盾、消除纠纷，做到案结事了。

(二) 关于立案调解

《意见》第10条规定，立案后并经当事人同意后，人民法院可以在立案阶段对案件进行调解。立案阶段的调解应当坚持以效率、快捷为原则，避免案件在立案阶段积压。适用简易程序第一审案件，立案阶段的调解期限原则上不超过立案后的10日；适用普通程序的第一审案件，立案阶段的调解期限原则上不超过20日。第二审案件原则上不进行立案调解，确有必要进行立案调解的，要规定更为合理的调解期限。这一规定是对《调解工作规定》关于答辩前调解制度的进一步完善。延长调解期限后，《调解工作规定》的答辩前调解期限较为原则没有明确规定答辩前的调解截止日期。《意见》规定的立案调解期限适用于《调解工作规定》的答辩前的调解期限。

(三) 关于参与调解的人员

根据《意见》第11条规定，人民法院可以根据法律和司法解释的规定，建立和完善引入社会力量进行调解的工作机制。人民法院可以引导当事人选择办案法官之外的有利于案件调解的人民调解委员会、基层群众自治组织、工会、妇联等有关组织进行调解，也可以邀请人大代表、政协委员、律师等个人进行调解。经当事人同意，法官助理等审判辅助人员受人民法院指派也可以调解案件。对疑难、复杂和有重大影响的案件，人民法院的庭长或者院长可以主持调解。

(四) 关于调解期限

根据《意见》第13条规定，当事人愿意进行调解，但审理期限即将届满的，可以由当事人协商确定继续调解的期限，经人民法院审查同意后，由办案法官记录在案。案件有达成调解协议可能的，当事人不能就继续调解期限达成一致意见的，经人民法院院长批准，可以合理延长调解期限。

案例分析

【案情】

1996年3月，10岁的张章的父母离婚，张章由母亲抚养，父亲张豪每月支付张章300元生活费。2005年5月，张章的母亲下岗，家中收入骤减，张章的母亲无力支付正在上大学二年级的张章的学费和生活费。张章找到父亲张豪要求支付其大三、大四期间的学费和生活费。由于张章在父母离婚后很少与父亲来往，并且与父亲存在一些误会和隔阂，父亲就拒绝了张章的要求。2006年3月，张章向人民法院起诉，要求父亲张豪支付其大三、大四期间的学费和生活费的50%，计人民币1万元。本案开庭前，审判员要求张章主动找父亲谈心，进行沟通和交流，加深父子感情，并向张章说明父亲对成年子女没有抚养和教育义务，父亲张豪也认为自己没有法定义务支付儿子上大学期间的学费和生活费。经过审判员的说服、疏导，并请张章的叔叔、姑姑从中进行协调，念及父子关系，张豪同意支付张章在大三、大四期间的学费和生活费1万元。张章也表示今后要与父亲处理好父子关系。人民法院制作了调解书，张章和父亲张豪都签收了调解书。

【问题】

人民法院的调解行为合法吗?

【解析】

本案事实清楚，责任明确，张章要求父亲支付其在大三、大四期间的学费和生活费，没有法律依据，人民法院本可以依法驳回张章的诉讼请求。但鉴于原告和被告是父子关系，如果简单地依法判决，会更加激化父子之间的矛盾，加深父子之间的隔阂。如果调解能够修复他们父子之间的关系，使他们父子能够真正建立正常父子之间的感情，在被告自愿和尊重被告处分权的前提下，这样调解结案，达到了“案结事了”的民事审判目标。人民法院邀请张章的叔叔、姑姑参加调解，符合民事诉讼法和司法所解释的规定。经调解，张章的父亲在没有法定义务的情况下自愿支付张章的学费和生活费1万元，符合民事诉讼法规定的处分原则，人民法院应予允许。

第四章　民事审判基本制度

民事审判基本制度是指人民法院在民事审判活动中必须遵循的基本要求和规则。我国宪法、人民法院组织法和诉讼法共同规定了审判的基本制度，这些基本制度适用于民事、刑事、行政审判活动，是人民法院审判活动的共同基本制度，包括合议制度、回避制度、公开审判制度和两审终审制度。在合议制度中，还存在一个陪审制度，这是人民法院可以选择执行的一个基本制度。

初学民事审判基本制度的人容易将民事审判基本制度与民事诉讼基本原则混淆。执行民事审判基本制度的民事诉讼法律关系主体是人民法院，并且仅限于人民法院在审判这一诉讼活动中适用。遵循民事诉讼基本原则的民事诉讼法律关系主体不仅包括人民法院，还包括人民检察院、当事人和其他诉讼参与人，并且适用于整个民事诉讼活动中。另外，民事诉讼基本制度以宪法、人民法院组织法和民事诉讼法为依据，体现着民事诉讼的基本原则，其规定内容具体而明确；民事诉讼的基本原则体现着民事立法宗旨，其规定内容抽象而概括。

第一节　合议制度

一、合议制度的概念

根据我国《民事诉讼法》规定，合议制度是指由3人以上的审判员或者审判员、陪审员组成合议庭对案件进行审判的制度。合议制度表现为两种形式：一是由3人以上的审判员组成合议庭对案件进行审判的制度；二是由3人以上的审判员、陪审员共同组成合议庭对案件进行审判的制度。

合议制度是相对于独任制度而言的审判制度。独任制度是指由一名审判员独立对案件进行审判的制度，它是基层人民法院以及派出法庭适用简易程序或者特别程序处理简单民事案件和特殊案件采用的审判方式。根据我国《民事诉讼法》规定，大多数民事案件适用合议制进行审判，它是基层人民法院和中级以上人民法院适用普通程序或者特别程序处理复杂民事案件时采用的审判方式。

二、合议庭的组织形式

根据我国《民事诉讼法》规定，除适用简易程序和特别程序审判简单民事案件外，其他案件的审判都要由审判员或者由审判员和陪审员组成合议庭进行。

（一）第一审程序合议庭

《民事诉讼法》第 40 条规定："人民法院审理第一审民事案件，由审判员、陪审员共同组成合议庭或者由审判员组成合议庭。合议庭的成员人数，必须是单数。"根据这一规定，人民法院可以按照审判案件的实际情况，选择不同的合议庭组成形式，既可以采用由审判员和陪审员共同组成的合议庭，也可以采用单独由审判员组成的合议庭。但是，不管哪种合议庭组成形式，组成人员必须是 3 人以上单数。由审判员和陪审员共同组成的合议庭的人数的配置比例，法律没有明确规定，既可以审判员是多数，也可以陪审员是多数。

（二）第二审程序合议庭

《民事诉讼法》第 41 条第 1 款规定："人民法院审理第二审民事案件，由审判员组成合议庭。合议庭的成员人数，必须是单数。"在第二审程序中，合议庭除了对上诉案件进行审理外，还承担着对第一审人民法院的审判活动进行监督的职责。第二审人民法院的职责决定了只能由审判员组成合议庭对案件进行审理。与第一审程序合议庭的人数要求一样，第二审程序合议庭组成人员必须是 3 人以上的单数。

（三）重审程序合议庭

根据《民事诉讼法》第 41 条第 2 款规定，发回重审的案件，原审人民法院应当按照第一审程序另行组成合议庭。不论原审合议庭是审判员和陪审员共同组成的合议庭，还是由审判员组成的合议庭，重审程序的合议庭的组成形式不受其限制，可根据案件实际情况另行确定。并且，原审合议庭的组成人员不能担任重审程序合议庭的组成人员。

（四）再审程序合议庭

再审程序是人民法院发现已经发生法律效力的裁判有错误而进行再次审理适用的程序。再审程序的合议庭形式按照原审程序合议庭的规定执行。《民事诉讼法》第 41 条第 3 款规定，人民法院审理再审案件，原来是第一审的，按照第一审程序另行组成合议庭；原来是第二审的或者是上级人民法院提审的，按照第二审程序另行组成合议庭。

三、合议庭的组织机构和工作

合议庭是人民法院直接行使审判权的内部组织，根据民事诉讼法的规定，合议庭有法定的组织机构和工作原则。

（一）合议庭的组织机构

根据《民事诉讼法》第42条规定，合议庭设审判长一人，审判员或者陪审员若干人。审判长的产生主要有以下几种方式：一是由院长在审判员中指定1人担任审判长；二是院长不指定，由庭长在审判员中指定1人担任审判长；三是院长参加审判的，由院长担任审判长；四是庭长参加审判的，由庭长担任审判长；五是根据《人民法院审判长选任办法（试行）》的规定，选拔上岗的相对固定的审判长。另外，在审判实践中，助理审判员经院长或者庭长指定，可以临时代行审判长职务。

（二）合议庭的工作原则

审判长负责主持合议庭的审判工作，合议庭全体组成人员共同对案件进行审理，对案件的事实、证据、责任、适用法律和最终处理结果等共同负责。在案件审理过程中，合议庭的组成人员不论是审判员还是陪审员，其权利是平等的。合议庭评议案件时，实行少数服从多数的原则，以多数成员的意见为依据进行裁判。合议庭评议案件时应当作笔录，笔录由合议庭全体成员签名。评议中的不同意见必须如实记入笔录。

（三）合议庭与审判委员会的关系

审判委员会是人民法院内部领导审判工作的组织机构，依据人民法院组织法而设立。审判委员会由院长、副院长、庭长等组成，其任务为总结审判工作经验，讨论重大疑难案件，研究审判工作中的其他问题。审判委员会与合议庭之间不是行政隶属关系中的领导与被领导的关系，而是审判工作中的指导与被指导、监督与被监督的关系。审判委员会对重大疑难案件或者合议庭争议较大的案件讨论后作出的处理决定，合议庭必须执行。合议庭对审判委员会的决定有异议的，必须报经院长或者副院长决定是否提交审判委员会讨论，发现合议庭作出的生效裁判有错误，经过审判委员会讨论同意后，才能决定再审。

第二节　回避制度

一、回避制度的概念

回避制度是指参与民事案件审判的审判员及其他有关人员，遇有可能影响案件公正审判的法定情形时，退出案件审判工作的制度。这是目前民事诉讼法教材普遍适用的概念。最高人民法院《关于审判人员严格执行回避制度的若干规定》（2000年6月20日起施行）将执行人员也纳入了回避制度的范畴，给回避制度的概念注入了新的内容。回避制度不仅指审判制度，还指执行制度。因此，回避制度的新概念应该是参与民事案件审判、执行的审判员、执行员及其他有关人员，遇有可能影响案件公正审判、执行的法定情形时，退出案件审判、执行工作的制度。本节仅阐述审判中的回避制度。

回避制度是我国诉讼法共有的一项审判制度，现代各国诉讼法也都有回避的规定。我国民事诉讼法中的回避制度对于保证客观、公正地审判民事案件，保护当事人的合法权益，消除当事人及其他有关人员的顾虑，维护人民法院的声誉，具有重要意义。

二、回避的对象和情形

根据《民事诉讼法》第45条规定，回避的对象包括参与案件审判的审判人员、书记员、翻译人、鉴定人、勘验人。审判人员包括人民法院的审判员、助理审判员和人民陪审员。

回避的情形是指可能影响案件公正审判的各种情况。审判人员、书记员、翻译人、鉴定人、勘验人遇有下列情形的，应当回避。

（一）是本案当事人或者当事人、诉讼代理人的近亲属

近亲属不是一个严格的法律概念，我国民法通则、刑事诉讼法和有关行政诉讼的司法解释等分别对近亲属作了界定。民法通则中规定的近亲属是指配偶、父母、子女、兄弟姐妹、祖父母、外祖父母、孙子女、外孙子女。婚姻家庭继承法上近亲属的内涵与此相同。刑事诉讼法中规定的近亲属是指配偶、父母、子女、同胞兄弟姊妹。同胞指的是有生理学意义上的血缘关系，即同父母、同父异母或者同母异父。最高人民法院关于执行行政诉讼法的司法解释中规定的近亲属，是指配偶、父母、子女、兄弟姐妹、祖父母、外祖父母、孙子女、外孙子女和其他具有扶养关系、赡养关系的亲属。关于《民事诉讼法》第45条第1款规定的近亲属，最高人民法院没有作具体的司法解释，我们认为，这里的近亲属应与民法通则中规定的近亲属的范围保持一致。但是，《关于审判人员严格执行回避制度的若干规定》第1条规定，改变了《民事诉讼法》第45条第1款规定的原义（后面阐述）。

（二）与本案有利害关系

回避人员与本案有利害关系是指案件的处理结果会使回避人员获得利益或者利益受损害的情形。

（三）与本案当事人有其他关系，可能影响对案件的公正审理

与本案当事人有其他关系是指回避人员与当事人存在上述两种关系之外的可能影响案件公正审判的某种亲密关系或者仇隙关系，如表现为某种亲密关系的同学关系、战友关系、师生关系、同事关系等，表现为仇隙关系的没有化解的情敌关系、原告与被告关系及所谓的仇人关系等。

《关于审判人员严格执行回避制度的若干规定》对审判人员、书记员、翻译人、鉴定人、勘验人的回避作了更明确具体的规定。该规定适用民事诉讼、刑事诉讼和行政诉讼，具体回避情形主要有三种。

1. 回避对象自行回避或者当事人及其法定代理人申请回避的情形

（1）是本案的当事人或者与当事人有直系血亲、三代以内旁系血亲及姻亲关系的。

（2）本人或者其近亲属与本案有利害关系的。

（3）担任过本案的证人、鉴定人、勘验人、辩护人、诉讼代理人的。

（4）与本案的诉讼代理人、辩护人有夫妻、父母、子女或者同胞兄弟姐妹关系的。

（5）本人与本案当事人之间存在其他利害关系，可能影响案件公正处理的。

2. 当事人及其法定代理人提供证据申请回避对象回避的情形

（1）未经批准，私下会见本案一方当事人及其代理人、辩护人的。

（2）为本案当事人推荐或介绍代理人、辩护人，或者为律师、其他人员推荐或介绍办理该案件的。

（3）接受本案当事人及其委托的人的财物、其他利益，或者要求当事人及其委托的人报销费用的。

（4）接受本案当事人及其委托的人的宴请，或者参加由其支付费用的各项活动的。

（5）向本案当事人及其委托的人借款，借用交通工具、通讯工具或者其他物品，或者接受当事人及其委托的人在购买商品、装修住房以及其他方面给予好处的。

3. 审判人员、人民法院工作人离任后回避的情形

（1）审判人员及人民法院其他工作人员离任两年内，担任诉讼代理人或者辩护人的。

（2）审判人员及人民法院其他工作人员离任两年后，担任原任职人民法院审理案件的诉讼代理人或者辩护人，对方当事人认为可能影响公正审判而提出异议的，但是作为当事人的近亲属或者监护人代理诉讼或者进行辩护的除外。

三、回避的方式

根据《民事诉讼法》第45条规定，审判人员、书记员、翻译人、鉴定人、勘验人有法律规定的回避情形的，必须回避，当事人有权用口头或者书面方式申请他们回避。“必须回避”的要求有两种回避方式：一是自行回避，即审判人员、书记员、翻译人、鉴定人、勘验人发现自己有法律规定的回避情形时，自行提出回避；二是人民法院依法决定回避，审判人员、书记员、翻译人、鉴定人、勘验人没有自行提出回避时，人民法院依法决定审判人员、书记员、翻译人、鉴定人、勘验人回避。申请回避是第三种回避方式，即当事人发现审判人员、书记员、翻译人、鉴定人、勘验人有法律规定的回避情形时，可以用口头或者书面的方式申请他们回避。当事人有权申请回避，这意味着当事人的法定代理人可以申请回避，当事人的诉讼代理人根据授权也可以申请回避。

四、回避的提出与批准

合议庭组成人员确定后，应当在3日内告知当事人，以便当事人及时了解是否存在回避的情形。开庭审理时，审判长应当询问当事人是否提出回避申请。当事人申请回避，既可以采用口头形式，也可以采用书面形式。根据《民事诉讼法》第46条规定，

当事人可以在案件开始审理时提出回避。如果回避事由在案件开始审理后才知道的，可以在法庭辩论结束前提出回避。审判人员、书记员、翻译人、鉴定人、勘验人从案件受理后一经发现自己存在法律规定的回避情形，应当主动提出回避。根据《民事诉讼法》第47条规定，院长担任审判长时的回避，由审判委员会决定；审判人员的回避，由院长决定；书记员、翻译人、鉴定人、勘验人的回避，由审判长决定。人民法院对当事人提出的回避申请，应当在提出申请的3日内，以口头或者书面形式作出决定。当事人对决定不服的，可以在接到决定时申请复议一次。

被申请回避的人在人民法院作出是否回避的决定前，应当暂停参与本案工作。当事人对人民法院的回避决定提出复议的，复议期间，被申请回避的人，不停止参与本案工作。

第三节　公开审判制度

一、公开审判制度的概念和意义

公开审判制度是指除法律规定的特殊情况外，人民法院向社会公开案件的审理过程和裁判结果的诉讼制度。向社会公开就是允许公众旁听审理过程和裁判结果，允许新闻记者采访报道等。

公开审判制度是我国社会主义民主精神在诉讼中的体现，反映了公众监督司法的一般要求，同时也是保证诉讼公正的重要形式。公开审判制度的意义主要表现在以下三个方面：

（1）实行公开审判制度，将人民法院的审判活动置于公众监督之下，有利于督促人民法院规范审判行为，提高办案质量，保证司法公正。

（2）实行公开审判制度，将当事人和其他诉讼参与人的诉讼行为置于公众监督之下，有利于约束当事人和其他诉讼参与人的行为，合法、诚实地进行诉讼活动，保证人民法院及时、准确地查明案件事实，作出正确裁判。

（3）实行公开审判制度，有利于公众和新闻媒体及时了解、宣传案件审判情况，使公众受到生动、形象的法制教育，增强法制观念，提高法律素质。

二、公开审判制度的内容

根据《民事诉讼法》和最高人民法院《关于严格执行公开审判制度的若干规定》(1999年3月8日起实施)，公开审判制度的内容主要包括以下几个方面：

（1）依法公开审理案件，应当在开庭前3日发布公告。公告内容应当包括案由、当事人姓名或者名称、开庭时间和地点。

（2）人民法院公开审理案件，庭审活动应当在审判法庭进行。需要巡回依法公开审理的，应当选择适当的场所进行。审判法庭和其他公开进行案件审理活动的场所，应当按照最高人民法院关于法庭布置的要求悬挂国徽，设置审判席和其他相应的席位。

（3）人民法院的审判活动要做到公开开庭，公开举证、质证，公开宣判。

（4）依法公开审理案件，公民可以旁听，但精神病人、醉酒的人和未经人民法院批准的未成年人除外。外国人和无国籍人持有效证件要求旁听的，参照中国公民旁听的规定办理。

（5）依法公开审理案件，经人民法院许可，新闻记者可以记录、录音、录像、摄影、转播庭审实况。

（6）依法公开审理案件，案件事实未经法庭公开调查，不能认定。证据未在法庭公开举证、质证，不能作为定案的证据，但无需举证的事实除外。

（7）人民法院审理的案件，不论是公开审理的案件，还是不公开审理的案件，一律公开宣告判决。

三、公开审判制度的例外规定

公开审判是人民法院审判活动的一般要求，也就是说，除了法律规定不公开审判的情况下，都实行公开审判。我国《民事诉讼法》第 120 条规定了一律不公开审理和可以不公开审理的情形。

（一）一律不公开审理的情形

（1）涉及国家秘密的案件。国家秘密指的是涉及国家利益和安全的秘密，如国家军事、政治、经济、金融、财政方面的秘密，党和政府的党务、人事秘密等。为了保守这些国家秘密，涉及这些国家秘密的案件不能公开审理。

（2）涉及个人隐私的案件。个人隐私是指公民的一切无碍于社会公共利益的私人事情及其物化资料。公民对于自己的隐私有阻却他人知晓及不受他人非法骚扰的权利。[①]如果涉及隐私的案件公开审理，势必导致个人隐私被他人知晓，违背了隐私人的保密意愿。为了保护个人隐私权，我国民事诉讼法规定这种案件不公开审理。

（二）可以不公开审理的情形

可以不公开审理的情形是指某些案件涉及个人一般性的私生活内容或者商业秘密是否公开审理，依据当事人的意愿而定。如果当事人要求不公开审理的，可以不公开审理；当事人没有申请不公开审理的，人民法院依据公开审判的原则，公开审理。这类案件包括离婚案件和涉及公民、法人和其他组织商业秘密的案件，不包括国家经济、金融、财政等带有商业性秘密的案件。

① 浦法仁等. 简明法律词典. 上海：上海辞书出版社，2005. 90

第四节　两审终审制

一、两审终审制的概念和内容

两审终审制度是一种审级制度。审级制度是指审判机关内部的层级划分以及诉讼案件经过几级审判机关审判才告终结的制度。西方国家关于审级制度的具体规定虽然不尽相同，但有一个共同点，即基本上实行三审制。以德国、日本为代表的国家实行四级三审制，以美国、法国为代表的国家实行三级三审制，我国台湾地区实行三级三审制。我国实行四级两审终审制，我国有四级人民法院：即最高人民法院、高级人民法院、中级人民法院和基层人民法院；一个民事案件经过两级人民法院的审判，宣告终结。

两审终审制度是指一个民事案件经过两级人民法院的审判后，应终结审判，裁判即发生法律效力的审判制度。当然，一个民事案件并非一定要经过两级人民法院审判才终结审判，根据我国民事诉讼法规定，当事人在法定期限内对第一审人民法院的裁判不上诉的，第一审人民法院的裁判发生法律效力，审判宣告终结，这是一审终审制。一审终审制的前提是当事人对第一审人民法院作出的裁判表示接受，不上诉。如果当事人在法定期限内对第一审人民法院的裁判提起上诉，进入第二审程序，第二审人民法院的裁判一经作出，立即发生法律效力，审判宣告终结。因此，两审终审制是我国《民事诉讼法》对一个民事案件进行审判的人民法院层级数的上限规定，即一个民事案件经过某一级人民法院和其上一级人民法院审判后，即告终结。

二、两审终审制的讨论

我国在新民主主义革命时期，大多数根据地实行两审终审制，有的根据地实行过三审终审制。新中国成立初期，原则上实行两审终审制，但在特定情况下，也曾允许某些案件的当事人不服第二审判决可以上诉至最高人民法院。1954 年《中华人民共和国人民法院组织法》正式确立了两审终审制。1979 年修改后重新公布的《中华人民共和国人民法院组织法》和 1979 年颁布的《中华人民共和国民事诉讼法（试行）》继续坚持实行两审终审制。

审级制度的选择与确定应根据一个国家的实际国情。我国地域辽阔，人口分布不均，有些地方交通不便，如果实行三审制，不仅会增加当事人的诉讼困难，还会增加人民法院特别是上级人民法院的工作负担，人为地延长一个案件的审理期限，不利于及时地处理和化解各种案件纠纷。因此，理论界一般认为，实行两审终审制是符合我国国情的。自 20 世纪 90 年代中期以来，国内有的学者对我国实行三审终审制提出了一些看法和构想，归纳起来就是在特定情况下实行三审终审制，对向第三审人民法院上诉的案件进行严格的限制，即实行严格限制的三审终审制，以弥补两审终审制的缺陷。我们认为，我国是实行两审终审制还是实行三审终审制，主要取决于我国现阶段的实际国情。我国现阶段实行两审终审，以再审程序对错误的终审裁判进行纠正，符合诉讼公正的原理和要求，也是我国国情所需要。①我国地域广阔、人口众多，如果在一些边远及交通不便的地区实行三审终审制，不仅会浪费当事人的人力、财力和时间，也会使案件处理的时间过长，不利于及时地化解民事纠纷，增加不稳定因素，影响和谐社会的建设。②实行三审终审制，会大大增加高级人民法院、最高人民法院的审判负担，上诉案件的审判将成为高级人民法院、最高人民法院的主要工作，这将导致审判成本大大增加，工作重点将会转移，不利于其大力开展对下级人民法院的审判业务指导、监督以及司法改革和人民法院建设的工作。③近几年来，人民法院的队伍建设与法官队伍素质大大提高。实行两审终审制，大多数案件在第二审时就会得到正确的解决，即使少数案件的处理出现错误，也可通过再审程序得到纠正，以达到公正裁判的诉讼目的。因此，目前我国实行两审终审制是有充分的理由和根据的。

案例分析

【案情】

王平与李燕红结婚时均在河南某县务农。2000 年王平到北京打工，其妻李燕红在家照料家人及务农。2003 年，王平结识张妙并与其同居。此后，张妙多次要求王平与李燕红离婚，与其结婚。2004 年 8 月，王平回家探亲时向县人民法院递交了离婚起诉状，请求县人民法院判决其与李燕红离婚。根据本案的实际情况，县人民法院决定公开审理此案，于 2004 年 9 月 11 日开庭审理。庭审时，李燕红当庭陈述自己如何日夜操劳抚养孩子、赡养公婆、耕种责任田，举例说明王平一直对她很好，夫妻感情并没有破裂。王平面对李燕红的陈述无言以对，在法官的批评教育下，当庭承认了自己的错误并撤回了诉状。后王平在张妙的催促下，又于 2004 年 12 月 3 日向县人民法院提起离婚诉讼，县人民法院受理并审理了此案，判决准予离婚。

【问题】

1. 当事人没有提出不公开审理的申请，人民法院可否依职权决定离婚案件公开审理？

2. 王平于 2004 年 12 月 3 日再次起诉离婚是否违背两审终审制？人民法院是否应该受理此案？

【解析】

1. 本案是一起普通离婚案件，属于可以不公开审理的案件，当事人可以申请不公开审理。由于本案当事人没有申请不公开审理，所以人民法院决定公开审理并不违反我国法律的相关规定。

2. 根据最高人民法院《关于适用中华人民共和国民事诉讼法若干问题的意见》第 144 条规定，当事人撤诉或者人民法院按撤诉处理后，当事人以同一诉讼请求再次起诉的，人民法院应当受理。本案中，原告在第一次诉讼中经法官说服教育撤回起诉，后又以同一诉讼请求再次起诉，不违背两审终审制，人民法院应当受理。①

① 案例、问题及解析来源：张淑兰，刘芝祥．民事诉讼法案例教程．北京：知识产权出版社，2006. 166

第五章　民事诉讼主管和管辖

民事诉讼主管和管辖问题是启动民事诉讼程序前需解决的两个关键问题。解决了这两个基本问题，当事人才能向特定的人民法院起诉，从而启动民事诉讼程序。在我国，解决民事案件的途径和方式较多，有人民调解委员调解、仲裁机构仲裁、有关国家机关处理和诉讼等。当事人要通过诉讼解决某一民事案件，首先要了解该民事案件是否属于人民法院的受案范围，然后再进一步明确该民事案件由哪一个具体的人民法院管辖。本章介绍人民法院受理民事案件的范围和人民法院系统内部审判民事案件的权限和分工情况，重点讲述级别管辖、地域管辖、专属管辖、裁定管辖、协议管辖及管辖权异议的内容，以及民事诉讼法和最高人民法院关于民事主管和管辖的相关规定的司法解释。

第一节　民事诉讼主管

一、民事诉讼主管概述

主管是指国家机关、社会团体之间各自行使职权和履行职责的范围和权限。任何国家机关、社会团体都有不同的职能，其主管事务的权限和范围也就有所不同。人民法院是国家的审判机关，承担着国家的审判职能。但是，在现实生活中民事案件大量存在，除了由人民法院承担民事案件的审判职能外，其他国家机关、社会团体等分别承担着解决一定范围内的民事案件的任务。这就需要明确哪些案件由人民法院审判，哪些案件由其他国家机关和社会团体解决，这是主管所要研究的问题。

民事诉讼主管是指人民法院依法受理和解决一定范围内民事案件的权限，是确定人民法院与其他国家机关、社会团体之间解决民事案件分工的依据。民事诉讼主管的实质就是确定人民法院行使民事审判权的范围和权限。有的教材把人民法院民事诉讼主管称为“受案范围”，[①]我们把它简称为人民法院主管。

从审判权的角度看，民事诉讼主管的范围就是人民法院在民事诉讼中的受理案件范

---

① 江伟. 民事诉讼法. 北京：中国人民大学出版社，2007. 97

围；从诉权角度看，民事诉讼主管的范围体现为当事人行使诉权的案件范围，也就是说，被排除在民事诉讼主管范围之外的案件，人民法院就不能行使民事审判权，案件当事人也就不享有诉权。明确人民法院民事诉讼主管范围，有利于划分人民法院与其他国家机关、社会团体之间解决民事案件的分工和权限，防止出现民事案件处理中争抢或者推诿现象，也有利于案件当事人合理行使诉权，避免告状无门现象的发生。因此，明确人民法院民事诉讼主管范围是人民法院正确行使审判权的重要前提，同时也是当事人进行民事诉讼的基本保障。

二、民事诉讼主管范围

《民事诉讼法》第 3 条规定："人民法院受理公民之间、法人之间、其他组织之间以及他们相互之间因财产关系和人身关系提起的民事诉讼，适用于本法的规定。"依据这一规定，平等主体之间发生的财产权和人身权争议，属于人民法院主管的民事诉讼案件范围，除此之外，根据《劳动法》等特别法律规定，民事诉讼主管范围还包括劳动争议案件等其他案件。归纳起来，人民法院主管的案件主要有六类。

（一）由民法调整的物权关系、债权关系、知识产权关系、人身权关系等引起的案件

物权关系的案件包括财产所有权、用益物权、担保物权等财产关系引起的诉讼案件；债权关系的案件包括合同纠纷、无因管理、不当得利、侵权损害赔偿等案件；知识产权关系的案件包括专利权、商标权、著作权引起的案件；人身权关系的案件包括身份权、人格权等基于人身关系发生争议的案件。

（二）由婚姻法调整的平等主体之间因婚姻家庭关系发生争议而引起的案件

这类案件属于由婚姻法调整的平等权利主体之间因婚姻家庭关系发生争议而引起的案件，它包括离婚案件，追索赡养费、扶养费、抚育费案件，解除收养关系案件等。

（三）由商法调整的商事关系引起的案件

这类案件包括票据纠纷案件、股东权益纠纷案件、企业法人破产案件、信用证案件等。

（四）由经济法调整的经济关系中属于民事权益的争议案件

这类案件包括因环境污染引起的损害赔偿案件、因不正当竞争引起的损害赔偿案件等。

（五）由劳动法、劳动合同法规定的由人民法院解决的劳动争议案件

这类案件主要包括：各类企业、个体经济组织、民办非企业单位与劳动者因适用劳动法和劳动合同法发生的争议案件；国家机关、事业单位、社会团体与公务员和参照公务员法管理的工作人员以外的劳动者因适用劳动法和劳动合同法发生的争议案件。

（六）由人民法院依照民事诉讼法解决的其他特殊案件

这类案件包括选民资格案件、宣告公民失踪和宣告公民死亡案件、认定公民无民事行为能力和限制民事行为能力案件、认定财产无主案件、申请支付令案件以及申请公示催告案件等。

三、主管与管辖的关系

主管与管辖既有区别又有联系。两者的区别是：主管解决的是人民法院与其他国家机关、社会团体之间处理民事争议的权限和分工问题；管辖解决的是人民法院体系内受理第一审民事案件的权限和分工问题。两者的联系是：只有先确定某一民事案件由人民法院主管，才能进一步确定该案件由哪一级的哪一个人民法院管辖。所以说，主管是确定管辖的前提和基础，而管辖又是主管的体现和落实。

四、人民法院与其他国家机关、社会团体主管民事案件的关系

在我国，人民法院和其他国家机关、社会团体都有权主管一定范围的民事案件，这就涉及人民法院与其他国家机关、社会团体之间主管民事案件的关系问题。具体案件发生后，民事主体如何选择案件的解决方式，人民法院如何行使民事审判权，都涉及如何处理好人民法院与其他国家机关、社会团体的主管关系问题，处理好这种关系是人民法院正确行使民事诉讼主管权的前提。

（一）人民法院与行政机关主管民事案件的关系

人民法院与行政机关主管民事案件的关系，主要表现为以下三种情形：

（1）对某些民事案件，人民法院和行政机关都有权主管，可由当事人自主选择。例如《环境保护法》第 41 条规定，有关环境污染赔偿责任和赔偿金额的案件，当事人可以请求环境保护行政主管部门或者其他依法行使环境监督管理权的部门处理，也可以直接向人民法院起诉。

（2）某些民事案件必须由行政机关先行处理，当事人对行政机关的处理不服时，才能由人民法院处理。

（3）某些民事案件由行政机关先行调解，调解不成或者一方当事人不履行调解协议，再由人民法院处理。例如《著作权法》规定，著作权侵权案件可以由著作权行政管理部门调解，调解达不成协议或者达成协议后一方反悔的，当事人可以向人民法院起诉。《专利法》和《商标法》也有类似的规定。

（二）人民法院与仲裁机构主管民事案件的关系

仲裁是指民事案件双方当事人在案件发生前或者发生后达成协议，自愿将民事案件交给仲裁机构作出裁决，双方有义务执行的一种解决争议的方法。在我国，仲裁机构为

各地设立的仲裁委员会，有处理合同纠纷案件的仲裁委员会和处理劳动争议的仲裁委员会。

对于人民法院和仲裁机构都可以主管的民事案件，由谁主管取决于当事人的意思。依据民事诉讼法和仲裁法的有关规定，人民法院和仲裁机构主管民事案件的关系分为两种情况：

（1）仲裁与审判相排斥。《仲裁法》第4条、第5条规定，当事人采用仲裁方式解决纠纷，应当双方自愿，达成仲裁协议。没有仲裁协议，一方申请仲裁的，仲裁委员会不予受理。当事人达成仲裁协议，一方当事人向人民法院起诉的，人民法院不予受理。也就是说，当事人依法选择了仲裁方式解决争议的，就不得再向人民法院提起诉讼；当事人选择了诉讼方式解决争议的，就不得再向仲裁机构申请仲裁。但仲裁协议被人民法院或者仲裁机构确认无效的，当事人可以向人民法院起诉。

（2）审判干预仲裁。根据仲裁法和民事诉讼法的有关规定，人民法院发现仲裁机构关于民事案件的裁决违反法律规定的，有权依法撤销仲裁机构的裁决或者依法裁定不予执行仲裁机构的裁决。这就表明，人民法院实际上参与了被仲裁机构受理的民事案件的处理，对仲裁机构的仲裁民事案件的行为进行司法干预和监督。

（三）人民法院与人民调解委员会主管民事案件的关系

根据1989年5月国务院《人民调解委员会组织条例》第2条规定，人民调解委员会是村民委员会和居民委员会下设的调解民间纠纷的群众性组织，在基层人民政府和基层人民法院指导下进行工作。也就是说，人民调解委员会是调解民间争议的群众性组织，依照该条例规定，人民调解委员会根据自愿原则进行调解，当事人对调解达成的协议应当履行；不愿调解、调解不成或者反悔的，可以向人民法院起诉。可见，当事人根据自愿原则，可以向人民调解委员会申请调解解决争议，也可以直接向人民法院起诉，人民调解委员会调解并不是民事诉讼必经程序。

根据2002年9月11日司法部《人民调解工作若干规定》规定，人民法院与人民调解委员会在主管民事案件上的关系表现为：

（1）人民法院主管范围宽于人民调解委员会主管的范围。人民调解委员会只能受理人民调解范围内的一般的简单民事案件，对于法律、法规规定只能由专门机关管辖处理的，或者法律、法规禁止采用民间调解方式解决的以及人民法院、公安机关或者其他行政机关已经受理或者解决的纠纷，人民调解委员会不得受理调解。

（2）人民法院主管优先于人民调解委员会的主管。在一方当事人申请人民调解委员会处理，另一方当事人直接向人民法院提起诉讼的情况下，民事案件由人民法院主管。

（3）民事案件经人民调解委员会处理后，当事人起诉到人民法院的，仍然作为民事案件由人民法院主管。

2002年9月最高人民法院《关于审理涉及人民调解协议的民事案件的若干规定》中规定，经人民调解委员会调解达成的、有民事权利义务内容并由双方当事人签字或者盖章的调解协议，具有民事合同的性质。当事人一方向人民法院起诉，请求对方当事人履行调解协议，请求变更或者撤销调解协议，或者请求确认调解协议无效的，人民法院应予以受理。

第二节　民事诉讼管辖

一、民事诉讼管辖的概念

民事诉讼管辖是指各级人民法院之间和同级人民法院之间受理第一审民事案件的分工和权限。在民事案件主管问题上，确定某一民事案件属于人民法院主管范围后，接下来就是该民事案件应该由哪一个人民法院来行使审判权的问题，解决这一问题，就要借助于民事诉讼管辖制度。具体地说，确定民事诉讼管辖时，首先要确定最高人民法院、高级人民法院、中级人民法院和基层人民法院之间受理第一审民事案件的分工和权限，即某一民事案件由哪一级人民法院管辖；然后，确定同级人民法院之间受理第一审民事案件的分工和权限，即某一民事案件由哪一个人民法院管辖。

民事诉讼主管与民事诉讼管辖是民事诉讼中具有密切联系的两个概念。民事诉讼主管先于民事诉讼管辖发生，它是确定管辖的前提和基础。只有首先确定某一民事案件属于民事诉讼主管后，再来确定该民事案件由具体的人民法院管辖。所以，解决好民事诉讼管辖问题，对于明确人民法院之间的审判权限和职责，保证当事人充分行使起诉权，保障司法公正，具有重要意义。

二、确定民事诉讼管辖的原则

确定民事诉讼管辖的原则是指民事诉讼立法在规定诉讼管辖时所应遵循的准则。我国民事诉讼法在确立管辖的问题上，主要遵循六个原则。

（一）便利当事人诉讼原则

确定民事诉讼管辖时，应当考虑当事人起诉、应诉以及进行诉讼活动的实际情况，尽可能给予方便，以减少当事人的诉讼成本。按照这一原则，民事诉讼法根据人民法院所在行政辖区与当事人的隶属关系以及各类案件的特点，确定了对不同案件的管辖。我国《民事诉讼法》规定，大多数第一审民事案件由基层人民法院管辖，并且由当事人住所地人民法院管辖，就是出于便利当事人诉讼的考虑。

（二）便于人民法院审判原则

确定民事诉讼管辖要保证人民法院及时审理民事案件，提高办案效率，正确、合法地解决民事案件。具体地说，就是在确定民事诉讼管辖时，要从客观实际出发，考虑到人民法院工作的实际情况，为人民法院审判案件提供方便。只有便于人民法院审判民事案件和执行裁判，才能保证民事诉讼程序的高效运行，实现民事诉讼的现实价值。

（三）保证审判公正原则

确定民事诉讼管辖时，应考虑到排除干扰民事案件公正审判的因素，保证人民法院独立行使审判权。例如，我国《民事诉讼法》中规定了合同纠纷的协议管辖，以防止地方保护主义干扰；规定了管辖权的转移和指定管辖等，有利于排除和避免某些行政干预因素，保证审判公正。

（四）人民法院均衡担负审判任务原则

根据《人民法院组织法》规定，各级人民法院具有不同的职能和分工。基层人民法院的主要职能是审理第一审案件，中级和高级人民法院不仅要依法审理一部分第一审案件，还要审理上诉案件，并对下级人民法院的审判活动进行法律监督和业务指导。最高人民法院除了要监督和指导地方各级人民法院、专门人民法院的审判工作以外，还要制定司法解释，总结和推广审判经验。因此，确定民事诉讼管辖时，应当考虑到上述因素，使各级人民法院均衡担负审判任务。

（五）原则性与灵活性相结合原则

为体现便利当事人诉讼和便于人民法院审判原则，我国民事诉讼法对民事诉讼管辖的规定力求全面、明确，具有一般适用性。要求在立法上应采用明确、具体规定的形式确定民事诉讼管辖，有利于人民法院和当事人及时、正确、合法行使审判权和诉讼权。但是，诉讼中不可避免会出现一些特殊情况，为使案件能够及时、公正地处理，在确定管辖时又要有一定的灵活性，以适应审判实践发展变化的需要。例如《民事诉讼法》规定，在某些特殊情况下，为公正、灵活地解决案件管辖权问题，应赋予上级人民法院以裁定方式确定民事诉讼管辖的问题。

（六）维护国家主权原则

这是涉外民事诉讼中确定管辖的原则，也是民事司法管辖中应当遵循的原则。在涉外民事诉讼中，人民法院司法管辖权是国家主权的重要组成部分。我国《民事诉讼法》对涉外民事诉讼专属管辖的规定就是这一原则的重要体现。司法实践中，在确定涉外民事案件管辖时，应从维护国家主权和我国人民利益出发，尽量扩大我国人民法院涉外民事诉讼管辖的范围，对应由我国人民法院管辖的涉外民事案件作出明确、具体、合理的规定。

三、管辖恒定

管辖恒定是指确定民事案件管辖，以起诉时为准，起诉时对案件享有管辖权的人民法院，不因确定管辖的事实依据在诉讼过程中发生变化而影响其管辖权。遵循管辖恒定原则，可以避免因管辖变动而造成的司法资源浪费，减少当事人的讼累，推动诉讼迅速、便捷地进行。

管辖恒定包括级别管辖恒定和地域管辖恒定。级别管辖恒定是指起诉时民事案件由哪一级人民法院管辖，至诉讼终结前始终由该级人民法院管辖，不因诉讼过程中标的额增加或者减少等因素的变化而改变。我国并未在法律中明确规定管辖恒定，有关司法解释的规定体现了恒定管辖原则内容。最高人民法院《关于执行级别管辖规定几个问题的批复》（1995 年 5 月）中规定："当事人在诉讼中增加诉讼要求从而加大诉讼标的金额，致使诉讼标的金额超过受诉人民法院级别管辖权限的，一般不再变动。但是当事人故意规避有关级别管辖等规定的除外。"该解释明确案件管辖按起诉时的标准确定后，不因诉讼过程中确定管辖的因素的变动而改变。《适用民事诉讼法意见》第 34 条规定："案件受理后，受诉人民法院的管辖权不受当事人住所地、经常居住地变更的影响。"第 35 条规定："有管辖权的人民法院受理案件后，不得以行政区域变更为由，将案件送给变更后有管辖权的人民法院。"这些规定都体现了管辖恒定的原则。

四、管辖的分类

对于民事诉讼管辖，可以从法律上和理论上进行分类。

（一）管辖在法律上的分类

我国《民事诉讼法》在第 1 篇第 2 章对管辖作了专门规定，将管辖分为级别管辖、地域管辖、移送管辖、指定管辖四大类。其中，地域管辖进一步分为一般地域管辖、特殊地域管辖、专属管辖、共同管辖、选择管辖和协议管辖。

（二）管辖在理论上的分类

在民事诉讼理论上，对管辖的划分存在一定分歧。一般认为对民事诉讼管辖可以划分为四个方面。

1. 法定管辖和裁定管辖

根据管辖是由法律规定方式确定还是由人民法院裁定方式确定为标准，可以将管辖分为法定管辖和裁定管辖。法定管辖是指法律明文规定民事案件由哪一个或者哪几个人民法院管辖。法定管辖是确定管辖的基本依据。我国民事诉讼法中的级别管辖、地域管辖、专属管辖都属于法定管辖。裁定管辖是指根据人民法院的裁定来确定管辖的人民法院。裁定管辖是为解决某些特殊情况而适用，是法定管辖的补充。我国民事诉讼法中规定的指定管辖、管辖权的转移等都属于裁定管辖。从两者的关系看，法定管辖是针对管辖的一般情形作出的规定，裁定管辖是针对管辖中的特殊情况作出的规定。

2. 专属管辖和协议管辖

根据管辖是由法律强制性规定还是由当事人协议确定为标准，可将管辖分为专属管辖和协议管辖。专属管辖是指法律规定某类案件只能由特定的人民法院管辖，其他人民法院无管辖权，当事人也不能以协议方式变更管辖。协议管辖是指由当事人以书面协议的方式选择人民法院管辖。但是当事人对人民法院管辖的约定，不得违背级别管辖和专属管辖的规定。

3. 共同管辖、选择管辖和合并管辖

根据诉讼主体、诉讼客体与人民法院辖区所存在的法律上的关系不同，可以将管辖分为共同管辖和合并管辖。

共同管辖是指对同一案件，依法律规定可由两个或者两个以上的人民法院行使管辖权。例如，同一诉讼的几个被告住所地、经常居所地在两个以上人民法院辖区的，几个被告住所地和经常居住地的人民法院都有管辖权；再如，对于某一侵权案件，侵权行为地、被告住所地人民法院都有管辖权。

存在共同管辖，就可能产生人民法院管辖冲突，因而有必要规定选择管辖。根据《民事诉讼法》第35条规定，选择管辖是指法律规定两个以上的人民法院对同一诉讼都有管辖权时，原告可以选择其中一个人民法院提起诉讼，如果原告向两个以上有管辖权的人民法院起诉的，由最先立案的人民法院管辖。

共同管辖与选择管辖是一个问题的两个方面，两者既有区别又有密切的联系。共同管辖是从人民法院管辖权的角度而言的，选择管辖则是从当事人的角度而言的；共同管辖是选择管辖的前提，选择管辖是共同管辖的落实。

合并管辖是指受诉人民法院对某一案件有管辖权，也可以管辖与该案有牵连的其他案件。尽管受诉人民法院可能对其他案件无管辖权，但是因为其他案件与该案有牵连关系，受诉人民法院基于审判的需要，有必要对其他案件进行合并审理，从而取得对其他案件的管辖权。例如，根据《民事诉讼法》第126条的规定："原告增加诉讼请求，被告提出反诉，第三人提出与本案有关的诉讼请求，可以合并审理。"也就是说，当原告提起诉讼后，被告向同一人民法院提出反诉，反诉案件有时不属于该人民法院管辖，由于反诉案件与本案有牵连关系，该人民法院因此取得了对反诉案件的管辖权。

4. 专门管辖和普通管辖

专门管辖是与普通管辖相对而言的，是专门人民法院和普通人民法院案件管辖范围的职能划分。具体地说，专门管辖是指法律规定专门人民法院管辖某一类型案件的制度。专门人民法院主要有军事法院、铁路运输法院、海事法院、林业法院、农垦法院等。例如，最高人民法院《关于军事法院试行审理军内民事案件问题的复函》（2001年6月）规定，双方当事人都是现役军人、部队管理的离退休干部、军队在编职工或者军内法人的民事案件等，由军事法院审理；最高人民法院《关于铁路运输法院对经济纠纷案件管辖范围的规定》（1990年6月），铁路货物运输合同纠纷案件，铁路旅客和行李、包裹运输合同纠纷案件等由铁路运输法院管辖。

第三节　级别管辖

一、级别管辖的概念

级别管辖是指上、下级人民法院之间受理第一审民事案件的权限和分工。级别管辖是从纵向上划分人民法院之间受理第一审民事案件的权限和分工，具体解决某一民事案件应由哪一级人民法院管辖的问题。根据《人民法院组织法》（2006年10月修改）第2条规定，中华人民共和国的审判权由下列人民法院行使：①地方各级人民法院；②军事法院等专门人民法院；③最高人民法院。地方各级人民法院分为基层人民法院、中级人民法院、高级人民法院。专门人民法院有军事法院、铁路运输法院和海事法院等。各级各类人民法院都有受理第一审民事案件的权限。由于各级人民法院职能分工不同，受理第一审民事案件的权限范围也不同。

外国民事诉讼制度关于第一审案件的管辖大致有两种类型：一种是将所有的第一审案件规定由基层法院受理，上级法院原则上不受理第一审案件，如法国、俄罗斯、美国等均属此种类型，这种类型实际上不存在级别管辖问题。另一种是将第一审案件交由基层法院和其上一级法院审理，通过级别管辖在这两级法院之间确定各自的分工和权限，如德国、日本、匈牙利等属于这种类型。相比较而言，我国级别管辖最为复杂，采用了与众不同的级别管辖规定，四级人民法院都依法受理第一审案件，也就是说，通过级别管辖，在四级人民法院之间确立各自受理第一审案件的分工和权限，在当今世界是独一无二的。

二、确定级别管辖的依据

在我国，从基层人民法院到最高人民法院，四级人民法院都有权受理第一审民事案件，这就产生了如何在这四级人民法院中划分第一审民事案件的受理范围问题，也就是如何确定级别管辖的标准或者依据的问题。

根据《适用民事诉讼法意见》第3条规定，确定级别管辖应从本地实际情况出发，即要依据案情繁简、诉讼标的金额大小、在当地的影响等情况。我国的民事诉讼法也对级别管辖作了规定。归纳起来，级别管辖主要根据两个方面的因素确定：

（1）案件的性质。民事案件，在属性上可分为是一般性质的民事案件和特殊类型的民事案件。案件的性质不同，人民法院审理的难易程度可能也就不同。一般性质的民事案件往往适合于级别较低的人民法院管辖；重大涉外案件、海事案件、海商案件等专业性强的特殊类型的案件，应当由级别较高的人民法院或者专门人民法院管辖。

（2）案件影响的大小。案件影响的大小是指案件自身的繁简程度和案件处理的结果对社会影响的范围。《民事诉讼法》第19条、第20条、第21条规定，中级人民法院、高级人民法院、最高人民法院分别受理在本辖区有重大影响的案件。一般来说，重大影响是指案件具有特殊性或者案情复杂，涉及范围较广，诉讼标的较大，审理的结果可能对社会产生较大影响。对社会影响越大的案件，第一审人民法院的级别也就越高。

在审判实践中，级别管辖有时是以诉讼标的金额大小为标准来确定。由于全国各地经济发展水平不平衡，不宜对诉讼标的金额标准作出统一规定。一般情况下，各高级人民法院受理第一审案件诉讼标的金额的标准，由最高人民法院确定；中级人民法院和基层人民法院受理第一审案件诉讼标的金额的标准，由各高级人民法院从本地实际情况出发，根据案情繁简、诉讼标的金额大小、在当地的影响等情况提出意见，报最高人民法院批准。总之，确定级别管辖应当综合民事诉讼立法精神、最高人民法院司法解释和高级人民法院有关诉讼标的金额的意见来考虑。

三、各级人民法院管辖的第一审民事案件

（一）基层人民法院管辖的第一审民事案件

《民事诉讼法》第18条规定："基层人民法院管辖第一审民事案件，但本法另有规定的除外。"这一规定明确了第一审民事案件原则上由基层人民法院管辖。

基层人民法院是我国人民法院组织系统中最基层的单位，它与我国的基层行政辖区相一致，不仅数量多、分布广，审判人员数量也多，没有审理上诉案件的任务，通常情况下，多数第一审民事案件由基层人民法院管辖，是符合人民法院工作均衡负担原则的。同时，由于民事案件的发生地、当事人住所地或者争议的财产所在地都与基层人民法院辖区相联系，由基层人民法院作为第一审人民法院，既方便当事人诉讼，又方便人民法院审判。

（二）中级人民法院管辖的第一审民事案件

根据《民事诉讼法》第19条规定，中级人民法院管辖三方面的第一审民事案件。

1. 重大涉外案件

《适用民事诉讼法意见》第1条规定，重大涉外案件是指争议标的额大，或者案情复杂，或者居住在国外的当事人人数众多的涉外案件。一般涉外案件则由基层人民法院管辖。

根据最高人民法院《关于涉外民商事案件诉讼管辖若干问题的规定》（2002年3月1日起施行），第一审涉外民商案件，由下列人民法院管辖：①国务院批准设立的经济技术开发区人民法院；②省会、自治区首府、直辖市所在地的中级人民法院；③经济特区、计划单列市中级人民法院；④最高人民法院指定的其他中级人民法院；⑤高级人民法院。上述中级人民法院的地域管辖范围由所在地的高级人民法院确定。

2. 在本辖区内有重大影响的案件

中级人民法院除了审理一定数量的第一审民事案件外，还要承担审理不服基层人民法院第一审裁判的上诉案件，比基层人民法院工作负担重。因此，由中级人民法院审理的第一审民事案件通常是一些审理难度较大，案情较为复杂，在中级人民法院所属行政辖区内有一定影响的案件。在本辖区内有重大影响的案件，由中级人民法院根据具体情况确定。

3. 最高人民法院确定由中级人民法院管辖的案件

实践中，在确定中级人民法院管辖的第一审民事案件时，除了依照民事诉讼法规定外，最高人民法院根据审判工作的需要，以规范性文件或者相关司法解释的形式确定某些案件由中级人民法院管辖。最高人民法院确定由中级人民法院管辖的案件主要有：

（1）海事、海商案件。海事、海商案件一般由作为专门人民法院的海事法院管辖。这些案件包括海事侵权争议案件、海商合同争议案件、其他海事海商争议案件、海事执

行案件等。海事法院是审判机关的组成部分，为中级专门人民法院。我国已在广州、上海、天津、青岛、大连、武汉、北海、海口、厦门、宁波等口岸城市设立了海事法院。没有设立海事法院的地方，海事、海商案件由有管辖权的中级人民法院管辖。

（2）知识产权案件。最高人民法院《适用民事诉讼法意见》第2条规定，专利纠纷案件由最高人民法院确定的中级人民法院管辖。最高人民法院《关于审理专利纠纷案件适用法律问题的若干规定》（2001年7月1日起施行）第2条规定，专利争议第一审案件，由各省、自治区、直辖市人民政府所在地的中级人民法院和最高人民法院指定的中级人民法院管辖。最高人民法院《关于审理著作权民事纠纷案件适用法律若干问题的解释》（2002年10月15日起施行）第2条规定，著作权民事案件由中级以上人民法院管辖。这两个司法解释除规定专利纠纷民事案件与著作权案件的第一审由中级以上人民法院管辖之外，还规定各高级人民法院根据本辖区的实际情况，经最高人民法院批准，可以在较大城市确定1至2个基层人民法院受理第一审商标与著作权民事争议案件。

（3）证券市场因虚假陈述引发的民事赔偿案件。该类案件简称为虚假陈述证券民事赔偿案件，它是指证券市场投资人以信息披露义务人违反法律规定，进行虚假陈述并致使其遭受损失为由，向人民法院提起诉讼的民事赔偿案件。最高人民法院《关于审理证券市场因虚假陈述引发的民事赔偿案件的若干规定》（2003年2月1日起施行）第8条规定，虚假陈述证券民事赔偿案件由省、直辖市、自治区人民政府所在的市、计划单列市和经济特区中级人民法院管辖。

（4）重大的涉港、澳、台民事案件。这类案件虽然不是涉外案件，但为了妥善解决涉港、澳、台民事争议，在管辖上也比照涉外案件处理。

（5）诉讼标的金额大或者诉讼单位属省、自治区、直辖市以上的经济纠纷案件。根据最高人民法院法发〔1999〕11号通知的要求，各高级人民法院根据本地实际情况制定出本辖区各级人民法院分级管辖第一审民事、经济争议案件级别管辖标准，并报经最高人民法院批准，其中争议金额是划分级别管辖最为重要的标准。

（6）涉及域名的侵权案件。最高人民法院《关于审理涉及计算机网络域名民事纠纷案件》（2001年7月24日起施行）第2条规定，涉及域名的侵权纠纷案件，由侵权行为地或者被告住所地的中级人民法院管辖。

（7）申请确认仲裁协议效力的案件。最高人民法院于《关于适用〈中华人民共和国仲裁法〉若干问题的解释》（2006年9月8日起施行）第12条规定，当事人向人民法院申请确认仲裁协议效力的案件，由仲裁协议约定的仲裁机构所在地的中级人民法院管辖；仲裁协议约定的仲裁机构不明确的，由仲裁协议签订地或者被申请人住所地的中级人民法院管辖。《仲裁法》第58条规定，申请撤销仲裁裁决的案件，由仲裁委员会所在地的中级人民法院管辖。

此外，最高人民法院确定由中级人民法院管辖的案件还有植物新品种争议案件、集成电路布图设计案件、期货争议案件等。

2008年2月3日，最高人民法院颁发了《关于调整高级人民法院和中级人民法院管辖第一审民商案件标准的通知》（以下简称《调整级别管辖标准通知》），其中第2条规定，中级人民法院管辖第一审民商案件标准，由高级人民法院自行确定，但应当符合下列条件：

（1）北京、上海所辖中级人民法院，广东、江苏、浙江辖区内省会城市、计划单列市和经济较为发达的市中级人民法院，可管辖诉讼标的额不低于 5 000 万元的第一审民商事案件以及诉讼标的额不低于 2 000 万元且当事人一方住所地不在本辖区或者涉外、涉港澳台的第一审民商事案件。其他中级人民法院可管辖诉讼标的额不低于 2 000 万元的第一审民商事案件，以及诉讼标的额不低于 800 万元且当事人一方住所地不在本辖区或者涉外、涉港澳台的第一审民商事案件。

（2）天津所辖城区中级人民法院、重庆所辖城区中级人民法院，山东、福建、湖北、湖南、河南、辽宁、吉林、黑龙江、广西、安徽、江西、四川、陕西、河北、山西、海南辖区内省会城市、计划单列市和经济较为发达的市中级人民法院，可管辖诉讼标的额不低于 800 万元的第一审民商事案件，以及诉讼标的额不低于 300 万元且当事人一方住所地不在本辖区或者涉外、涉港澳台的第一审民商事案件。其他中级人民法院可管辖诉讼标的额不低于 500 万元的第一审民商事案件，以及诉讼标的额不低于 200 万元且当事人一方住所地不在本辖区或者涉外、涉港澳台的第一审民商事案件。

（3）甘肃、贵州、新疆、内蒙古、云南辖区内省会城市中级人民法院可管辖诉讼标的额不低于 300 万元的第一审民商事案件，以及诉讼标的额不低于 200 万元且当事人一方住所地不在本辖区或者涉外、涉港澳台的第一审民商事案件。其他中级人民法院可管辖诉讼标的额不低于 200 万元的第一审民商事案件，以及诉讼标的额不低于 100 万元且当事人一方住所地不在本辖区或者涉外、涉港澳台的第一审民商事案件。

（4）青海、宁夏、西藏辖区内中级人民法院可管辖诉讼标的额不低于 100 万元的第一审民商事案件，以及诉讼标的额不低于 50 万元且当事人一方住所地不在本辖区或者涉外、涉港澳台的第一审民商事案件。

（三）高级人民法院管辖的第一审民事案件

《民事诉讼法》第 20 条规定："高级人民法院管辖本辖区有重大影响的第一审民事案件。"高级人民法院的主要任务是对本辖区内中级人民法院和基层人民法院的审判活动进行指导和监督，审判当事人不服中级人民法院裁判的上诉案件。因此，高级人民法院只管辖少数在本辖区内有重大影响的第一审民事案件。

所谓有重大影响，是指在省、自治区、直辖市的行政区划内，案件涉及面广、审理难度大、案情复杂、争议标的数额巨大或者在政治上有重大影响等。除这类案件外，高级人民法院还可以审理最高人民法院指定管辖的案件或者由下级人民法院报请提审的案件。

《调整级别管辖标准通知》按照诉讼标的数额来确定高级人民法院管辖第一审民商案件的权限，并且根据我国各地经济发展不平衡的实际状况，对不同地区的高级人民法院管辖第一审民商案件的标准分别进行了规定：

（1）北京、上海、广东、江苏、浙江高级人民法院，可管辖诉讼标的额在 2 亿元以上的第一审民商事案件，以及诉讼标的额在 1 亿元以上且当事人一方住所地不在本辖区或者涉外、涉港澳台的第一审民商事案件。

辖。双方当事人都被监禁或者被劳动教养的，由被告原住所地人民法院管辖。被告被监禁或者被劳动教养 1 年以上的，由被告被监禁地或者被劳动教养地人民法院管辖。

（2）根据《民事诉讼法》第 22 条第 2 款规定，对法人或者其他组织提起的民事诉讼，由被告住所地人民法院管辖。这里所说被告住所地，是指作为被告的法人或者其他组织的住所地，具体是指法人或者其他组织的主要办事机构所在地或者主要营业地。被告如为没有办事机构的个人合伙、合伙型联营体，则由注册登记地人民法院管辖；没有注册登记地的，几个被告又不在同一辖区的，各被告所在地的人民法院都有管辖权。

（二）“被告就原告”的规定

在某些特殊情况下，使用“原告就被告”原则对原告诉讼和人民法院审理案件都极为不便，为此，《民事诉讼法》第 23 条只规定了几种特殊情形的诉讼，也由原告住所地人民法院管辖。原告的住所地与经常居住地不一致的，由原告经常居住地人民法院管辖。

（1）对不在中华人民共和国领域内居住的人提起的有关身份关系的诉讼。对于符合不在中国领域内居住、与身份有关的诉讼案件（如涉及婚姻关系、亲子关系、收养关系等案件），由原告住所地或者经常居住地人民法院管辖。

（2）对下落不明或者宣告失踪的人提起的有关身份关系的诉讼。被告下落不明或者已经宣告失踪的情况下，根本无法确定其住所地或者经常居住地，由原告住所地或者经常居住地人民法院管辖，可以方便原告行使诉讼权。

（3）对正在被劳动教养的人提起的诉讼。被劳动教养的人由于离开了住所地或者经常居住地，集中在特定场所接受劳动教养，人身自由受到一定的限制。如果向被告劳动教养地人民法院起诉，对原告十分不便，法律规定由原告住所地或者经常居住地人民法院管辖。

（4）对正在被监禁的人提起的诉讼。正在被监禁的人，包括已决犯和未决犯，都丧失了人身自由，一般情况下也脱离了住所地或者经常居住地，原告向被告监禁地人民法院起诉，会给原告带来不便，因此，法律规定原告住所地或者经常居住地人民法院为有管辖权人民法院是恰当的。

（三）《适用民事诉讼法意见》规定的地域管辖

（1）被告一方被注销城镇户口的，依照《民事诉讼法》第 23 条规定确定管辖；双方均被注销城镇户口的，由被告居住地人民法院管辖。

（2）追索赡养费案件的几个被告住所地不在同一辖区的，可以由原告住所地人民法院管辖。

（3）不服指定监护或者变更监护关系的案件，由被监护人住所地人民法院管辖。

（4）非军人对军人提出离婚诉讼，如果军人一方为非文职军人，由原告住所地人民法院管辖。离婚诉讼双方当事人都是军人的，由被告住所地或者被告所在地的团级以上单位驻地人民法院管辖。

（5）夫妻一方离开住所地超过 1 年，另一方起诉离婚的案件，由原告住所地人民法院管辖。夫妻双方都离开住所地超过1年，一方起诉离婚的案件，由被告经常居住地人民法院管辖；没有经常居住地的，由原告起诉时居住地人民法院管辖。

（6）在国内结婚并定居国外的华侨，如定居国法院以离婚诉讼必须由婚姻缔结地法院管辖为由不予受理，当事人向人民法院提出离婚诉讼的，由婚姻缔结地或者一方在国内的最后居住地人民法院管辖。

（7）在国外结婚并定居国外的华侨，如定居国法院以离婚诉讼必须由国籍所属国法院管辖为由不予受理，当事人向人民法院提出离婚诉讼的，由一方原住所地或者在国内的最后居住地人民法院管辖。

（8）中国公民一方居住在国外，一方居住在国内，不论哪一方向人民法院提起离婚诉讼，国内一方住所地的人民法院都有权管辖。如国外一方在居住国法院起诉，国内一方向人民法院起诉的，受诉人民法院有权管辖。

（9）中国公民双方在国外但未定居，一方向人民法院起诉离婚的，应由原告或者被告原住所地人民法院管辖。

三、特殊地域管辖

特殊地域管辖是指以当事人住所地、诉讼标的所在地或者引起诉讼的法律事实所在地为依据确定的地域管辖。有的教材[①]在阐述确定特殊地域管辖的标准或者依据时，只论及诉讼标的所在地、引起诉讼的法律事实所在地是确定特殊地域管辖的标准或者依据，将被告住所地排除在外是不准确的。被告住所地是确定特殊地域管辖的重要标准或者依据之一，《民事诉讼法》规定的适用特殊地域管辖的九种案件中，有七种案件管辖的确定都考虑到了被告住所地这一重要因素。因此，特殊地域管辖是综合当事人住所地、诉讼标的所在地或者引起诉讼的法律事实所在地三种因素而确定的。

根据《民事诉讼法》、《适用民事诉讼法意见》和其他相关司法解释规定，有下列案件适用特殊地域管辖：

1. 因合同纠纷提起的诉讼，由被告住所地或者合同履行地人民法院管辖

合同履行地是指按照合同约定的履行义务的具体地点。但是合同履行地究竟是指民法或者合同法规定的履行地、约定的履行地还是实际履行地，立法上并不明确，争议比较大，为此，最高人民法院陆续出台了相关司法解释和批复予以规范。从这些司法解释和批复中分析，最高人民法院是将履行地界定为实际履行地，不是依照实体法的规定确定履行地。

最高人民法院有关司法解释和批复中对如何确定合同履行地作了以下具体规定：

（1）因合同纠纷提起的诉讼，如果没有实际履行合同，当事人双方住所地又都不在合同约定的履行地的，应由被告住所地人民法院管辖。

---

① 江伟. 民事诉讼法学. 上海：复旦大学出版社，2005. 154
江伟. 民事诉讼法. 北京：高等教育出版社，2004. 70
江伟. 民事诉讼法. 北京：中国人民大学出版社，2004. 92

（2）当事人在合同中明确约定履行地点的，以约定的履行地点为合同履行地。当事人在合同中未明确约定履行地点的，以约定的交货地点为合同履行地。合同中约定的货物到达地、到站地、验收地、安装调试地等，均不应视为合同履行地。

当事人在合同中明确约定了履行地点或者交货地点，但在实际履行中以书面方式或者双方当事人一致认可的其他方式变更约定的，以变更后的约定确定合同履行地。当事人未以上述方式变更原约定，或者变更原合同而未涉及履行地问题的，仍以原合同的约定确定履行地。

当事人在合同中对履行地点、交货地点未作约定或者约定不明确的，或者虽有约定但未实际交付货物，且当事人双方住所地均不在合同约定的履行地，以及口头购销合同纠纷案件，均不依履行地确定案件管辖。

（3）加工承揽合同以加工行为地为合同履行地，但合同中对履行地有约定的除外。

（4）财产租赁合同、融资租赁合同以租赁物使用地为合同履行地，但合同中对履行地有约定的除外。

（5）补偿贸易合同以接受投资一方主要义务履行地为合同履行地。

（6）最高人民法院《关于如何确定借款合同履行地问题的批复》（1993 年 11 月 17 日起施行）规定，合同履行地是指当事人履行合同约定义务的地点。借款合同是双务合同，标的物为货币。贷款方与借款方均应按照合同约定分别承担贷出款项与偿还贷款及利息的义务，贷款方与借款方所在地都是履行合同约定义务的地点。依照借款合同的约定，贷款方应先将借款划出，从而履行了贷款方所应承担的义务。因此，除当事人另有约定外，确定贷款方所在地为合同履行地。

（7）最高人民法院《关于如何确定证券回购合同履行地问题的批复》（1996 年 7 月 4 日起施行）规定，确定证券回购合同履行地应区分不同情况予以处理：凡在交易场所内进行的证券回购业务，交易场所所在地应为合同履行地。在上述交易场所之外进行的证券回购业务，最初付款一方（返售方）所在地应为合同履行地。

（8）最高人民法院《关于经济合同的名称与内容不一致时如何确定管辖权问题的批复》（1996 年 11 月 13 日起施行）规定，当事人签订的经济合同虽具有明确、规范的名称，但合同约定的权利义务内容与名称不一致的，应当以该合同约定的权利义务内容确定合同的性质，从而确定合同的履行地和法院的管辖权。合同的名称与合同约定的权利义务内容不一致，而且根据该合同约定的权利义务内容难以区分合同性质的，以及合同的名称与该合同约定的部分权利义务内容相符的，则以合同的名称确定合同的履行地和法院的管辖权。

（9）最高人民法院《关于审理联营合同纠纷案件若干问题的解答》（1990 年 11 月 12 日起施行）第 1 条和第 2 条规定，因联营合同纠纷提起的诉讼，其地域管辖因不同的联营形式而有所区别：法人型联营合同纠纷案件由法人型联营体的主要办事机构所在地人民法院管辖，合伙型联营合同纠纷案件由合伙型联营体注册登记地人民法院管辖，协作型联营合同纠纷案件由被告所在地人民法院管辖。由主要办事机构所在地或者注册地人民法院管辖确有困难的，如法人型联营体已经办理注销手续，合伙型联营体应经工商部门注册登记而未办理注册登记，或者联营期限届满已经解体的，可由被告所在地人民法院管辖。

（10）最高人民法院《关于审理期货纠纷案件若干问题的规定》（2003年6月18日起施行）第5条规定，在期货公司的分公司、营业部等分支机构进行期货交易的，该分支机构住所地为合同履行地。因实物交割发生纠纷的，期货交易所住所地为合同履行地。

2. 因保险合同纠纷提起的诉讼，由被告住所地或者保险标的物所在地人民法院管辖

因保险合同纠纷提起的诉讼，如果保险标的物是运输工具或者运输中的货物，由被告住所地或者运输工具登记注册地、运输目的地、保险事故发生地人民法院管辖。

3. 因票据权利纠纷提起的诉讼，由票据支付地或者被告住所地人民法院管辖

票据支付地是指票据上载明的付款地。票据未载明付款地的，汇票付款人（包括代理付款人）的住所地或者营业场所或者经常居住地，本票出票人的营业场所，支票付款人或者代理付款人的营业场所所在地为票据付款地。对非因票据权利争议提起的诉讼，由被告住所地人民法院管辖。

4. 因铁路、公路、水上、航空运输和联合运输合同纠纷提起的诉讼，由运输始发地、目的地或者被告住所地人民法院管辖

5. 因侵权行为提起的诉讼，由侵权行为地或者被告住所地人民法院管辖

侵权行为地包括侵权行为实施地、侵权结果发生地。由于侵权行为地的确定是一个非常复杂的问题，实践与理论上存在着很大的争议，使按照侵权行为地确定管辖变得非常困难。鉴于此，最高人民法院对知识产权侵权案件、名誉权侵权案件以及网络侵权案件的侵权行为地进行了一定的限制，有些规定排除了以间接结果发生地确定管辖，甚至排除以结果发生地来确定管辖。

（1）对于名誉权侵权案件，受侵权的公民、法人和其他组织的住所地，可以认定为侵权结果发生地。

（2）专利侵权案件的侵权行为地包括侵权行为实施地和侵权结果发生地。侵权行为实施地包括：侵犯发明与实用新型专利权产品的制造、使用、许诺销售、销售、进口等行为实施地；专利方法使用行为的实施地，依照该专利方法直接获得的产品的使用、许诺销售、销售、进口等行为的实施地；外观设计专利产品的制造、销售、进口等行为的实施地；假冒他人专利的行为实施地。

（3）侵犯注册商标专用权行为和侵犯著作权行为提起的民事诉讼，由侵权行为的实施地、侵权商品的储藏地或者查封扣押地、被告住所地人民法院管辖。侵权商品的储藏地是指大量或者经常性储存、隐匿侵权商品所在地；查封扣押地是指海关、工商等行政机关依法查封、扣押侵权商品所在地。

（4）网络著作权侵权纠纷案件的侵权行为地包括实施被诉侵权行为的网络服务器、计算机终端等设备所在地。对难以确定侵权行为地和被告住所地的，原告发现侵权内容的计算机终端等设备所在地可以视为侵权行为地。

（5）虚假陈述证券侵权案件中，投资人对多个被告提起证券民事赔偿诉讼的，按下列原则确定管辖：①由发行人或者上市公司所在地有管辖权的中级人民法院管辖；②对发行人或者上市公司以外的虚假陈述行为人提起的诉讼，由被告所在地有管辖权的中级人民法院管辖；③仅以自然人为被告提起的诉讼，由被告所在地有管辖权的中级人民法

院管辖。人民法院受理以发行人或者上市公司以外的虚假陈述行为人为被告提起的诉讼后，经当事人申请或者征得所有原告同意后，可以追加发行人或者上市公司为共同被告。人民法院追加后，应当将案件移送发行人或者上市公司所在地有管辖权的中级人民法院管辖。当事人不申请或者原告不同意追加，人民法院认为确有必要追加的，应当通知发行人或者上市公司作为共同被告参与诉讼，但不得移送案件。

（6）涉及域名的侵权争议案件，由侵权行为地或者被告住所地的中级人民法院管辖。对难以确定侵权行为地和被告住所地，原告发现该域名的计算机终端等设备所在地可以视为侵权行为地。

（7）侵犯植物新品种权的民事案件，其侵权行为地是指未经品种权所有人许可，以商业目的生产、销售该授权植物新品种的繁殖材料的所在地，或者将该授权品种的繁殖材料重复使用于生产另一品种的繁殖材料的所在地。

6. 因铁路、公路、水上、航空事故请求损害赔偿提出的诉讼，由事故发生地或者车辆、船舶最先到达地、航空器最先降落地或者被告住所地人民法院管辖

7. 因船舶碰撞或者其他海损事故请求损害赔偿提起的诉讼，由碰撞发生地、受碰撞船舶最先到达地、加害船舶被扣留地或者被告住所地人民法院管辖

8. 因海难救助费用提起的诉讼，由救助地或者被救助船舶最先到达地人民法院管辖

9. 因共同海损提起的诉讼，由船舶最先到达地、共同海损理算地或者航程终止地人民法院管辖

10. 因产品质量不合格造成他人财产、人身损害提起的诉讼，由产品制造地、产品销售地、侵权行为地和被告住所地人民法院管辖

四、专属管辖

专属管辖是指法律强制规定某些特定类型的民事案件只能由特定的人民法院行使管辖权，其他人民法院无权管辖，也不允许当事人协议变更管辖。

专属管辖最为突出的特征就在于在管辖上的绝对排他性，排除了国内其他人民法院管辖和外国法院管辖的强制性规定，也不允许当事人以协议形式变更人民法院管辖及人民法院裁定变更管辖。即使一般地域管辖和特殊地域管辖所确定的管辖与专属管辖相冲突时，也应服从于专属管辖的规定。但是，专属管辖不排除级别管辖，适用专属管辖时仍要遵守级别管辖的规定。

根据我国《民事诉讼法》第 34 条规定，下列三种民事案件适用专属管辖。

（一）因不动产纠纷提起的诉讼，由不动产所在地人民法院管辖

所谓不动产是指不能移动或者移动会丧失或者影响其性能和使用价值的财产，如土地、山林、房屋等。不动产纠纷主要是指不动产的所有权、使用权、相邻权发生纠纷而引起的诉讼，以及因相邻不动产之间地界不清发生争议而引起的诉讼等。法律规定该类案件由不动产所在地人民法院管辖，便于受诉人民法院勘验现场，调查收集证据，对不动产进行财产保全，也便于裁判生效后的执行工作。

（二）因港口作业中发生纠纷提起的诉讼，由港口所在地人民法院管辖

我国的港口所在地人民法院，一般是指海事法院，我国《海事诉讼特别程序法》（2000年7月1日起施行）第7条规定，海事法院专属管辖的范围是：因沿海港口作业纠纷提起的诉讼，由港口所在地海事法院管辖。《海事诉讼特别程序法》第7条还规定了海事法院对其他海事案件的专属管辖：

（1）因船舶排放、泄露、倾倒油类或者其他有害物质，海上生产、作业或者拆船、修船作业造成海域污染损害提起的诉讼，由污染发生地、损害结果地或者采取预防污染措施地海事法院管辖。

（2）因在中华人民共和国领域和有管辖权的海域履行的海洋勘探开发合同纠纷提起的诉讼，由合同履行地海事法院管辖。

（三）因继承遗产纠纷提起的诉讼，由被继承人死亡时住所地或者主要遗产所在地人民法院管辖

遗产是指死者生前个人所有的合法财产，包括动产和不动产。《民事诉讼法》第34条第1款规定，因遗产继承纠纷提起的诉讼，由被继承人死亡时住所地或者主要遗产所在地人民法院管辖。在具体适用该规定时应注意，如果被继承人死亡时住所地与主要遗产所在地是一致的，则该地人民法院具有管辖权；不一致的，这两个地方的人民法院都有管辖权，当事人可以任选其中一个人民法院提起诉讼。如果遗产中既有不动产也有动产的，一般以不动产所在地为主要遗产地；如果只有动产且动产有多项的，则以价值高的动产所在地作为主要遗产地。

关于特殊地域管辖的规定，我们主张可把专属管辖并入特殊地域管辖，因为专属管辖在立法意旨、管辖性质上与特殊地域管辖大致趋同，可将其规定在特殊地域管辖中。

五、协议管辖

（一）协议管辖的概念

协议管辖又称合意管辖或者约定管辖，是指双方当事人在民事争议发生之前或者争议发生后，以书面协议确定第一审民事案件管辖的人民法院。

协议管辖是当事人行使处分权的内容之一，体现了民事诉讼管辖制度的灵活性和民主性，也是现代各国民事诉讼立法中普遍规定的一种管辖制度。协议管辖虽然赋予当事人选择管辖的人民法院的权利，但与选择管辖有着质的区别：选择管辖进行选择的基础和前提是共同管辖，即在共同管辖的范围内选择，协议管辖可以依法在共同管辖之外选择管辖的人民法院；选择管辖只需原告单方作出选择，不需经对方同意，协议管辖是双方当事人协商一致的选择。

我国《民事诉讼法》第25条规定，合同的双方当事人可以在书面合同中协议选择被告住所地、合同履行地、合同签订地、原告住所地、标的物所在地人民法院管辖，但不得违反级别管辖和专属管辖的规定。书面合同中的仲裁条款是指合同中的协议管辖条

款或者诉讼前达成的选择管辖的协议。根据《适用民事诉讼法意见》第 24 条规定，合同的双方当事人选择管辖的协议不明确或者选择《民事诉讼法》第 25 条规定的人民法院中的两个以上人民法院管辖的，选择管辖的协议无效，依照《民事诉讼法》第 24 条的规定确定管辖，即由被告住所地或者合同履行地人民法院管辖。

（二）协议管辖的适用条件

根据《民事诉讼法》第 25 条及其他有关规定精神，适用协议管辖，必须符合以下条件：

（1）协议管辖只能在合同纠纷案件中适用，当事人对合同案件以外的案件不得适用协议管辖。

（2）协议管辖只限于对第一审民事案件管辖的选择，当事人对第二审民事案件以及再审民事案件无权进行协议管辖约定。

（3）当事人必须在法定范围内进行选择。我国《民事诉讼法》第 25 条明确规定了可供当事人选择的人民法院，即被告住所地、合同履行地、合同签订地、原告住所地、标的物所在地等地人民法院，超出此范围的选择，则选择无效。

（4）协议管辖的人民法院必须是明确的、唯一的。如果协议中所选的人民法院不明确或者不唯一，则选择无效。

关于协议管辖的选择范围，有些论者提出了一些观点和看法。对于选择管辖应允许扩大可选人民法院范围的情况，一种观点认为，应当与涉外协议管辖一致，即当事人可以选择法律与争议有实际联系的地点的人民法院为基础，再扩展一部分合理的联结点；另一种观点认为，只要不违反级别管辖和专属管辖，当事人可以任意选择人民法院，不做具体的设定。①

（5）不得违反级别管辖和专属管辖的规定。当事人在协议选择管辖人民法院时，只能变更第一审的地域管辖，不得将依法由基层人民法院管辖的诉讼通过协议变更为由中级人民法院或者高级人民法院管辖，或者将原本由中级人民法院管辖的诉讼约定由基层人民法院管辖。协议管辖不得排除专属管辖，专属管辖作为法定强制性管辖，不允许当事人以协议的方式变更。

（6）协议管辖必须采取书面的方式。当事人以协议方式选择管辖的人民法院，属于要式行为，必须采用书面形式。当事人既可以在签订的合同中依法协议选择管辖的人民法院，也可以在合同签订后、争议发生前另签订书面管辖协议。如果协议管辖的条款作为合同的内容之一，其效力不受合同效力的影响，在合同被认定无效的情况下，该条款仍然发生效力。

---

① 郭翔. 民事地域管辖：历年的转换与制度的完善. 河北法学，2006（2）

第五节　裁定管辖

裁定管辖是指人民法院以裁定的方式确定民事诉讼管辖的人民法院。裁定管辖是对法定管辖的补充和变通，它既可以弥补法定管辖的不足，又可以解决因法定管辖问题引发的争议，以便适应司法实践中复杂多变的情况。《民事诉讼法》规定的移送管辖、指定管辖、管辖权的转移，都是通过裁定的方式来确定管辖人民法院的，都属于裁定管辖的范畴。

一、移送管辖

（一）移送管辖的概念

移送管辖是指人民法院已经受理案件后，发现本院对该案件没有管辖权，依法通过裁定方式将案件移送给有管辖权的人民法院管辖的制度。移送管辖是对错误管辖行为的一种纠正，其实质是案件的移交，是将案件从无管辖权的人民法院向有管辖权的人民法院移送，而不是改变案件的法定管辖权。在司法实践中，移送管辖通常发生在同级人民法院之间，有时也发生在上下级人民法院之间。

《民事诉讼法》第 36 条规定，人民法院发现受理的案件不属于本院管辖的，应当移送有管辖权的人民法院，受移送的人民法院应当受理。受移送的人民法院认为受移送的案件依照规定不属于本院管辖的，应当报请上级人民法院指定管辖，不得再自行移送。

（二）移送管辖的适用条件

根据《民事诉讼法》第 36 条规定，移送管辖必须同时具备以下三个条件：

（1）人民法院已经受理了案件。人民法院在没有受理案件之前发现对案件无管辖权的，只需告知当事人向有管辖权的人民法院起诉，或者裁定不予受理。

（2）受理该案的人民法院对本案无管辖权。如果受理该案的人民法院有管辖权，一般不能将案件移其他人民法院。只有在其他有管辖权的人民法院对同一案件已立案在先的情况下，才可以将案件移送。

（3）受移送的人民法院依法享有该案管辖权。移送的人民法院对案件没有管辖权，只要它认为哪一个人民法院依法享有管辖权，就可以移送。至于受移送的人民法院认为没有管辖权，不影响移送的效力。即使受移送的人民法院认为自己没有管辖权，也不能再行移送。

人民法院对符合上述三个条件的案件应当移送有管辖权的人民法院，但是，在下列三种情况下不得将案件移送：

（1）有管辖权的人民法院受理案件后，根据管辖恒定的原则，其管辖权不受行政区域变更与当事人住所地或者居住地变更的影响，不得以这些影响管辖权变更的因素为由将案件移送。

（2）两个以上人民法院对案件都有管辖权时，应当由先立案的人民法院行使管辖权，先立案的人民法院不得将案件移送至另一有管辖权的人民法院。

两个以上人民法院都对案件有管辖权时，人民法院如在立案前发现其他有管辖权的人民法院已先立案的，不得重复立案，在立案后发现其他有管辖权的人民法院已先立案的，应将案件移送给先立案的人民法院。根据《民事诉讼法》第 35 条规定，先立案的人民法院与后立案的人民法院不得以协商方式来确定管辖问题，只能由先立案的人民法院管辖。当事人基于同一法律关系或者同一法律事实而发生争议，以不同诉讼请求分别向有管辖权的不同人民法院起诉的，后立案的人民法院在得知有关人民法院先立案的情况后，应当将案件移送给先立案的人民法院合并审理。

（3）受移送的人民法院即使认为本院对移送来的案件并无管辖权，也不得自行将案件移送到其他人民法院，只能报请上级人民法院指定管辖。

二、指定管辖

指定管辖是指上级人民法院根据法律规定，以裁定的方式指定其辖区内的下级人民法院对某一民事案件行使管辖权。《民事诉讼法》第 37 条规定："有管辖权的人民法院由于特殊原因，不能行使管辖权的，由上级人民法院指定管辖。人民法院之间因管辖权发生争议，由争议双方协商解决；协商解决不了的，报请它们的共同上级人民法院指定管辖。"根据这一规定，在以下几种情形下，适用指定管辖。

1. 有管辖权的人民法院由于特殊原因，不能行使管辖权

特殊原因既包括法律方面的原因，也包括事实方面的原因。法律方面的原因主要指法律规定的情形，如有管辖权的人民法院与本案有利害关系，被当事人申请回避或者自行回避，或者因审判人员的回避无法组成合议庭，导致该人民法院无法对受诉案件进行审理。事实方面的原因如有管辖权的人民法院所在地发生了严重的自然灾害，致使该人民法院无法办案，或者交通中断，当事人或者其他诉讼参与人无法进行诉讼活动等。如果出现上述情况时，就需要上级人民法院指定管辖。无管辖权的人民法院由于上级人民法院的指定而取得管辖权。

2. 人民法院之间因管辖权发生争议，争议双方协商不成

管辖权的争议一般是指两个或者两个以上的人民法院对同一案件管辖互相推诿或争夺的情况。管辖权发生争议的主要原因是由于对管辖规定的不同理解引起的，或者因行政区划变更或者不明确所致。

发生管辖权争议后，首先由争议的人民法院协商解决，协商解决不了的，直接报请它们的共同上级人民法院指定。以基层人民法院之间的争议为例，争议的基层人民法院属于同一个中级人民法院辖区，且争议的人民法院协商不成的，由该中级人民法院指定管辖；不属于同一个中级人民法院辖区而同属于一个高级人民法院辖区的，由争议的基层人民法院的上一级人民法院协商解决，协商解决不了的，由该高级人民法院指定管辖；争议的基层人民法院不属于同一高级人民法院辖区的，由争议的基层人民法院所在

省、自治区、直辖市高级人民法院协商，协商解决不了的，由最高人民法院指定管辖。

根据最高人民法院《关于在经济审判工作中严格执行〈中华人民共和国民事诉讼法〉的若干规定》（1994 年 12 月 22 日起施行）第 3 条和第 4 条，两个以上人民法院如对管辖权有争议，则有关人民法院应当立即停止对案件进行实体审理；在争议未解决前，任何一方人民法院均不得对案件作出判决。对抢先作出判决的，上级人民法院应当以违反程序为由撤销其判决，并将案件移送或者指定其他人民法院审理，或者由自己提审。

3. 受移送的人民法院认为对受移送的案件无管辖权，不得再行移送

根据民事诉讼法关于移送管辖的规定，受移送的人民法院认为对受移送的案件无管辖权，不得再自行移送，只能报请上级人民法院指定管辖。

三、管辖权转移

管辖权转移是指根据上级人民法院决定或者同意，将案件的管辖从原来有管辖权的人民法院移送给无管辖权的人民法院，使无管辖权的人民法院因此而取得管辖权。管辖权转移一般直接在上下级人民法院之间进行，是对级别管辖的个别调整和变通适用。

管辖权转移与移送管辖虽然都属于裁定管辖，但两者有着本质区别：①管辖权转移一般发生在上下级人民法院之间，而移送管辖权一般发生在同级人民法院之间，偶尔也发生在上下级人民法院之间。②管辖权转移移送的是管辖权，是有管辖权的人民法院将案件移送给无管辖权的人民法院；移送管辖是无管辖权的人民法院将案件移送有管辖权的人民法院，或者有管辖权的人民法院将案件移送另一有管辖权的人民法院，不是移送管辖权而是移送案件。③管辖权转移一般包括上级人民法院决定、下级人民法院报送与上级人民法院同意两种情形，移送管辖只是以裁定方式作出的单方行动，无须经上级人民法院或者受移送人民法院的同意。

根据我国《民事诉讼法》第 39 条的规定，管辖权转移包括两种情形：

（1）向上转移。向上转移包括两种情形：一是上级人民法院认为下级人民法院管辖的第一审案件应当由自己审理时，有权要求下级人民法院将案件移交给自己审理；二是下级人民法院对它所管辖的第一审民事案件，认为需要由上级人民法院审理的，可以报请上级人民法院审理，上级人民法院同意后，由上级人民法院作为该案件的第一审人民法院。

（2）向下转移。上级人民法院受理第一审民事案件后，如果发现案情简单，适宜下级人民法院审理的，可以决定将案件移交给下级人民法院审理，使案件的管辖权由上级人民法院转移至下级人民法院。最高人民法院《关于案件级别管辖规定几个问题的批复》（1996 年 5 月 7 日起施行）第 3 条中对此予以明确规定："按照级别管辖规定应当由上级人民法院管辖的案件，上级人民法院交由下级人民法院审理的，该下级人民法院不得再交其下级人民法院审理。"

第六节　管辖权异议

一、管辖权异议的概念

管辖权异议是指人民法院受理案件后，当事人认为受诉人民法院对该案件无管辖权，向受诉人民法院提出将案件移交给有管辖权人民法院审理的请求。当事人提出管辖权异议，只是对本案是否属于受诉人民法院管辖表示异议，而不是对本案是否属于人民法院主管表示异议。管辖权异议是当事人依法监督人民法院行使审判权的一项法律制度，是诉讼民主理念在管辖制度中的体现。多年来的民事审判实践证明，管辖权异议制度对于保障当事人的诉讼权利，遏制个别人民法院滥用管辖权的行为，具有重要意义。

二、管辖权异议的条件

《民事诉讼法》第 38 条规定，人民法院受理案件后，当事人对管辖权有异议的，应当在提交答辩状期间提出。人民法院对当事人提出的异议，应当审查。异议成立的，裁定将案件移送有管辖权的人民法院；异议不成立的，裁定驳回。根据这一规定，管辖权异议的提出应具备三个条件。

（一）人民法院已经受理案件，但尚未进行实体审理

原告将与被告之间的争议向人民法院提起诉讼，经人民法院审查并决定受理后，才涉及该人民法院是否有管辖权的问题，此时，当事人有权提出管辖权异议。

（二）提出管辖权异议的主体，必须是本案当事人

从“当事人对管辖权有异议的，应当在提交答辩状期间提出”的规定看，提出管辖权异议的主体应该是被告，理论界也普遍认为被告才是合法的异议主体。但是，原告和第三人是否能成为提出管辖权异议的主体的争论一直在进行。

1. 原告是否有权提出管辖异议

在民事诉讼中，原告选择了受诉人民法院，一般情况下，原告不会提出管辖权异议，提出管辖权异议的诉讼主体多是被告。在《民事诉讼法》第 38 条规定的提出管辖异议的法定期间，能对起诉提出答辩状的也只有被告。所以，有论者认为提出管辖权异议的主体，只能是本案的被告。[①]但是也有论者认为，应当允许原告在下列情况可以提出管辖权异议：①诉讼开始后被追加的共同原告认为受诉人民法院无管辖权而提起管辖

① 贾国凯. 民事诉讼法新编. 北京：中国人民大学出版社，2008. 70

权异议的；②受诉人民法院确认被告管辖权异议成立，或者认为本院无管辖权而依职权将案件向其他人民法院移送的，如果原告有异议，应当允许其提出。[①]

2. 第三人是否有权提出管辖异议

对于第三人能否提出管辖权异议的问题，我国最高人民法院的司法解释和批复持否定态度，理论界基本上都认为第三人不享有管辖异议权。根据最高人民法院《关于第三人能否对管辖权提出异议问题的批复》(1990 年 7 月 28 日起施行) 规定：①有独立请求权第三人主动参加他人已经开始的诉讼，应视为承认和接受了受诉人民法院的管辖，因而不发生对管辖权提出异议的问题；如果是受诉人民法院依职权通知他参加诉讼，则他有权选择是以有独立请求权的第三人的身份参加诉讼，还是以原告身份向其他有管辖权的人民法院另行起诉。因此，有独立请求权的第三人无论在哪种情况下，都不能作为提起管辖权异议的主体。②最高人民法院《适用民事诉讼法意见》第 66 条规定，无独立请求权的第三人在第一审中无权对案件的管辖权提出异议。因为，无独立请求权的第三人参加他人已开始的诉讼，是通过支持一方当事人的主张，维护自己的利益。由于他在诉讼中始终辅助一方当事人，并以一方当事人的主张为转移。所以，无独立请求权的第三人无权对受诉人民法院的管辖权提出异议。对此，有不同意见认为，无独立请求权的第三人可以提出管辖权异议，理由是：①无独立请求权第三人参加后可能形成两个诉，原告与被告之间的本诉和第三人与所参加一方当事人之间形成的参加之诉，当被告败诉，人民法院在追究第三人民事责任时，参加之诉就会发生。②在参加之诉中，无独立请求权第三人的诉讼地位就是被告，应当允许第三人对参加之诉的管辖权提出异议。[②]

(三) 管辖权异议，必须在法律规定的期间提出

根据《民事诉讼法》第 38 条规定，当事人对管辖权有异议的，应当在提交答辩状期间提出。被告提出管辖权异议的，应当在接到起诉状副本之日起 15 日内提出。当事人在答辩期间未提出管辖权异议的，视为放弃提出管辖权异议。

因不可抗拒的事由或者其他正当理由未能在答辩期间提出管辖权异议的，允许当事人在障碍消除后的 10 日内申请顺延期限。最高人民法院《关于经济纠纷案件当事人向受诉法院提出管辖权异议的期限问题的批复》(1990 年 8 月 5 日起施行) 第 2 条规定："当事人在法律规定的答辩期限内对法院的管辖权提出了异议，但是在法院就有无管辖权问题作出裁定前，又以书面或口头形式 (须经法院记录在案并经本人签字) 表示接受受诉法院管辖的，视为当事人自动放弃了异议。以后，当事人在诉讼中再行提出管辖异议的，法院不再审议。"

三、对管辖权异议的处理

当事人提出管辖异议后，人民法院应当对异议进行审查。异议成立的，裁定将案件移送有管辖权的人民法院；异议不成立的，裁定驳回。关于人民法院对异议进行审查裁

①② 蔡国芹，蔡宪能. 民事诉讼管辖权异议的程序问题. 嘉应大学学报，2000 (8)

定的期限，《民事诉讼法》没有明确规定。最高人民法院《关于在经济审判工作中严格执行〈中华人民共和国民事诉讼法〉的若干规定》（1994 年 12 月 22 日起施行）中的第 5 条规定："人民法院对当事人在法定期限内提出管辖权异议的，应当认真进行审查，并在 15 日内作出异议是否成立的书面裁定。"这是经济审判中人民法院应遵守的关于管辖异议的裁定期。在我国，经济审判是民事审判中的一种特定情况，对于经济审判，最高人民法院单独作出了一些司法解释，进行了特别的规定。因此，人民法院在审判一般民事案件时，不必遵守经济审判中管辖异议裁定期间的规定。

案例分析

【案情】

A 省甲市的梁某要盖自用住房，委托其在甲市的表弟杨某联系施工队。杨某找到在 A 省甲市居住了两年之久、从事建筑业的 B 省乙市某区村民赵某，双方约定由赵某组织施工人员负责施工。2008 年 2 月 24 日，当赵某带领施工人员乘坐司机周某驾驶的车辆前往梁某盖房所在地时，因司机周某酒后驾车发生了交通事故，造成坐在前排的黄某当场死亡。经查，赵某和黄某的户籍所在地是 B 省乙市某区，都是该区的村民，黄某在 A 省甲市从事建筑业一年半有余。A 省甲市公安局交通警察支队的《交通责任认定书》认定，事故责任人是司机周某。

2008 年 4 月 10 日，黄某的母亲田某及妻子王某以人身损害赔偿为由，将赵某、杨某和梁某起诉至 B 省乙市某区人民法院。该区人民法院经审查后立案，并向本案被告送达了原告起诉书副本，被告于 2008 年 4 月 30 日收到起诉书副本。2008 年 5 月 27 日被告向 B 省乙市某区人民法院提起管辖权异议申请，被该人民法院裁定驳回。

【问题】

1. 本案是否属于人民法院主管的案件？

2. 本案受理案件的人民法院是否有管辖权？

3. 被告提出的管辖异议是否应该被驳回？

4. 按照《民事诉讼法》，B 省乙市某区人民法院该如何处理该案的管辖问题？

【解析】

1. 本案是平等者主体之间的人身损害赔偿案件，根据《民法通则》、《民事诉讼法》和《最高人民法院关于审理人身损害赔偿案件适用法律若干问题的解释》规定，属于人民法院主管的案件，受害人有权向有管辖权的人民法院提起诉讼。

2. 本案黄某的母亲田某和妻子王某起诉赵某、杨某和梁某，B 省乙市某区人民法院之所以立案，是因为本案赵某的户籍所在地为 B 省乙市某区。但是，赵某的经常居住地在 A 省甲市，杨某和梁某的户籍所在地、本案的侵权行为地也是 A 省甲市。《民事诉讼法》第 22 条："对公民提起的民事诉讼，由被告住所地人民法院管辖；被告住所地与经常居住地不一致的，由经常居住地人民法院管辖。同一诉讼的几个被告住所地、经常居住地在两个以上人民法院辖区的，各人民法院都有管辖权。"《民事诉讼法》第 29 条：

“因侵权行为提起的诉讼，由侵权行为地或者被告住所地人民法院管辖。”根据这两条规定，本案应由 A 省甲市人民法院管辖，B 省乙市某区人民法院对本案没有管辖权。

3. 由于被告在法律规定的 15 日答辩期内没有向 B 省乙市某区人民法院提出书面管辖异议申请，而是在过了答辩期之后提出的，B 省乙市某区人民法院裁定驳回其管辖异议，是符合法律规定的。

4. B 省乙市某区人民法院应当将案件移交有管辖权的 A 省甲市人民法院审理。

第六章　诉讼参加人

根据《民事诉讼法》第五章规定，诉讼参加人包括当事人和诉讼代理人。

在民事诉讼中，当事人处于非常重要的地位，没有当事人的起诉与应诉，就没有民事诉讼。本章第一节至第五节阐述了当事人的概念和特征，当事人的诉讼权利能力和诉讼行为能力，第一审普通程序和简易程序中的原告和被告的诉讼权利和诉讼义务，第三人的概念、分类以及诉讼权利和诉讼义务，共同诉讼人、诉讼代表人参加诉讼的有关规定等。在当事人内容中，法律知识、诉讼技巧介绍与理论探讨各占一定比例，同时介绍了诉讼实践方面的各种实际问题，力争将法律基础知识、诉讼技巧、理论探讨和诉讼实践紧密结合在一起。

当事人进行的诉讼，往往都是对抗性很强的是非争辩和指控与反指控，这种对抗性的诉讼，要求当事人要具有较为全面的法律知识水平、较深的理论功底与熟练的诉讼技巧和诉讼经验。但是，一般情况下的当事人是缺乏法律方面的综合能力的，这就需要律师等法律工作者和法律专门人员的帮助。为此，民事诉讼法设置了诉讼代理人制度。本章第六节阐述了诉讼代理人的概念、特征和分类，法定诉讼代理人和委托诉讼代理人的诉讼地位、诉讼权利和诉讼义务，并对传统教材中关于指定诉讼代理人的问题进行了探讨。

第一节　当事人概述

一、当事人的概念和特征

关于民事诉讼当事人的概念，通用法学教材中的叙述基本一致。例如，民事诉讼当事人是指因民事权益发生争议，以自己的名义参加诉讼并受人民法院裁判拘束的利害关系人；①民事诉讼当事人是指以自己的名义请求法院行使审判权解决民事纠纷或保护民事权益的人及其相对方。②还有一些教材关于民事诉讼当事人的概念，意思也大致如此。

① 田平安. 民事诉讼法. 北京：中国检察出版社，2002. 95

② 江伟. 民事诉讼法学. 上海：复旦大学出版社，2005. 170

这些教材关于民事诉讼当事人的概念有一个共同点，那就是当事人都是为了保护自己的民事权益而进行诉讼的人。

我们认为，民事诉讼当事人的概念应符合民事诉讼法规定。上述民事诉讼当事人的概念就与民事诉讼法规定的当事人的情形不相符合。依照民事诉讼法进行诉讼的人，并非都为了自己的民事权益，民事诉讼法规定的特别程序中的案件当事人，就有可能不是为了自己的民事权益进行诉讼的人。例如，选民名单案件中的申请人和选举委员会进行诉讼就不是为了自己的民事权益，申请人是为了自己或者他人的政治权利而进行诉讼，选举委员会是为了维护自己关于选民名单的决定而进行诉讼。特殊程序中的非讼案件的一方当事人也不是为了自己的民事权益而进行诉讼。关于这一点，也是使用上述民事诉讼当事人概念的教材认同的。民事诉讼当事人是依照民事诉讼法进行诉讼的人，具体是指以自己的名义进行民事诉讼并受人民法院裁判拘束的人，包括公民、法人和其他组织。其中，大多数民事诉讼当事人是因为自己的民事权益受到侵害或者与他人发生民事权益纠纷而进行诉讼，目的是为了保护自己的民事权益。一般称这些民事诉讼当事人为原告、被告、第三人等。少数民事诉讼当事人则不是为了自己的民事权益而进行诉讼，这些民事诉讼当事人则被称为起诉人、申请人等。

民事诉讼当事人的称谓根据民事诉讼程序的不同而有所不同。第一普通程序和简易程序中的当事人被称为原告、被告和第三人等；第二审程序中的当事人一般被称为上诉人和被上诉人；特别程序中的当事人被称为起诉人、申请人等；公示催告程序中的当事人被称为申请人（债权人）、被申请人（债务人）；执行程序中的当事人被称为申请执行人、被申请执行人。本章介绍的民事诉讼当事人是第一审普通程序和简易程序中的当事人，即原告、被告和第三人以及相当于原告、被告地位的共同诉讼人与诉讼代表人等。

二、当事人的诉讼权利能力和诉讼行为能力

（一）当事人的诉讼权利能力

诉讼权利能力又称诉讼法上的权利能力或者当事人能力，是指可以作为民事诉讼当事人的能力或者资格。诉讼权利能力只是一种法律资格，享有这种资格的人并不必然成为当事人。实际成为当事人还需要在具体的案件中通过起诉或者应诉来实现，这也是诉讼权利能力与民事诉讼能力的不同之处。

诉讼权利能力与民事权利能力之间具有一定的关联性。诉讼权利能力以民事权利能力为基础，并与民事权利能力相适应，凡是具有民事权利能力与诉讼权利能力，并能够成为诉讼当事人的人，有资格参加诉讼活动。公民的诉讼权利能力与法人和其他组织的诉讼权利能力在取得和消灭的时间上有所不同，并且当事人的诉讼权利能力具有严格的身份性，既不能抛弃，也不能转让，同时也不允许剥夺。

1. 公民的诉讼权利能力

一般来讲，自然人的民事权利能力始于出生，终于死亡。但也有例外，这主要表现在胎儿民事权利能力的立法上。大多数国家为保护胎儿利益，都采取了有限地承认其人格的立法形式。我国继承法规定遗产分割时应给胎儿保留必要的份额；《瑞士民法典》

第 31 条规定，只要胎儿出生时是活体，则其民事权利能力可以追溯到出生以前；我国台湾地区民事诉讼法规定胎儿可享受其利益，有当事人能力，如果胎儿作为当事人起诉，其母为法定代理人。从以上法律规定可以看出，胎儿尚不具备完整的民事权利能力，或者是有条件、有限制地具有一定的民事权利能力，但由于其利益需要通过行使诉讼权利来保护，因此，法律赋予胎儿完全的诉讼权利能力，只是其诉讼行为由法定代理人代为实施。

根据我国民事法律规定，自然人死亡的，其民事权利能力自然终止，但在特定情况下又赋予死者一定的人格权。首先，这突出表现为死者的著作人格权仍然受法律保护。根据我国《著作权法》第 20 条规定，作者死亡后，其作品的署名权、修改权、保护作品完整权受法律保护。我国《著作权法实施条例》第 20 条进一步规定，作者死亡后，其著作权中的署名权、修改权、保护作品完整权由作者的继承人或者受遗赠人保护。在实际诉讼中，作者的继承人或者受遗赠人可以死者的原告身份提起诉讼。其次，这还表现为死者的名誉人格权仍然受法律保护。根据最高人民法院的司法解释，死者的名誉权仍应受法律保护。死者享有名誉权，当然具有一定的民事权利能力，但死者这种民事权利能力却不能使其具有诉讼权利能力。法律将这种诉讼权利能力赋予死者的继承人，从而在保护死者名誉权的案件中，民事权利能力和诉讼权利能力相对分离。

2. 法人和其他组织的诉讼权利能力

法人和其他组织民事权利能力与诉讼权利能力一样，始于成立，终于终止。但也存在相互分离的情形，这主要表现为法人和其他组织民事权利能力的限制性和诉讼权利能力的普遍性。与自然人相比，法人和其他组织不享有像自然人一样的广泛的民事权利能力，受到相关法律或者公司章程的限制。如法人只享有名称权、名誉权、荣誉权，不享有姓名权、肖像权，法人不得成为继承人，可以成为受遗赠人；法人的权利能力可能受许可设立或者批准设立的限制，公司法中有公司不得成为其他公司的无限责任股东的限制，破产法中有对清算法人权利能力的限制，等等。在法人和其他组织的民事权利能力受到限制的情况下，是否应当同样限制法人的诉讼权利能力？理论上有不同的学说。① 通常认为，当事人的诉讼权利能力只存在“有无”问题，而不存在“是否受限制”的说法。如果法人因超越法律或者公司章程所规定的经营范围发生纠纷而需要诉讼时，法人的诉讼权利能力应当是存在且不受限制的。否则诉讼程序就无法正常进行，人民法院判决中的义务找不当相应的承担主体，这显然不利于交易相对方的利益保护。因此，法人的诉讼权利能力应当抽象地赋予每一个法人而不应因为民事权利能力受限而受到限制。

（二）当事人的诉讼行为能力

诉讼行为能力是指当事人能够自己实施诉讼行为，行使诉讼权利和履行诉讼义务的资格，它又被称为诉讼能力。即有诉讼权利能力，又有诉讼行为能力的人，才能够亲自实施诉讼行为，行使诉讼权利，履行诉讼义务。如果当事人只有诉讼权利能力而无诉讼行为能力，需要由其法定代理人代为诉讼。公民的诉讼权利能力与诉讼行为能力在取得

① 江伟. 民事诉讼法学原理. 北京：中国人民大学出版社，1999. 392

和消灭的时间上不同，而且公民的这两种能力可以分离。当事人的诉讼行为能力与诉讼权利能力具有不同的法律后果。

当事人的诉讼行为能力也以民事行为能力为基础，与民事行为能力相适应，即凡是有民事行为能力者便有诉讼行为能力，但两者在具体划分上又不完全一致。民事行为能力包括完全行为能力、无行为能力和限制行为能力三种。诉讼行为能力只有诉讼行为能力和无诉讼行为能力两种。此外，与公民相比，法人和其他组织的诉讼行为能力有两点不同：一是法人和其他组织的诉讼行为能力与诉讼权利能力同时取得，同时消灭；二是法人和其他组织的诉讼行为能力要由其法定代表人或者主要负责人来体现。

第二节　原告和被告

一、原告与被告的概念和特征

（一）原告的概念和特征

民事诉讼的主要目的是解决民事法律关系中相对立的民事主体之间的纠纷。一般情况下，民事诉讼的基本结构是双方当事人的二元对立构造，缺少任何一方诉讼都不能进行。人民法院进行审判的前提是存在接受审判、享有诉讼权利、承担诉讼义务的双方当事人。原告和被告的对立是构成第一审普通程序和简易程序中当事人结构的基本模式。

民事诉讼中的原告是指为保护自己的民事权益，以自己的名义向人民法院提起诉讼，从而引起民事诉讼程序发生的人。原告在民事诉讼中担当的角色是积极主动的，可以说在一般民事诉讼程序中，没有原告的存在，就没有民事诉讼程序的发生。在民事诉讼程序开始以后，原告也扮演非常重要的角色，原告可以与被告自行和解，放弃或者变更诉讼请求，在很大程度上影响着民事诉讼程序的进行。

作为引起诉讼发生的原告，在法律上具有四个方面的特征。

1. 原告是引起民事诉讼程序发生的人

民事诉讼遵循不告不理的原则，原告提起诉讼，这是民事诉讼开始的第一步，人民法院不能在没有原告起诉的情形下开始民事诉讼。

2. 原告是主动维护自己民事权益的人

通常情况下，原告提起诉讼的原因是认为自己的民事权益受到侵害或者与他人发生纠纷，请求人民法院保护自己的民事权益。

3. 原告对于民事诉讼程序的结束以及诉讼的审判结果具有重大的影响

原告在起诉时向人民法院提出诉讼请求和诉讼理由，这是人民法院判决时考虑的重要依据，原告在民事诉讼过程中行使和解、调解、撤诉和变更诉讼请求等诉讼权利，对民事诉讼程序的变化和终结产生重要影响。

4. 原告是以自己的名义参加诉讼，受人民法院裁判拘束的人

原告是为自己的民事权益提起诉讼的人，必须以自己的名义参加诉讼，不能为他人

的民事权益以他人的名义参加诉讼。基于这一特征，原告自然也受人民法院裁判的拘束，享有人民法院裁判赋予的权利，承担人民法院裁判规定的义务。

（二）被告的概念和特征

民事诉讼中的被告是指被原告诉称侵犯其民事权益或者与其发生民事纠纷，由人民法院通知应诉的另一方当事人。被告在民事诉讼中担当的角色相对被动，被告因为被原告起诉，而被人民法院通知参加到民事诉讼程序中来。被告是当事人二元对立构造中被动的一方，但这并不意味着被告在民事诉讼中完全消极被动，他同样可以主动行使法律赋予的各项民事诉讼权利，对民事诉讼进程产生重要的影响。

作为被人民法院通知应诉的被告，在法律上具有以下特征：

1. 被告是被人民法院通知对原告的起诉进行应诉的人

是否能参加民事诉讼，不能由被告来决定，被告只有接到人民法院通知，才能对原告的起诉进行应诉。被告是否应诉并不影响民事诉讼的进行，在被告缺席的情况下，人民法院同样可以依法作出判决。

2. 被告是被动地参加诉讼，消极地维护自己民事权益的人

被告参加诉讼的原因并不是认为自己的民事权益受到侵害或者与他人发生民事权益纠纷，是被原告指控侵犯其合法权益或者与其发生民事权益纠纷而参加诉讼。因此，被告是被迫参加诉讼，消极地维护自己的民事权益。

3. 被告与原告一样，都是以自己的名义参加诉讼，受人民法院裁判拘束的人

被告参加诉讼，是因为原告明确指控其侵犯他的民事权益或者与他发生民事权益纠纷，人民法院也是基于原告的明确指控而通知被告参加诉讼。所以，被告也必须以自己的名义参加诉讼，依照人民法院裁判，享有权利，承担义务。

二、原告和被告的诉讼权利和诉讼义务

诉讼权利是保护当事人实体权益和程序权益的手段，诉讼义务是维护诉讼秩序、保障诉讼活动顺利进行的条件。为了使当事人的实体权益和程序权益得到程序法的充分保障，同时确保诉讼活动的有序进行，制裁民事诉讼程序中的违法行为，我国民事诉讼法赋予当事人广泛的诉讼权利，同时也为当事人设定了一定的诉讼义务。当事人应当依法行使诉讼权利并履行相应的诉讼义务，人民法院也应当保障双方当事人充分实现诉讼权利，督促双方当事人履行诉讼义务。

（一）原告和被告的诉讼权利

根据我国《民事诉讼法》第50条、第51条和第52条等规定，作为第一审理普通程序和简易程序当事人的原告和被告，在民事诉讼中享有的诉讼权利主要有十一个方面。

1. 使用本民族语言文字诉讼

民族语言文字原则是民事诉讼法的基本原则。原告和被告都有使用本民族语言文字

进行诉讼的权利，原告和被告不通晓法庭审理使用的语言文字的，有权请求人民法院提供翻译。

2. 委托诉讼代理人

在诉讼过程中，原告和被告有权寻求他人的帮助。根据《民事诉讼法》第 58 条规定，当事人、当事人的法定代理人可以委托 1 至 2 名诉讼代理人代为诉讼。

3. 查阅、复制本案有关材料和法律文书

《民事诉讼法》第 50 条第 2 款规定，原告和被告有权查阅本案的有关材料，有权复制本案有关的材料和法律文书。

4. 申请回避

为了确保案件的公正审理，当事人有权要求具有法定回避情形的审判人员、书记员、翻译人员、鉴定人、勘验人退出案件的审理或者与本案有关的工作。

5. 收集和提供证据

为了维护自己的合法权益，使人民法院作出有利于自己的判决，原告和被告有权向有关单位、个人收集证据，并在诉讼过程中向人民法院提供证据证明自己的主张。对因客观原因不能自行收集的证据，原告和被告有权要求人民法院调查收集；对于可能灭失或者以后难以取得的证据，还有权要求人民法院采取证据保全措施；对于在法庭上出示的证据，有权要求重新调查、鉴定或者勘验。

6. 陈述、质证和辩论

在庭审过程中，原告和被告有权提出自己的主张和意见，有权就对方提供的证据和人民法院调查收集的证据进行质证，有权通过辩论来论证自己的主张和反驳对方的主张。原告和被告人行使辩论权，既可以采取口头形式，也可以采取书面形式。

7. 选择调解和拒绝调解

在民事诉讼中，原告和被告有权请求人民法院进行调解，以调解方式终结诉讼。也可以拒绝对方或者人民法院提出的调解要求。

8. 自行和解

在人民法院作出裁判前，原告和被告有权通过协商，达成解决民事案件的和解协议，以终结诉讼。

9. 提起上诉

对于依法可以上诉的第一审裁判，在法定的上诉期间内，原告和被告有权依法提起上诉，请求上一级人民法院予以撤销或者变更。

10. 申请执行

对于具有给付内容的生效裁判，义务人拒绝履行该裁判确定的给付义务的，权利人有权请求人民法院依法强制执行，以实现自己的民事权益。

11. 申请再审

原告和被告认为已经发生法律效力的裁判、调解书具有法定的再审事由时，有权向原审人民法院或者原审人民法院的上一级人民法院申请再审，以纠正裁判或者调解书的错误，维护自己的合法权益。

在民事诉讼中，原告和被告享有的诉讼权利也有所不同。例如，原告有是否起诉的权利，起诉后有放弃、变更诉讼请求的权利，有请求人民法院采取财产保全或者先予执行措施的权利，还有撤回起诉的权利；被告有承认或者否定原告诉讼请求的权利，有对原告的起诉提起反诉的权利等。

（二）原告和被告的诉讼义务

根据我国《民事诉讼法》第50条第3款规定，原告和被告在民事诉讼中必须承担的诉讼义务主要有三个方面。

1. 依法行使诉讼权利

原告和被告应当按照民事诉讼法的规定行使诉讼权利，不得滥用诉讼权利，不得损害他人的合法权益。

2. 遵守诉讼秩序

原告和被告进行民事诉讼，必须遵守诉讼秩序，服从法庭指挥，既尊重人民法院的审判权，又尊重对方当事人的诉讼权利。

3. 履行生效的法律文书

对于生效的人民法院判决书、裁定书、调解书所确定的义务，原告和被告应当切实履行。负有义务的当事人拒绝履行的，人民法院可以强制执行。

在民事诉讼中，原告和被告行使诉讼权利和履行诉讼义务是统一的，只有正确行使诉讼权利，履行诉讼义务，才能保证诉讼程序的顺利进行，维护法律的权威和尊严。原告和被告不能只享有诉讼权利而不承担诉讼义务，也不能只履行诉讼义务而不享有诉讼权利。

第三节　第三人

一、第三人的概念

第三人是指对于他人之间的诉讼标的认为有独立请求权的，或者虽没有独立请求权，但案件的处理结果与其有法律上的利害关系，从而参加到正在进行的诉讼中去的人。第三人参加诉讼，是以已经开始的诉讼中的原告、被告为被告，提出一个独立的诉讼请求，或者为了自己的利益，辅助已经开始的诉讼的一方当事人进行诉讼。一般情况下，民事诉讼中的当事人只有对立的原告和被告，即只有双方当事人。在特定情况下，民事诉讼中的当事人有原告、被告和第三人，即有三方当事人。第三人参加诉讼，有助于对多数人的纠纷予以一次性解决，提高诉讼效率，同时也可以尽量避免人民法院就同一案件或者相关案件作出相互矛盾的判决。

大陆法系将诉讼第三人分为主（独立）参加诉讼人和从（辅助）参加诉讼人。根据我国《民事诉讼法》规定，第三人可以分为有独立请求权的第三人和无独立请求权的第三人。前者是指对于他人之间的诉讼标的认为有独立请求权的第三人，后者是指虽然没有独立请求权但案件处理结果与其有法律上的利害关系的第三人。这个分类与大陆法系的第三人分类大体上相同。

有独立请求权的第三人参加的诉讼中，原告与被告之间的诉讼就称为本诉，第三人提起的诉讼称为参加之诉。有独立请求权的第三人认为对本诉的诉讼标的有独立请求权，提起一个新的独立诉讼请求，他既不同意原告的诉讼请求，也不同意被告的反驳请求，而是以原告的身份将本诉的原告和被告作为被告提起诉讼，所以称为参加之诉。无独立请求权的第三人由于对他人之间的诉讼标的没有独立请求权，不能提出独立于原告和被告的诉讼请求，只能作为辅助参加诉讼人维护自己的民事权益，因此不存在本诉与参加之诉的称谓。

二、有独立请求权的第三人

根据我国《民事诉讼法》第 56 条第 1 款规定，有独立请求权的第三人是指对他人之间正在争议的诉讼标的有独立的请求权，或者他人之间的诉讼可能给自己的利益带来损失，向本诉中的原告和被告提出独立的诉讼请求，加入已经开始的诉讼中来的人。有独立请求权的第三人相当于原告，与原告有着相同的诉讼权利和诉讼义务。

第三人对原告和被告之间争议的诉讼标的有独立的请求权，是有独立请求权的第三人参加诉讼的最主要的原因。例如，甲与乙因为土地使用权发生纠纷，甲对乙提起了诉讼，请求确认该土地的使用权属于甲；乙反驳甲，认为土地使用权属于自己，请求人民法院驳回甲的诉讼请求。这时，丙得知甲、乙为土地使用权进行诉讼，丙认为该土地使用权既不属于甲，也不属于乙，而是属于自己，于是以自己的名义提起参加之诉，请求人民法院确认该土地使用权属于自己。在此案中，丙对本诉的诉讼标的拥有全部的独立请求权，有时，有独立请求权的第三人对本诉的诉讼标的的独立请求权也可以是部分的，如上述案例中的丙对原告和被告争议的土地享有部分使用权，也可以提起参加之诉。由于本诉当事人所争议和请求审判的实体权利，全部或者部分为有独立请求权的第三人主张拥有，因而无论是本诉原告还是本诉被告胜诉，有独立请求权的第三人的实体权益都将受到损害。因此，该第三人拥有不依附于本诉原告和被告任何一方的独立之诉的利益，以原告的身份参加到诉讼程序中。

参加之诉除应具备起诉的一般要件以外，还应当注意以下两个问题：一是以本诉的原告和被告作为被告，不得仅以本诉的一方作为被告；二是必须向审理本诉的人民法院提起，参与到本诉的诉讼程序中，而不是另行起诉。

三、无独立请求权的第三人

（一）无独立请求权的第三人的概念

根据我国《民事诉讼法》第 56 条第 2 款规定，无独立请求权的第三人是指对于他人之间的诉讼标的虽然没有独立请求权，但是案件处理结果同他有法律上的利害关系，申请参加诉讼或者由人民法院通知参加诉讼的人。

无独立请求权的第三人参加诉讼，是因为本诉案件的审理结果与其有法律上的利害关系。有法律上的利害关系，其实质是无独立请求权的第三人与本诉的一方当事人存在另一个法律关系，而且本诉当事人争议的法律关系和该第三人与本诉一方当事人之间的法律关系具有一定的牵连性，如果人民法院确认本诉的一方当事人应当承担法律责任，该法律责任最终可能由该第三人承担或者承担一部分。从诉讼实践来看，无独立请求权第三人与案件的处理结果有利害关系，通常体现为该第三人与本诉被告之间存在一个与本诉争议的法律关系具有牵连性的法律关系。但是，从理论上说，并不能排除无独立请求权第三人与本诉原告之间存在一个与本诉争议具有牵连性的法律关系的可能性。

（二）无独立请求权的第三人的诉讼权利和诉讼义务

无独立请求权的第三人参加诉讼，他在诉讼中的地位不同于有独立请求权的第三人。同时，由于对本诉当事人争议的诉讼标的没有独立的请求权，无独立请求权的第三人在诉讼中又不是完全独立的诉讼当事人。因此，无独立请求权的第三人的诉讼权利义务有一定的特殊性。根据《民事诉讼法》第56条第2款规定，人民法院判决承担民事责任的无独立请求权的第三人，有当事人的诉讼权利义务。最高人民法院《适用民事诉讼法意见》对无独立请求权的第三人的诉讼权利义务也作了规定。归纳起来，关于无独立请求权的第三人的诉讼权利义务的规定包括以下三个方面：①无独立请求权的第三人在诉讼中有当事人的诉讼权利义务，如陈述、质证、辩论等诉讼权利；判决承担民事责任的无独立请求权的第三人有权提起上诉，申请再审。但是，第三人在第一程序审中无权对案件的管辖权提出异议，无权放弃、变更诉讼请求或者申请撤诉。②无独立请求权的第三人参加诉讼的案件，人民法院调解时需要确定无独立请求权的第三人承担义务的，应当经该第三人同意，调解书应当同时送达第三人。第三人在调解书送达前反悔的，人民法院应当判决。③无独立请求权的第三人应当出庭，经人民法院传票传唤，无正当理由拒不到庭，或者未经法庭许可中途退庭的，不影响案件的审理，人民法院可以作出缺席判决。

（三）无独立请求权的第三人参加诉讼的方式

根据我国《民事诉讼法》第56条和《适用民事诉讼法意见》第65条规定，无独立请求权的第三人参加诉讼的方式主要有两种。

1. 申请参加诉讼

无独立请求权的第三人虽然对本诉当事人正在争议的诉讼标的没有独立的请求权，由于案件的处理结果与其有法律上的利害关系，为了维护自己的利益，有权向人民法院申请参加诉讼，人民法院自然应当准许。申请参加诉讼是无独立请求权的第三人参加诉讼的重要方式。

2. 经人民法院通知参加诉讼

由于无独立请求权的第三人与案件处理结果之间具有利害关系，人民法院应当通知该第三人参加诉讼。从诉讼实践来看，人民法院通知无独立请求权的第三人参加诉讼，除了出于保护该第三人的合法权益外，主要还是要求该第三人承担责任。在无独立请求权的第三人有可能承担本诉的不利后果的情况下，该第三人一般不会主动申请参加诉讼，而是由人民法院通知参加诉讼。为了防止人民法院滥用追加无独立请求权的第三人的权利问题，维护第三人的合法权益，最高人民法院《关于在经济审判工作中严格执行〈民事诉讼法〉的若干规定》（1994 年 12 月 22 日起实施）第 9 条、第 10 条、第 11 条对追加无独立请求权的第三人进行了限制，明确指出在下列情况下不能追加：①受诉人民法院对与原告、被告双方争议的诉讼标的无直接牵连和不负有返还或者赔偿等义务的人，以及与原告或者被告约定仲裁或者有约定管辖的案外人，或者专属管辖案件的一方当事人，均不得作为无独立请求权的第三人通知其参加诉讼。②人民法院在审理产品质量纠纷案件中，对原告、被告之间法律关系以外的人，证据已证明其已经提供了合同约定或者符合法律规定的产品的，或者案件中的当事人未在规定的质量异议期内提出异议的，或者作为收货方已经认可该产品质量的，不得作为无独立请求权的第三人通知其参加诉讼。③人民法院对已经履行了义务，或者依法取得了一当事人的财产，并支付了相应对价的原告、被告之间法律关系以外的人，不得作为无独立请求权的第三人通知其参加诉讼。

第四节　共同诉讼人

一、共同诉讼人的概念

《民事诉讼法》第 53 条规定："当事人一方或者双方为两人以上，其诉讼标的是共同的，或者诉讼标的是同一种类、人民法院认为可以合并审理并经当事人同意的，为共同诉讼。"根据这一规定，共同诉讼人是指两个以上为了共同的诉讼标的或者同一种类的诉讼标的进行诉讼的人。在第一审程序中，共同诉讼人主要是指共同原告和共同被告。

在我国民事诉讼法中，共同诉讼分为必要共同诉讼和普通共同诉讼两种类型，与此相适应，共同诉讼人也可分为必要共同诉讼人和普通共同诉讼人。必要共同诉讼人是指两个以上为共同的诉讼标的进行诉讼的人；普通共同诉讼人是指两个以上为同一种类的诉讼标的进行诉讼的人。

因共同诉讼人的出现，从而形成了共同诉讼。在诉讼实践中，共同诉讼的形成主要有以下三种情形：一是因数人共同提起诉讼或者数人作为共同被告共同应诉而形成，这是共同诉讼最为普遍的一种形式；二是在诉讼进行过程中形成的共同诉讼，如当事人死亡后数名继承人共同承受诉讼，人民法院追加这些继承人作为共同诉讼人而形成共同诉讼；三是人民法院将分别提起的诉讼合并审理，导致一方或者双方当事人为两人以上而形成共同诉讼。

确立共同诉讼人诉讼制度，有利于简化诉讼程序，节省时间和费用，也可以避免人民法院对同一案件或者同类案件的处理作出互相矛盾的判决。

二、必要共同诉讼

(一) 必要共同诉讼概念

必要共同诉讼，是指当事人一方或者双方为两人以上，诉讼标的是同一的，人民法院必须合并审理的共同诉讼。

诉讼标的是同一的，是指共同诉讼人与对方当事人争议的是同一个诉讼标的，对于这个诉讼标的，他们共同享有权利或者共同承担义务。例如，兄弟两人共同拥有父亲遗留的一套房屋，共同出租。由于房屋年久失修，屋檐腐烂。出租时，没有向租赁人说明屋檐有坠落危险，结果屋檐坠落，砸伤租赁人。租赁人以他们兄弟两人为被告，起诉至人民法院，要求他们共同承担赔偿义务。该案中，兄弟两人的诉讼标的是同一的，即屋檐坠落砸伤租赁人产生的侵权法律关系。正因为必要共同诉讼中当事人的诉讼标的具有同一性，就要求共同诉讼人一同起诉或者应诉。如果共同诉讼人未一同起诉或者应诉，人民法院应当追加其参加诉讼。

(二) 必要共同诉讼的成因

在诉讼实践中，引起必要共同诉讼的原因大体上分为以下两种：①共同诉讼人对诉讼标的本来就有共同的权利与义务。②共同诉讼人对诉讼标的本来没有共同的权利或者义务，只是因为发生了同一事实上或者法律上的原因，才使共同诉讼人之间有了共同的权利或者义务。例如，数人共同导致他人受损害，受害人向数个加害人要求损害赔偿的诉讼。在损害发生前，数人之间既没有共同义务，也没有连带关系，只是因为发生了加害的事实，才使共同诉讼人之间有了共同义务。

根据《适用民事诉讼法意见》规定，下列情形应列为必要共同诉讼人参加诉讼：

(1) 个体工商户、个人合伙或者私营企业挂靠集体企业并以集体企业的名义从事生产经营活动的，在诉讼中，该个体工商户、个人合伙或者私营企业与其挂靠的集体企业为共同诉讼人。

(2) 营业执照上登记的业主与实际经营者不一致的，以业主和实际经营者为共同诉讼人。

(3) 个人合伙的全体合伙人在诉讼中为共同诉讼人。

(4) 企业法人分立的，因分立前的民事活动发生的纠纷，以分立后的企业法人为共同诉讼人。

(5) 借用业务介绍信、合同专用章、盖章的空白合同书或者银行账户的，出借单位和借用人为共同诉讼人。

(6) 在继承遗产的诉讼中，部分继承人起诉的，人民法院应通知其他继承人作为共同原告参加诉讼；被通知的继承人不愿意参加诉讼又未明确表示放弃实体权利的，人民法院仍应把其列为共同原告。

(7) 被代理人和代理人承担连带责任的，为共同诉讼人。

(8) 共有财产权受到他人侵害，部分共有权人起诉的，其他共有权人应当列为共同诉讼人。

（9）在因连带保证合同纠纷提起的诉讼中，债权人向保证人和被保证人一并主张权利的，人民法院应当将保证人和被保证人列为共同被告；债权人仅起诉保证人的，除保证合同明确约定保证人承担连带责任外，人民法院应当通知被保证人作为共同被告参加诉讼；债权人仅起诉被保证人的，可只列被保证人为被告。

在必要共同诉讼中，由于诉讼标的具有同一性，人民法院只能合并审理，当事人只能一同起诉或者应诉，否则当事人就不适格。在起诉或者应诉时，如果有部分当事人没有参加诉讼，就需要追加当事人。追加当事人的方式有两种：一是由人民法院依职权追加；二是由人民法院根据当事人的申请追加。

三、普通共同诉讼

（一）普通共同诉讼的概念和特征

普通共同诉讼是指当事人的一方或者双方是两人以上，其诉讼标的为同一种类，当事人同意合并诉讼，人民法院认为可以合并审理的诉讼。

根据《民事诉讼法》第 53 条规定，普通共同诉讼应当具备三个构成要件。

1. 诉讼标的是同一种类

诉讼标的是同一种类，是指不同的当事人与对方当事人之间发生争议的法律关系同属于一种法律类型的，如同是租赁关系、买卖关系、承包合同关系等。普通共同诉讼属于诉讼客体的合并，因为诉讼客体的合并，导致诉讼主体的合并。要成为普通共同诉讼，必须有两个以上当事人，就两个以上同一种类的诉讼标的向同一人民法院起诉或者应诉。

2. 人民法院认为可以合并审理

人民法院认为可以合并审理，是指人民法院对他们的诉讼都有管辖权，都可适用同一诉讼程序。

3. 当事人同意合并诉讼

当事人同意合并诉讼包括两种情形：一是不同的当事人一同起诉，或者各自分别起诉，都同意人民法院作为一个案件合并审理。此时，是否合并审理，由人民法院决定；二是人民法院要求合并审理的，应征求当事人的同意。如果当事人不同意的，人民法院不能强行合并为共同诉讼。

不同当事人与对方当事人之间诉讼标的属于同一种类，是形成普通共同诉讼的基础，当事人的同意和人民法院的认可是成为普通共同诉讼的必要条件。进行普通共同诉讼可以提高诉讼效率，减少诉讼成本，使两个以上的同种类的案件通过同一的诉讼程序得到解决。

（二）普通共同诉讼与必要共同诉讼的区别

普通共同诉讼与必要共同诉讼至少都有一方当事人为两人以上，都由人民法院合并审理，这是两者的相同之处，两者的区别主要表现在三个方面。

1. 诉讼标的不同

普通共同诉讼的诉讼标的是同一种类，普通共同诉讼人对诉讼标的不是享有共同的权利或者承担共同的义务；必要共同诉讼的诉讼标的是共同的，共同诉讼人对诉讼标的享有共同的权利或者承担共同的义务。

2. 共同诉讼人之间的关系不同

在普通共同诉讼中，每个共同诉讼人都处于独立的地位，其诉讼行为对其他共同诉讼人不发生效力，只对自己发生效力。在必要共同诉讼中，采取承认原则，视全体共同诉讼人为一个整体，其中一人的诉讼行为经其他共同诉讼人同意，对其他共同诉讼人发生效力。

3. 审判方式和审判结果不同

普通共同诉讼是一种可分之诉，共同诉讼人既可以一同起诉或者一同应诉，也可以分别起诉或者分别应诉。人民法院既可以合并审理，也可以分开审理。合并审理时应经共同诉讼人同意，并分别作出判决，确认每个共同诉讼人与对方当事人之间的权利义务关系。必要共同诉讼是一种不可分之诉，共同诉讼人必须一同起诉或者一同应诉，人民法院必须合并审理并作出合一裁判，且裁判内容不得相左。

第五节　诉讼代表人

一、诉讼代表人的概念和种类

当共同诉讼人众多时，就出现了共同诉讼制度无法解决的问题。人数众多的当事人是基于与法律或者事实上的关系组成了一个临时的诉讼群体，这一群体并非一个固定的团体，无法将其作为法人或者非法人组织对待，也不可能像几个共同诉讼人一样一并出庭参加诉讼，因此，这一临时群体需要推选一定数量的代表人来进行诉讼。为了解决这一问题，我国民事诉讼法规定了诉讼代表人制度。诉讼代表人制度是指一方或者双方当事人人数众多时，由众多的当事人推选出代表人代表本方全体当事人进行诉讼，维护本方全体当事人的利益，代表人所为诉讼行为对本方全体当事人发生效力。被众多共同诉讼人推选代表全体当事人参加诉讼的人就是诉讼代表人，由代表人进行的诉讼称为代表人诉讼。

民事诉讼法将诉讼代表人分为两类：一是起诉时当事人人数可以确定，由确定的当事人推选出的代表人被称为“人数确定的诉讼代表人”；二是起诉时当事人人数不能确定，人民法院受理案件并公告通知当事人登记后推选的代表人被称为“人数不确定的诉讼代表人”。这两类诉讼代表人所代表的人数下限，一般为 10 人以上。当事人的人数越多，越有必要适用诉讼代表人制度。人数众多时，让所有的当事人参加诉讼不仅极为不便，也会给人民法院的传唤、审理、开庭等工作带来困难，在当事人人数不确定的情况下，更是如此。因此，当事人人数众多时，推选代表人进行诉讼是非常必要的。

二、诉讼代表人制度的内容

我国《民事诉讼法》和最高人民法院《适用民事诉讼法意见》关于诉讼代表人的规定，构成了诉讼代表人制度的主要内容，这些内容包括五个方面。

（一）可以推选诉讼代表人的共同诉讼人

当事人一方人数众多的共同诉讼，可以由当事人推选代表人进行诉讼。但是，可以推选代表人进行的共同诉讼人必须是10人以上的共同诉讼人。不论是起诉时确定的人数，还是人民法院登记后确定的人数，一般是指10人以上，一方当事人的人数没达到10人以上，就不能推选代表人进行诉讼，而应由共同诉讼人共同进行诉讼。

（二）诉讼代表人的条件及人数

诉讼代表人必须是10人以上的共同诉讼人中的一员，与其他共同诉讼人有着共同的利害关系，并且具有诉讼行为能力。10人以上的共同诉讼人可以推选2至5人为诉讼代表人，代表全体共同诉讼人进行诉讼。

（三）诉讼代表人的产生

诉讼代表人产生的方式一般有三种：①推选产生。这是指由全体共同诉讼人推选产生诉讼代表人。②协商产生。这是指当事人一方在起诉时人数不确定，当事人又推选不出代表人，由人民法院与当事人协商以确定诉讼代表人。③指定产生。这是指采用第二种方式仍不能产生诉讼代表人时，由人民法院在起诉的当事人中指定诉讼代表人。

（四）诉讼代表人的权利及行使

诉讼代表人产生后，有权代表全体共同诉讼人进行诉讼，并且每个代表人可以委托1至2人作为诉讼代理人帮助其进行诉讼。诉讼代表人的诉讼行为对其所代表的当事人发生效力，但是，诉讼代表人变更、放弃诉讼请求或者承认对方当事人的诉讼请求，进行和解，必须经被代表的当事人同意。

（五）诉讼代表人诉讼的诉讼标的

诉讼代表人代表一方共同诉讼人进行的诉讼，其诉讼标的相同或者属于同一种类，所代表的10人以上的共同诉讼人之间存在共同的利益关系。当事人一方10人以上且人数在起诉时确定的，其内部关系可能是必要共同诉讼人的关系，也可能是普通共同诉讼人的关系。当事人一方10人以上且在起诉时人数不确定的，其内部关系一般是普通共同诉讼关系，其诉讼标的是同一种类，但是也不排除存在诉讼标的共同的可能性。

第六节　诉讼代理人

一、诉讼代理人概述

（一）诉讼代理人概念

以当事人的名义，在一定权限范围内代表当事人进行诉讼活动的人，称为诉讼代理人。被代理的一方当事人称为被代理人，诉讼代理人代理当事人进行诉讼活动的权限，称为诉讼代理权。诉讼代理活动的具体内容包括代为诉讼行为和代受诉讼行为。前者如代为起诉，代为提供证据、陈述事实，代为变更或者放弃诉讼请求等；后者如代为应诉、代为答辩、代为接受对方当事人的给付等。

诉讼代理制度是为了维护当事人的合法权益，使当事人获得法律救济的一种诉讼制度。诉讼代理制度也可以帮助人民法院全面查清案情和正确适用法律，有利于保障案件的公正处理。诉讼代理制度作为一项完整的法律制度，由诉讼代理的种类、诉讼代理的效力、诉讼代理人的资格和法律地位、诉讼代理权的范围、诉讼代理的方法与诉讼代理关系的发生、变更和消灭等诸多内容构成。

（二）诉讼代理人的特征

根据《民事诉讼法》关于诉讼代理人的规定，诉讼代理人具有一些法律特征。

1. 诉讼代理人具有诉讼行为能力

诉讼代理人的职责是在代理权限范围内代理当事人实施诉讼行为和接受诉讼行为，维护当事人的合法权益，这就要求诉讼代理人必须具有诉讼行为能力。否则，诉讼代理人便不能履行自己的职责。

2. 诉讼代理人是以被代理人的名义进行诉讼活动

诉讼代理人不是案件的一方当事人，与案件没有利害关系，他参加诉讼是为了给被代理人提供法律帮助。因此，诉讼代理人必须以被代理人的名义，为了维护被代理人的利益进行诉讼活动，而不能以自己的名义进行诉讼活动。

3. 诉讼代理人是在代理权限范围内实施诉讼行为

诉讼代理人代为诉讼行为和代受诉讼行为的依据是诉讼代理权。为了防止诉讼代理权的滥用，维护被代理人的利益，诉讼代理权有一定范围的限制。诉讼代理人在代理权限范围内实施的诉讼行为才是合法有效的诉讼代理行为，才能产生诉讼代理的法律后果。诉讼代理人超越代理权实施的诉讼行为是无效诉讼代理行为，不产生诉讼代理的法律后果。

4. 诉讼代理人诉讼行为的法律后果由被代理人承担

诉讼代理的法律后果包括程序性的后果和实体性的后果。前者如因代理当事人申请撤诉被人民法院批准而结束诉讼程序等，后者如因代理当事人承认对方的诉讼请求而被人民法院判决承担某种民事义务等。只要诉讼代理人的代理行为没有超越诉讼代理权限，其法律后果就应由被代理人承担，而不由诉讼代理人自己承担。诉讼代理人超越诉讼代理权实施的诉讼行为则不是诉讼代理行为，其法律后果只能由诉讼代理人自己承担，除非被代理人对越权的诉讼代理行为予以追认。

5. 诉讼代理人在同一案件中只能代理一方当事人进行诉讼

民事案件中双方当事人利益相冲突的特点和设立诉讼代理制度的目的，决定了诉讼代理人在同一案件中只能代理一方当事人，而不能同时代理双方当事人。

（三）诉讼代理人的种类

根据我国《民事诉讼法》规定，诉讼代理人分为法定诉讼代理人和委托诉讼代理人两种。这是以诉讼代理权发生的原因为标准划分的。法定诉讼代理权基于法律规定的亲权和监护权而发生，委托诉讼代理权基于委托人的授权而发生。在我国 1982 年颁布的《民事诉讼法（试行）》中，曾将诉讼代理人分为法定诉讼代理人、指定诉讼代理人和委托诉讼代理人三种，并规定“没有法定代理人的，由人民法院指定代理人。”根据这一规定，指定诉讼代理人只适用于当事人没有法定代理人的情况。目前我国一般已不存在当事人无法定代理人而需要指定诉讼代理人的情况。根据现行《民事诉讼法》明确规定，法定诉讼代理人由监护人担任。根据《民法通则》规定，监护人的范围十分广泛，几乎不存在未成年人和精神病人没有监护人的情况。也就是说，未成年人和精神病人在民事诉讼中都有法定代理人代为诉讼。这说明原来“没有法定代理人的，由人民法院指定代理人”的规定已经失去了存在的基础和必要。因此，现行《民事诉讼法》中没有再规定指定诉讼代理人，只规定了法定诉讼代理人和委托诉讼代理人两种。

二、法定诉讼代理人

（一）法定诉讼代理人的概念

根据法律的直接规定而发生的诉讼代理，称为法定诉讼代理。根据法律规定取得并行使诉讼代理权的人，称为法定诉讼代理人。法定诉讼代理人制度是为保护无诉讼行为能力人的诉讼利益而设立的一种法律制度，法定诉讼代理人一般代理以下两种人进行诉讼：①代理不满 18 周岁的未成年人进行诉讼；②代理不能辨认自己行为的精神病人进行诉讼。还有一些人认为，除上述两种情况外，有重大生理缺陷的人进行诉讼也应由法定代理人代理，但必须取得被代理人的同意。民事诉讼活动中的法定代理与民事活动中的法定代理尽管在代理的对象和代理人的范围上完全一致，但它们是两种不同性质的代理制度。前者是代理当事人为诉讼法律行为，后者是代理当事人为民事法律行为；前者受民事诉讼法调整，后者受民事实体法调整。这就决定了民事诉讼活动中的法定代理在代理人的地位、作用、权限以及代理权发生和消灭的原因等方面，均有别于民事活动中的法定代理。因此，在称谓上应严格将这两种代理人区别开来，前者称为法定诉讼代理人，后者称为法定代理人，而不能笼统地都称为法定代理人。

在民事诉讼中，法定诉讼代理人处于与当事人类似的诉讼地位，凡是应当由被代理的当事人依法进行的诉讼行为，他都可以代为实施。但是，法定诉讼代理人在性质上又不是当事人，他本身不直接享有实体权利，也不承担实体义务，不能以自己的名义进行诉讼。因此，法定诉讼代理人与委托诉讼代理人一样，属于诉讼代理人的范畴。

（二）法定诉讼代理人的特点

从代理权的产生、代理的对象和代理人的范围等方面分析，法定代理人具有一些特点。

1. 法定诉讼代理人的代理权产生的原因特殊

法定诉讼代理人的代理权之所以发生，既不是基于被代理人的意志，也不是基于代理人的意志，而是基于法律的规定。这是法定诉讼代理人与委托诉讼代理人的显著区别。法定诉讼代理人的代理权以民事实体法规定的亲权和监护权为理论依据，并在监护人的监护权基础上自然延伸而产生。

2. 法定诉讼代理人代理的对象特殊

法定诉讼代理是专门为无诉讼行为能力人设立的一种诉讼代理制度，因此，法定诉讼代理人只能代理无诉讼行为能力人进行诉讼。设立法定诉讼代理制度的目的在于保护无诉讼行为能力人的合法权益。因此，法定诉讼代理人代理无诉讼行为能力人进行诉讼，不仅是法律赋予他们的一项权利，同时也是一项应尽的义务。

3. 法定诉讼代理人的范围特殊

能够担任法定诉讼代理人的人是对被代理人享有监护权的人。因此，法定诉讼代理人是根据《民法通则》的规定确定的，《民法通则》规定的监护人就是法定诉讼代理人。也就是说，某无诉讼行为能力人的法定诉讼代理人是他的监护人，不是他的监护人就不能担任他的法定诉讼代理人。因此，法定诉讼代理人的范围较为狭窄，不像委托诉讼代理人那样范围较为广泛，律师、当事人的近亲属、有关的社会团体或者所在单位推荐的人、经人民法院许可的其他公民都可以成为委托诉讼代理人。

（三）法定诉讼代理人的代理权限

1. 代理权的内容

在诉讼中，凡是被代理人享有的诉讼权利，法定诉讼代理人都依法享有，凡是被代理人应履行的诉讼义务，法定诉讼代理人都应当代为履行。法定诉讼代理人既可以代理被代理人处分诉讼权利，也可以代理被代理人处分实体权利。法定诉讼代理人所为的一切诉讼行为均应视为被代理人本人所为的诉讼行为，与被代理人本人所为的诉讼行为产生同等效力。

2. 代理权的产生

法定诉讼代理人是被代理人的监护人。监护人准备代理被监护人进行民事诉讼时，应当向人民法院提交身份证明，以证明自己与被监护人之间的监护关系。人民法院根据民事诉讼法的规定进行审查，经审查属实并记录备案后，该监护人就成为法定诉讼代理人，其诉讼代理权正式产生。

3. 代理权的消灭

在民事诉讼中，法定诉讼代理人可能因各种原因而使代理权消灭。法定诉讼代理权消灭的原因包括：①被代理人具备或者恢复了诉讼行为能力，如被代理的未成年人已经成年，被代理的精神病人恢复了健康等；②法定诉讼代理人丧失或者被依法撤销了监护人的资格；③法定诉讼代理人死亡或者丧失诉讼行为能力；④被代理的当事人死亡。

（四）解决法定诉讼代理人之间互相推诿诉讼代理责任的方法

法定诉讼代理权是基于法律的直接规定而发生的，无诉讼行为能力人的监护人以法定诉讼代理人身份参加诉讼，这既是他们依法享有的一项权利，又是他们对被代理人和社会应尽的一项义务。因此，法定代理人不应推卸自己代理诉讼的责任。但是，在诉讼实践中，当无诉讼行为能力人的监护人有两个或者两个以上时，他们往往因为各种原因不愿承担诉讼代理责任或者互相推诿诉讼代理责任。为了保障诉讼活动的正常进行，保护无诉讼行为能力人的合法利益以及社会公共利益，我国《民事诉讼法》第 57 条规定："法定代理人之间互相推诿诉讼代理责任的，由人民法院指定其中一人代为诉讼。"

人民法院从被代理人的监护人中指定法定诉讼代理人时，应当考虑法律所规定的监护人的顺序、监护人的监护能力以及监护人与被监护人的关系等因素。人民法院指定法定诉讼代理人的决定具有法律效力，被人民法院指定的诉讼代理人必须履行诉讼代理责任，而不得再以各种理由推诿或者拒绝。

三、委托诉讼代理人

（一）委托诉讼代理人的概念

根据委托人的授权委托而发生的诉讼代理，称为委托诉讼代理。接受委托人的授权委托代为进行诉讼活动的人，称为委托诉讼代理人。委托人即授权委托他人代其进行民事诉讼的人，包括当事人、法定代理人、诉讼代表人。当事人为法人、其他组织的法人或者其他组织的法定代表人、负责人的也可以委托诉讼代理人。在委托诉讼代理中，由于代理人的选任和代理权限都以委托人的意志为转移，并且代理人与委托人之间必须达成合意，因此，委托诉讼代理又称"意定代理"或者"约定代理"。委托诉讼代理是民事诉讼代理制度中一种最主要和最常见的代理方式，它具有广泛的适用性。

（二）委托诉讼代理人的特点

委托诉讼代理人与法定诉讼代理人相比，主要有三个特点。

1. 委托诉讼代理人的代理权是根据委托人与代理人之间的约定而产生

诉讼代理人的代理权不是根据法律的直接规定而发生的，而是建立在委托人授权的基础上，委托人出具的授权委托书便是诉讼代理人取得代理权的依据。另一方面，委托人的授权委托也要为代理人所接受。这表明在委托人与代理人之间存在着代理诉讼的一种约定。这种约定既有委托人授权委托的意思表示，也有代理人同意接受委托的意思表示。

2. 委托诉讼代理人的代理事项和代理权限除法律有特别规定外，由被代理人决定

委托代理又称“意定代理”，顾名思义，诉讼代理人只能根据委托人的意志进行诉讼代理活动，而不能自行其是。也就是说，委托诉讼代理人代理的事项以及代理事项的权限都由委托人确定。这也是委托诉讼代理人与法定诉讼代理人的一个主要不同之处。当然，在某些特殊情况下，委托人的授权也会受到限制。例如，根据《民事诉讼法》规定，在离婚案件的代理中，关于离婚或者不离婚的主张，就只能由委托人自己向人民法院表达，而不能由委托诉讼代理人代为表达，即使委托人对委托诉讼代理人特别授权，并要求其代为向人民法院表达，这种情况也是无效的。

3. 委托诉讼代理人是代理有诉讼行为能力人进行诉讼

委托诉讼代理人是建立在委托人授权委托的基础之上的，能够授权委托他人代为诉讼的人，必定是有诉讼行为能力人。因此，委托诉讼代理人是代理有诉讼行为能力人进行诉讼，法定诉讼代理人是代理无诉讼行为能力人进行诉讼。

（三）委托诉讼代理人制度的内容

1. 委托诉讼代理人的范围

民事诉讼法没有对委托诉讼代理人的资格作限制性规定，可以担任委托诉讼代理人的范围十分广泛。根据《民事诉讼法》第 58 条第 2 款规定，可以被委托担任诉讼代理人的人员有律师、当事人的近亲属、有关的社会团体或者当事人所在单位推荐的人、经人民法院许可的其他公民。一方面，要充分显示律师代理诉讼的作用，将律师列为委托诉讼代理人的首要人选；另一方面，又不将委托诉讼代理人局限于律师的范围，要允许律师以外的人担任委托诉讼代理人，发挥他们在代理诉讼中的作用。

2. 委托诉讼代理人的人数

我国《民事诉讼法》第 58 条第 1 款规定：“当事人、法定代理人可以委托一至二人作为诉讼代理人。”当事人的诉讼代理人为两人时如何行使诉讼代理权，民事诉讼法无明文规定。我们认为，凡是当事人委托两人代理诉讼时，必须由委托人明确每个诉讼代理人的代理事项和代理权限，以免造成诉讼代理人之间相互推诿或者因意见不一致而影响诉讼的正常进行。

3. 委托诉讼代理人的代理权限

委托诉讼代理人的代理权限取决于委托人的授权。也就是说，委托诉讼代理人只能在委托人授权的范围内进行诉讼代理活动。委托诉讼代理人超越委托人授权范围实施的诉讼行为，只有得到委托人的追认才有效，否则属于无效的代理行为，应由委托诉讼代理人自己承担所引起的法律后果。

根据委托诉讼代理人的代理行为对委托人利益影响的程度不同，委托人的授权分为一般授权和特别授权两种。根据这两种不同的委托授权，委托诉讼代理人实施的诉讼行为是不一样的。委托人只作一般授权的，委托诉讼代理人只能代为一般的诉讼行为，如起诉、应诉、提出证据、询问证人、进行辩论、申请回避、申请财产保全和证据保全、对管辖权提出异议等，无权处分委托人的实体权利。委托诉讼代理人代为实施对委托人的实体权利有重大影响的诉讼行为，必须有委托人的特别授权。委托诉讼代理人代为承

认、放弃、变更诉讼请求，进行和解，提起反诉或者上诉，都必须有委托人的特别授权。也就是说，委托诉讼代理人要实施上述几项特殊代理行为，必须由委托人在授权委托书中特别写明。未特别写明的，只能被视为一般授权，委托诉讼代理人无权代为承认、放弃、变更诉讼请求，进行和解，提起反诉或者上诉。授权委托书仅写明“全权代理”而无具体授权的，仍属于一般授权。

4. 委托诉讼代理人的诉讼地位

委托诉讼代理人在诉讼中的地位与法定诉讼代理人不同，他不相当于当事人的诉讼地位，而是具有独立诉讼地位的诉讼参加人。这种独立性主要体现在：①可以在被代理人的授权范围内独立地发表自己的意见，而不是机械地转达委托人的意见；②有权拒绝委托人违法或者无理的要求，甚至辞去委托；③人民法院在审理案件的过程中，必须向委托诉讼代理人通知一定的事项和送达某些法律文书。

5. 委托诉讼代理权的取得、变更、解除和消灭

委托诉讼代理权是基于委托人的授权而发生的。《民事诉讼法》第 59 条第 1 款规定：“委托他人代为诉讼，必须向人民法院提交由委托人签名或者盖章的授权委托书。”可见，向人民法院提交由委托人签名或者盖章的授权委托书是受托人取得代理权的法定方式。授权委托书是受托人取得委托诉讼代理权的凭证，授权委托书经人民法院审查认可后，受托人即取得了诉讼代理权，成为委托诉讼代理人，可以开始诉讼代理活动。为了保证一些特殊的委托人出具的授权委托书的真实性与合法性，《民事诉讼法》第 59 条第 3 款特别规定：“侨居在国外的中华人民共和国公民从国外寄交或者托交的授权委托书，必须经中华人民共和国驻该国的使领馆证明；没有使领馆的，由与中华人民共和国有外交关系的第三国驻该国的使领馆证明，再转由中华人民共和国驻该第三国使领馆证明，或者由当地的爱国华侨团体证明。”

委托诉讼代理关系成立后，诉讼代理人取得的诉讼代理权在诉讼过程中有可能发生变更或者解除的情形。委托诉讼代理权的变更是指委托诉讼代理人取得诉讼代理权后，在诉讼过程中，委托人基于一定原因，扩大原来的诉讼代理权或者缩小原来的诉讼代理权。委托诉讼代理权的解除是指在委托诉讼代理关系成立后，因委托人收回诉讼代理权或者代理人放弃诉讼代理权而终结双方的诉讼代理关系。根据《民事诉讼法》第 60 条规定，诉讼代理人的权限如果变更或者解除，当事人应当书面告知人民法院，并由人民法院通知对方当事人。否则，诉讼代理权的变更或者解除对人民法院和对方当事人不发生效力。在诉讼代理权未变更、解除前，委托诉讼代理人已经实施的诉讼代理行为仍然有效。

委托诉讼代理权可以因各种原因而消灭。委托诉讼代理权的消灭不同于委托诉讼代理权的解除，委托诉讼代理权的解除完全是人为的原因，委托诉讼代理权的消灭则既有人为的原因，也有非人为的原因，委托诉讼代理权的解除是导致委托诉讼代理权消灭的原因之一。导致委托诉讼代理权消灭的原因还有：①诉讼结束，代理人已经履行完毕诉讼代理职责；②代理人死亡或者丧失诉讼行为能力；③被代理人死亡。

四、关于指定诉讼代理人问题的讨论

指定诉讼代理人是指在无诉讼行为能力的当事人没有法定代理人，或者其法定代理人因故不能行使代理权时，由人民法院为其指定的诉讼代理人。基于人民法院的指定而产生的诉讼代理权成为指定诉讼代理权。指定诉讼代理人参加诉讼可以适用两种情形：一是无诉讼行为能力的当事人没有法定代理人，而诉讼又不得不进行的；二是无诉讼行为能力的当事人虽有法定代理人，但其法定代理不能行使诉讼代理权，又无其他人可作为法定代理人的。这是目前一些教材中关于指定诉讼代理人的阐述。①

我国现行的《民事诉讼法》取消了试行《民事诉讼法》中有关指定诉讼代理人的规定。有论者认为，由于指定诉讼代理人仅适用于当事人没有法定代理人的情况，而目前我国的未成年人和精神病人几乎都有监护人，他们的监护人基于亲权或者监护权都可以在民事诉讼中作为当事人的法定代理人代为诉讼。因此，试行《民事诉讼法》中有关指定诉讼代理人这一制度已经失去了存在的基础。②也有论者认为，虽然我国《民法通则》所规定的监护人的范围非常广泛，但由于诉讼实践复杂多变，难免出现需要法院为无诉讼行为能力的当事人指定诉讼代理人的情况。③

我们认为，人民法院指定诉讼代理人的问题没有法律依据。这是因为：①关于人民法院指定的人的范围是在无诉讼行为能力人的亲属中指定，还是在律师中指定，没有法律依据；②被指定的诉讼代理人的代理权限是一般代理权，还是特别授权中的代理权，没有法律依据。这两个问题涉及无诉讼行为能力的重要实体利益和诉讼利益，如果被人民法院指定的人因故意或者过失，造成无诉讼行为能力人重大损失，是由被人民法院指定的代理人承担责任，还是由人民法院承担责任，此时，无诉讼行为能力人又由谁去代理他追究责任者呢？我们认为，人民法院在没有法律依据的情况下指定代理人为无诉讼行为能力进行诉讼，造成的损害应该由人民法院承担。但是，由人民法院承担责任，这显然又是行不通的。因此，对于这两个重要问题的解决，都没有法律作为依据，人民法院于己于无诉讼行为能力人考虑，都是不应该实施的。另外，这种指定并非就能解决无诉讼行为能力人的诉讼问题，只要被指定的人不同意接受指定，人民法院的指定就失去作用，那此时又有什么办法去帮助无诉讼行为能力人去进行“不得不进行下去的诉讼”呢？所以这种没有法律作为依据的指定是不能保障无诉讼行为能力人的诉讼利益的。对于无诉讼行为能力人没有法定代理人代为诉讼的问题，我们应当探求其他合法有效的途径加以解决。

---

① 江伟. 民事诉讼法. 北京：中国人民大学出版社，2004. 142

② 谭兵. 民事诉讼法学. 北京：法律出版社，2004. 237

③ 江伟. 民事诉讼法. 北京：中国人民大学出版社，2004. 142

案例分析

【案情】

李春与杜某系夫妻，两人同住甲市城关区无线电厂家属楼，但在老家乙市郊区有房6间，由其长子李明居住。2002年12月，李春夫妇遇车祸双亡。老人的长女李梅已出嫁，住甲市。老人的次子李可（18岁）于2004年考上乙市的某大学，因该大学离李明住处近，李可便要求李明之妻张丽将父母的遗房腾出一间由自己住。张丽说，李明因犯罪已被判刑5年，不在家，自己不能做主；并且有4间房已出租给了方某、刘某，租期未满，不能腾房。2004年10月，李可便以李明和张丽为被告向某县人民法院起诉，要求分割父母的遗房。某人民法院受理案件后，在审理中发现除李明、李可两位继承人外，还有老人的长女李梅、次女李娜两位继承人。经人民法院通知，李梅明确表示放弃继承权，不参加诉讼；李娜则既不明确表示放弃继承，又不愿参加诉讼。在某县人民法院对案件第一次开庭审理后，案外人于某来到县人民法院，说明李明夫妻现住的6间房是1988年其与死者李春一起经商时共同出资购买的，自己有一半的产权，并向人民法院提交了购房时两人共同签名的房契。

【问题】

人民法院对本案中被继承人的长女李梅、次女李娜及案外人于某如何处理？

【解析】

本案李可是原告，李明和张丽为被告，被继承人长女李梅、次女李娜与诉讼标的有直接利害关系，为必要共同诉讼人。根据《民事诉讼法》第56条和《适用民事诉讼法意见》第54条、第58条规定，人民法院应通知李梅和李娜参加诉讼，追加为共同原告。由于李梅已明确表示放弃实体权利（继承权），人民法院可不予以追加其为共同原告。李娜不明确表示放弃继承权，根据《继承法》规定，视为接受继承，虽然她不愿参加诉讼，人民法院仍应追加为共同原告。于某主张对遗产享有50%的产权，为有独立请求权的第三人，可以向人民法院提出诉讼请求，人民法院应认定于某为有独立请求权的第三人。于某提起的诉讼为参加之诉，于某为原告，以本诉原告李可、李娜和被告李明、张丽为被告。

第七章　民事诉讼证据

人民法院、当事人和其他诉讼参与人开展民事诉讼活动，主要是围绕着证据进行的，人民法院的裁判也是依据查证核实的证据作出的。这充分表明，民事诉讼证据是民事诉讼的灵魂，民事诉讼证据制度是民事诉讼制度中的核心制度。本章主要阐述了民事证据的概念、特征、种类以及民事证据的学理分类，以便对民事证据有更加全面、准确的把握。另外，本章还对民事诉讼证明对象的含义和内容、民事证明责任分配、民事证明标准等内容进行较为深入的阐述。本章的理论性很强，要求学生能够运用民事证据与证明的有关知识去思考和解释在司法实践中可能会遇到的一些与之相关的问题。

第一节　民事诉讼证据概述

一、民事诉讼证据的概念

事实是诉讼的核心，因为诉讼双方的争议多以事实为中心，人民法院的裁判也以事实为依据。但当事人之间发生的争议事实发生在过去，已成为“历史”，当事人和法官都已不可能直接感知，而只能凭借另一事实进行推论。这个推论的过程就是诉讼证明过程，而在诉讼过程中所运用的另一事实就是诉讼证据。没有诉讼证据，当事人就无法说服法官作出有利于自己的判决；没有诉讼证据，法官就无法正确适用法律判断当事人之间的权利与义务的归属，无法作出正确的裁判。在诉讼过程中，当事人和法官的一切活动都是围绕诉讼证据进行的。因此，可以说，诉讼证据是整个诉讼活动的核心。

关于什么是诉讼证据，我国民事诉讼法并未作出明确的规定，在理论界人们的认识也不尽一致。学者们给诉讼证据下的定义大致可分为三大类：一是事实说，二是根据说，三是综合说。其中，事实说又有不同的表述，例如，“民事诉讼证据是指在民事诉讼过程中用来证明案件真实情况的一切事实”，[①]“民事诉讼证据是指能够证明民事案件真

① 江伟. 中国民事诉讼法教程. 北京：中国政法大学出版社，1994. 135

实情况的客观事实材料”等。事实说主要是受《刑事诉讼法》第42条规定的“证明案件真实情况的一切事实，都是证据”影响的结果。[①]根据说则主要是受《民事诉讼法》第63条第2款规定的“证据必须查证属实，才能作为认定事实的根据”影响的结果。综合说认为，民事诉讼证据既是事实，又是根据，同时还是当事人主张权利、实现诉讼请求的手段以及人民法院揭露当事人伪造事实、颠倒是非、推脱责任的工具。还有论者提出，在坚持民事诉讼证据根据说的同时还应兼采方法说，即认为诉讼证据是法官获得心证的方法。[②]

民事证据定义的通说认为，民事诉讼证据就是民事诉讼案件证明的根据，它是指由民事诉讼裁判认定的、当事人或者人民法院为证明案件真实情况而提供或者调取的事实材料与方法。

随着证据理论的深入研究，越来越多的学者对证据是否一定是真实的提出了质疑。因为司法实践中证据存在真假混杂的情况，立法关于证据的表述只是从肯定的角度描述了证据的部分外延，作为证据的定义是不准确的。据此，一些学者对证据进行了重新定义，其中，比较有代表性的定义是：凡是与案件有关、能够证明案件事实的材料都是证据。

二、民事诉讼证据的基本特征

民事诉讼证据具有三个紧密联系的基本特征和属性。

（一）客观性

证据的客观性是指证据事实必须是伴随着案件的发生、发展的过程遗留下来的，且不以人们的主观意志为转移的客观存在的事实。任何民事案件都是在一定的时间、地点发生的，也必然会遗留各种痕迹或者民事争议的发生和发展过程。所有的痕迹、物品、文件等实物证据是客观存在的事实；案件事实为当事人亲自实施或者经历，为在场的人所了解，形成反映现象并用言词表述出来的当事人的陈述和证人证言，同样是对案件事实的反映。这些可以作为证据的事实是不依赖于人的意识而客观存在的。

证据的客观性是证据的本质属性，即证据必须真实可靠、符合实际，任何主观想象和猜测都不得作为证据使用。当然，证据的客观性并不排除证据具有主观性因素。证据的主观性表现在两个方面：①证人证言、当事人陈述、鉴定结论等言词证据，本身是自然人所作出的，必然是人的主观意志的表现。②证据需通过司法工作人员收集、保全或者证据由当事人及其委托的代理人收集后提交给司法工作人员，这又必然渗透着证据收集者的个人意志。因此，可以说任何证据都是客观与主观的统一体。但是，证据中的主观性因素不能改变证据客观性的本质属性。

① 王怀安. 中国民事诉讼法教程. 北京：人民法院出版社，1992. 36

② 毕玉谦. 民事证据法及其程序功能. 北京：法律出版社，1997. 9

（二）关联性

证据的关联性又称“相关性”，是指作为证据内容的事实与案件的待证事实之间存在某种客观的联系。证据对于案件事实有无证明力以及证明力的大小取决于证据与案件事实之间有无联系以及联系的紧密程度。这就是说，证据不仅是客观存在的事实，而且必须是与案件事实存在某种联系的事实。证据的关联性是证据适格的基础性条件，关联性是证据进入诉讼的第一道“门槛”。证据的关联性是指作为证据内容的事实与案件事实之间存在某种联系。关联性是实质性和证明性的结合。关联性不涉及证据的真假和证明价值，其侧重的是证据与证明对象之间的形式性关系，即证据相对于证明对象是否具有实质性，以及证据对于证明对象是否具有证明性。在理清案件待证事实的情况下，要判断某项证据是否具有实质性，主要考察当事人提出该证据的证明目的，考察该证明目的是否有助于证明本案中的争议事实。如果特定证据的证明目的并非指向本案的待证事实，则该证据不具有实质性，也就没有关联性。

理论界一般认为对于证据的关联性可以作如下理解：①证据的关联性是客观存在的，而不是主观想象的，是不以办案人员的主观意志为转移的；②这种关联性的表现形式、途径和方法是多种多样的；③证据事实与案件事实的关联性能够为人们所认识，如果尚未为人们所认识，则不能断定其具有关联性；④确定证据的关联性是一个非常重要和极为复杂的问题。

（三）合法性

证据的合法性是证据法领域的一个重要问题，按照理论界的主流观点，合法性是证据属性的构成要件之一，证据只有具有合法性才能成为认定案件事实的依据。但是对于应当如何界定“合法性”的内涵却一直存在着不同的观点。但多数人认为，证据的合法性又称为证据的可采性，是指证据的形式、收集、出示和查证都应由法律予以规范和调整，作为定案根据的证据必须符合法律规定的采证标准，为法律所容许。合法性具体体现在三个方面。

1. 证据应当由法定人员依法定程序予以收集

在民事诉讼中，当事人对自己的主张承担举证责任，这就决定在民事诉讼中当事人及其代理人是收集证据的主体，在特定情况下，人民法院可以依职权收集证据。

2. 证据必须具备法定形式、具有合法的来源

我国民事诉讼法规定了七种形式的证据，即书证、物证、证人证言、视听资料、当事人陈述、鉴定结论和勘验笔录。按照证据法学的一般理论，证据只有具备法定形式才具有合法性，也才能成为认定案件事实的依据，不属于这七种法定证据形式的不得采纳为证据。为保证证据形式的合法性，证据来源必须合法。例如，证人证言必须出自合格的证人，对精神病的鉴定必须由省级人民政府指定的医院进行等。

3. 证据必须经法定程序出示和核实

证据必须在法庭上出示并经当事人质证后，才具有证据效力。如证人证言必须在法庭上经过当事人、诉讼代理人双方询问、质证；物证必须当庭出示，让当事人辨认；未

到庭的证人的证言笔录、鉴定结论、勘验笔录和其他作为证据的文书，应当当庭宣读，听取当事人和诉讼代理人的意见。未经法庭查证属实的材料均不得作为定案的根据。

三、民事诉讼证据的意义

证据是整个民事诉讼活动的基础和核心，因为民事证据同民事诉讼任务的落实紧密联系在一起，从民事案件的受理到裁判，每一个诉讼阶段和诉讼程序都离不开证据。在民事诉讼过程中，证据问题总是从各个方面被一次又一次地提出。在民事诉讼活动中，无论是对实体问题还是对程序问题所作出的一切决定都要建立在确实充分的证据基础之上，如果不解决证据问题，没有证据，或者证据不够确实充分，民事诉讼就难以继续进行。

证据是人民法院查清案件事实、作出正确裁判的基础和依据。案件的某一事实是否存在，其存在的具体状况如何，审判人员只能依据各种证据来认识，才能分清双方当事人的是非责任，除调解结案的以外，人民法院在案件审理结束后要作出裁判，正确的裁判只能建立在证据可靠的基础之上，否则，难以保证公正与合法性。

证据是当事人进行诉讼和维护其合法权益的手段。民事案件当事人进行诉讼，目的是为了维护自己的合法权益，因而在诉讼中就必然会提出有利于已的主张或者反驳对方的主张。根据法律规定，当事人提出主张或者反驳对方的主张，必须提供证据加以证明，唯有如此，才能达到维护其合法权益的目的。

尽管有些当事人在实施了侵权行为或者违约行为之后，极力否认对自己不利的证据，甚至毁灭相关的重要证据。但是，既然他实施了侵权行为或者违约行为，就必然会留下痕迹和印象，即留下一系列的相应证据，这些证据是我们用来揭露、证实案件事实的重要手段。

总之，在民事诉讼中，不论是人民法院还是当事人，证据的运用都是十分重要的。证据是诉讼开始的基础，也是诉讼继续进行的推进器，还是引导诉讼走向终结的决定性因素。

第二节　民事诉讼证据的分类

证据分类是指在理论上按照一定的标准从不同的角度对证据所作的划分。对于证据分类的研究始于 18 世纪英国法学家边沁，他在《司法证据理论》一书中提出了几种证据分类的方法。英美法系国家注重判例在审判中的作用，因此，一般将证据的种类和分类混杂在一起，两者并无严格的界限。大陆法系国家注重成文法的作用，一般在法典上规定证据的种类而在理论上对证据进行分类研究。从理论上看，将证据按不同的标准进行分类，可以认识诉讼中各种证据的不同特点，从而提出收集、审查、判断和运用各类证据的一般规则。从实践上看，通过对证据的科学分类能够使各种复杂具体的证据材料系统化、条理化，从而便于司法人员和当事人根据各种证据的特点和运用规律正确收集、审查、运用证据，保证办案质量。

根据不同的标准，学理上对民事诉讼证据进行了不同的分类。民事诉讼证据在理论上可以分为本证与反证、言词证据与实物证据、原始证据与传来证据、直接证据与间接证据等。

一、本证与反证

根据证据与证明责任承担者的关系，证据可以分为本证和反证。

本证是指在民事诉讼中负有证明责任的一方当事人提出的用于证明自己所主张事实的证据。反证是指没有证明责任的一方当事人提出的为证明对方主张事实不真实的证据。本证和反证与当事人在诉讼中是原告还是被告没有关系，而与证据是否由承担证明责任的人提出有直接关系。我们可以通过一个具体的诉讼来加以说明。在一个原告诉被告要求返还借款的诉讼中，原告应当对存在借款关系负证明责任，如果原告提出能够证明该借款关系成立的证据，如借据，则该证据就是本证。如果被告提出试图证明该借款关系不能成立的证据，则该证据是反证。如果被告主张已经还款，对方的权利已经消灭，则被告对这一事实主张应当负有证明责任，而被告为证明这一主张所提出的证据依然属于本证，而原告提出的否认该事实主张的证据又是反证。本证的作用在于使人民法院对待证事实的存在与否予以确信，并加以认定。反证的作用则是使人民法院对本证证明的事实的确信发生动摇，以致不能加以认定。

二、言词证据和实物证据

根据证据的表现形式不同，可以将证据分为言词证据和实物证据。

凡是以人的陈述为其表现形式的证据是言词证据，如证人证言、当事人陈述、鉴定结论都属于言词证据。鉴定结论之所以属于言词证据，是因为鉴定结论就其实质而言，是鉴定人就鉴定的专门问题发表的个人意见，而且在法庭审理时要求鉴定人对结论作出口头说明，并当庭回答当事人和代理人的发问。以实物形态为表现形式的证据是实物证据。物证、书证、勘验检查笔录、现场笔录、视听资料属于实物证据。

与言词证据相比，实物证据有以下特点：①客观性较强。实物证据所反映的案件事实不依赖于人的意志而独立存在，不易受人的主观因素的影响。②被动性较为明显。实物证据在诉讼中处于被动的待发现的地位，常依赖于专门人员利用一定的技术手段来发掘和固定。

三、原始证据与传来证据

原始证据与传来证据是最古老的一种证据分类，是按照证据的来源进行的分类。

凡是直接来源于案件事实的证据均为原始证据。民事诉讼中常见的原始证据有：当事人陈述，物证和书证的原件，勘验笔录等；凡是间接来源于案件事实，经过复制、转述或者转抄的证据，均为传来证据。民事诉讼中常见的传来证据有：物证的复制品、文件的副本与影印件、抄件、非亲自感受案件事实的证人所作的证言等。

划分原始证据与传来证据的主要意义在于：①确立一种最佳证据观念。由于传来证据是由原始证据派生的证据，证据材料转手或者复制的次数越多，离证明对象就越远，其所含信息发生减损或者扭曲的可能性越大；反之，原始证据没有经过转手或者复制，发生误差的可能性就越小，真实性就越大。因此，办案人员在不忽略传来证据的同时，应当尽力寻找、收集和运用原始证据。②注意审查形成传来证据的中间环节，掌握传来证据可能出现的失真，以免判断事实出现失误。

四、直接证据和间接证据

根据证据能否单独直接证明案件主要事实，可以把证据分为直接证据和间接证据。

凡是本身可靠且能单独直接证明案件主要事实的证据称为直接证据；凡是不能单独直接证明主要事实，而需要与其他证据相结合才能证明案件主要事实的证据称为间接证据。

直接证据能够单独地直接地证明案件主要事实，因而运用直接证据认定案件的方法较为简单，难度较小，只要一经查证属实，就可以认定案件的主要事实，对案件作出及时处理。然而，直接证据通常数量较少，往往不易取得，而且多为言词证据，其失真的可能性较大，不稳定性较强。

间接证据不能单独证明案件的主要事实，只能与其他证据相结合才能达到证明目的。因此，间接证据具有证明关系上的间接性、证明方法上的推断性等特点，使得运用间接证据定案的难度大，而且容易发生差错。但是在多数情况下，间接证据数量较大，而且容易收集，加之这些证据多为书证、物证，或者是鉴定结论、勘验检查笔录，一般不易受人们主观因素的影响，失真可能性较小，稳定性较高，因而，间接证据的证明作用不容忽视。

以间接证据定案，必须遵循以下几项规则：①用于定案的每一个间接证据都已经过司法人员查证属实；②间接证据必须与案件事实存在着客观联系，这样对证明案件事实才有实际意义；③间接证据必须达到能够证明案件全部事实所需要的量；④间接证据之间以及间接证据与案件事实之间必须协调一致，没有矛盾；⑤间接证据必须形成一个完整的证明体系；⑥运用间接证据构成的证据体系得出的结论必须是唯一的，并且具有排他性。

第三节　民事诉讼证据的种类

民事诉讼证据种类是指由法律明确规定在民事诉讼中用以证明案件事实的各种证据

的外部表现形式。我国民事诉讼法将证据分为物证、书证、证人证言、当事人陈述、鉴定结论、勘验笔录、视听资料等七种形式。

一、物证

物证是指以其外部特征、存在场所、物质属性证明案件真实情况的一切物品与痕迹。某物品或者痕迹能否作为物证，取决于它与案件事实是否具有联系。物证是通过其外部特征和自身所体现的属性来证明案件的真实情况，它不受人们主观因素的影响和制约。因此，物证是民事诉讼中重要的证据之一。民事诉讼中常见的物证有争议的标的物（如房屋、物品等）、侵权所损害的物体（如损害的物品、衣物等）、遗留的痕迹（如印记、指纹）等。物证具有一些独特的特点。

（一）物证是以实体物的存在证明案件事实

物证作为一种客观存在的具体物和痕迹，具有自己的特征，且被特定化于物体之上。因此，它是不能用其他物品或者同类物品来代替的，否则就不能保持原物的特征。

（二）物证具有较强的稳定性和可靠性

物证具有较强的稳定性和可靠性，只要及时收集，用科学的方法提取、固定并妥善保存，一般不容易丢失，也不会受人的主观方面的影响。

（三）物证一般表现为间接证据

物证一般不能直接反映案件的主要事实，只能反映案件事实的某一方面，所以，一般表现为间接证据。

（四）物证是一种无意识的证据

物证被戏称为“哑巴证据”，是一种无意识的证据，不能自明其义，只能经过人的能动作用去发现、识别、挖掘它同案件的客观联系。

物证在整个证据体系中的地位和作用可谓举足轻重，有了确实可靠的物证，不管当事人如何巧言善辩，也不管证人如何见风使舵或陈述是否属实，都可以认定案件事实，它是促使当事人如实陈述的有力手段；物证是检验言词证据是否真实的依据，案件中的各种言词证据受人的主观因素的影响很大，虚实并存、错综复杂，唯有物证的客观性较强，它可以检验真假、衡量虚实、去伪存真。

二、书证

书证是指以文字、符号、图画等记载的内容和表达的思想来证明案件事实的书面文件和其他物品。民事诉讼中常见的书证有证件、文件、信件、标语、图纸、账册、单据、计划书等。

书证具有区别于其他证据种类的特征，具体表现在：①书证具有直接证明性，书证由于有具体明确的思想内容，所以通常情况下，能够依据其内容直接判明其与案件事实的联系。②书证具有稳定性，一般不受时间的影响，易于长期保存。③书证具有物质性，作为其反映的内容的物质载体，书证以纸张最为常见，但也包括诸如布帛、皮革、金石、竹木等其他物质材料。④书证具有思想性，以文字符号或者图画等来表述和反映人的思想、内心世界或者信息传递。

在各种证据种类中，书证与物证有密切的联系，但也存在着差异，主要表现在：①书证以客观物质材料作为其载体，借助文字符号或者图画表达的思想内容来证明案件事实，物证则以其存在方式、外部特征和物质属性来证明案件事实。②书证所表达记载的内容形式一般都能为常人所理解，其反映的内容一般都比较明确清楚，物证在表现形式上则会受客观存在的特殊状态所决定。有些必须借助专门的技术手段进行鉴定，才能揭示其与案件事实的联系。③书证在许多情况下可以证明案件主要事实，或者案件中的某一部分事实，其证明的案件事实情节一般较为完整。物证往往只能证明案件事实的个别片断。④对于书证，法律有时规定必须具备特定形式或者履行特定的程序后，才具有证据效力。法律对物证无特殊的形式上的特定要求，只要能以其存在、外形、特征证明案件事实，就可以作为物证。⑤书证是一定主体制作的，反映了人的主观意志。物证是一种客观实在，不反映人的主观意志。⑥书证与物证在保存和固定的方法上存在差别。

三、证人证言

证人证言是指证人就自己所知道的案件情况所作的陈述。证人证言一般是口头陈述，证人证言以笔录加以固定，由证人亲笔书写的书面证词也可作为证人证言。

证人证言有以下特征：①它只是证人对案件有关情况的客观阐述，而不是推测或者分析意见。②证人证言是了解案件事实的人提供的证明。也就是说，证人必须是知道案件情况的人，只有知道案件情况的人才能作证，知道案件情况的人并不一定都是亲眼所见，如盲人可以就其听到的事实进行作证。作证的人也并非一定要用言词形式作证才有效力，如聋哑人可以就自己亲眼所见，用哑语表达加以作证。同时，证人证言只包括能够正确表达意志的人就案件事实所作的陈述。例如，精神病或者年幼不能辨别是非、正确表达意志的人所作的证言是无效的。③证人证言是对感知或者传闻情况的反映，所以可能受到证人主观因素和客观条件的影响。因此，证人证言可能有真有假，审判人员应尽可能结合其他证据对其进行印证，印证后无误的，才可以作为认定案件事实的根据。

我国《民事诉讼法》第 70 条第 1 款规定："凡是知道案件情况的单位和个人，都有义务出庭作证。有关单位的负责人应当支持证人作证。"以上规定大致说明了民事诉讼证人的范畴。我国《民事诉讼法》规定的证人包括单位和个人两大类，即凡是知道案件情况的单位和个人都有义务出庭作证。但这里有一个值得探讨的问题，单位能不能像自然人一样出庭作证呢？显然是不能的。单位出庭作证是指由代表单位的个人出庭作证。《民事诉讼法》第 70 条第 2 款规定，不能正确表达意志的人不能作证。这一条是关于证人的能力方面的规定。在我国，自然人作为证人，除必须了解案件的事实外，还必须能够正确表达自己的意志。最高人民法院《关于民事诉讼证据的若干规定》第55条也进一步规定，不能正确表达意志的人不能作为证人。无民事行为能力人和限制民事行为能力人当待证事实与其年龄状况相适应的，可以作为证人。因此，根据我国法律和司法解释，自然人虽然是无民事行为能力人或者限制民事行为能力人，仍然能够作为证人对与自己年龄和智力状况相适应的待证事实作证。要正确理解证人的资格，应当掌握以下几点：①凡是知道案件情况并有作证能力的人都可以作为证人；②生理上、精神上有缺陷或者年幼不能辨别是非与不能正确表达意志的人不能作为证人；③证人只能是当事人以外知道案件情况的人；④证人以知道案件情况为条件，所以具有不可代替性；⑤证人只能是公民个人，法人或者非法人组织不具有证人资格。

四、当事人陈述

当事人陈述是指当事人在诉讼中就与本案有关的事实向人民法院所作的陈述。当事人陈述作为证据的一个种类，是我国的民事诉讼证据种类划分中的特色。当事人是民事诉讼法律关系的主体，由于与诉讼结果有着直接的利害关系，决定了当事人陈述具有真实与虚假并存的特点。因此，审判人员在运用这一证据时应注意防止将虚假的陈述作为认定案件事实的根据，对于当事人的陈述应结合本案的其他证据进行审查核实，以确定作为认定案件事实的根据。

当事人陈述分为口头陈述和书面陈述，也可以分为对案件事实的陈述和当事人的承认两类。当事人对案件事实的陈述，其目的在于取得有利于自己的结果。当事人的承认是指一方当事人对对方当事人所证明的事实真实性表示同意的一种陈述。当事人的承认又可以分为审判上的承认和审判外的承认两种。审判上的承认是指在审判案件时，当事人向人民法院所作的承认。这种承认是一方当事人对对方当事人所作的关于事实的陈述表示同意，一旦承认即可免除对方当事人的举证责任。该承认的主体仅限于原告、被告、法定代理人、第三人、诉讼代表人和经被代理人特别授权的诉讼代理人等。审判外的承认是当事人在人民法院外对某些事实的承认，这种承认不能作为免除对方当事人举证责任的根据。

五、鉴定结论

鉴定结论是指人民法院指派或者聘请具有专门技术和专门知识的人员对案件中的某些专门性问题进行鉴定后作出的书面结论。

鉴定人是具有一定的专门知识，接受人民法院指派或者聘请，解决民事案件中某些专门性问题的人。作为鉴定人一定是自然人，机关、团体、企事业单位不能充当鉴定人。为了保证鉴定人能顺利地进行鉴定和认真地作出科学鉴定结论，鉴定人在鉴定活动中应依法享有一定的权利并承担一定的义务。鉴定人主要的诉讼权利有：①有权了解全部案件情况，并有权要求人民法院提供进行鉴定所需要的材料；②有权询问当事人、证人以及参加检验证据和现场勘验等活动；③有权拒绝鉴定；④有权用本民族语言文字作鉴定结论；⑤有权请求给付必要的鉴定费用和劳务报酬。鉴定人主要的义务有：①鉴定人必须忠实地进行鉴定，对所需要鉴定的问题，必须认真负责地进行科学的实验、分析，作出科学的判断；②鉴定人除有正当理由外，必须按时到庭陈述鉴定结论；③鉴定人必须接受审判人员、当事人和诉讼代理人对所鉴定的内容、结论提出质询，并应给予科学的回答和说明；④要遵守鉴定纪律，妥善保管提交鉴定的物品和材料；⑤对鉴定中涉及国家秘密的内容，必须严格保密。

六、勘验笔录

勘验是指人民法院的审判人员为了查明一定的案件事实，对与案件有关的现场、物品或者物体亲自进行或者指定有关人员进行查验、拍照、测量的行为。把查验的情况和结果制成的笔录叫勘验笔录。勘验笔录是一种独立的证据，也是一种固定和保全证据的方法。

在勘验物证或者现场时，勘验人员必须出示人民法院的证件，邀请当地基层组织或者当事人所在单位的人员参加，当事人或者他们的成年家属应当到场；拒不到场的，不影响勘验的进行。有关单位和个人根据人民法院的通知，有义务保护现场，协助勘验工作的进行。人民法院勘验物证或者现场，应当制作勘验笔录。勘验笔录应把物证或者现场上一切与案件有关的客观情况，详细、如实地记录。在开庭审理时，审判人员应当庭宣读或者出示勘验笔录、照片和绘制的图表，使当事人都能了解勘验的事实情况，并听取他们的意见。当事人要求重新勘验的，经人民法院许可，可以重新勘验。

勘验笔录是以其文字、图表等记载的内容来说明一定案件事实，从这个意义上来说，它与书证有相似之处，但不能认为它是书证。两者的主要区别是：①产生的时间不同。书证一般是在案件发生前或者在发案过程中制作发生的；勘验笔录则是在案件发生后，在诉讼过程中为了查明案件事实，对物证或者现场进行检验后制作的。②制作主体不同。书证一般是由当事人或者有关单位及公民制作的；勘验笔录则是办案人员或者人民法院指定进行勘验的人依法制作的一种文书。③反映的内容不同。书证一般是用文字、符号来表达其内容，本身能直接证明案件的事实情况，是制作人主观意志的外部表现；勘验笔录的文字、图片记载的内容是对物证或者现场的重新再现，其内容不能有制作人的主观意志表示，完全是一种对客观情况的如实记载。④能否重新制作不同。书证不能涂改，也不能重新制作，要保持其原意；勘验笔录若记载有误或者不明确，可以重新勘验，并作出新的勘验笔录。

七、视听资料

视听资料是指以录像、录音、电子计算器以及其他高科技设备储存的信息，以证明案件情况的资料。视听资料是现代高科技发展的重要产物和先进成果，在诉讼实践中得到了广泛的运用。根据当前的科技水平和视听资料的运用，按照不同的形式表现，可以把视听资料分为录音资料、录像资料、电子计算机储存资料和运用专门的技术设备得到的信息资料。

视听资料具有以下特点：①视听资料的形成、储备和再现具有高度的准确性和逼真性。②视听资料有各种言词证据不具备的直观性，可以将与案件有关的形象和音响甚至案件发生的实际状况直观地再现在人们面前。③视听资料具有动态连续性，可以反复重现，作为证据易于使用，审核时便于操作。④视听资料由于体积小，重量轻，占用空间小，同其他证据相比，传送和运输方便，更易于保存和使用。当然，视听资料虽然具备较大的准确性，也易于被伪造。

视听资料与书证既有相同之处也有不同之点。相同之处在于它们都以一定的思想内容来证明案件事实。不同之点在于：①书证是以书面文字形式记载的思想或者行为内容来证明案件事实的，视听资料主要是以音响、图像、数据来反映案件的内容的。但是，并不能否认的是视听资料中也有以文字形式反映人的思想的内容，但这不是单纯用文字和符号来证明案件事实。②书证是以静态的方式来证明案件事实，视听资料则是以动态的方式来证明案件事实，具有生动逼真的特点，书证则无可比拟。

视听资料和物证都能够证明案件的真实，但作为独立的一种证据，两者又有着明显的区别。物证是以自己外部的形态、质量、规格、特征等来证明案件事实的；视听资料也能反映物的外部形状、规格、质量、特征，却是以科技手段为载体的再现。

第四节　民事诉讼证明对象

一、民事诉讼证明对象的概念

证明对象又称证明客体，是指证明主体运用一定的证明方法加以证明当事人之间存在争议的实体法律规范所确定的要件事实。民事诉讼中的证明对象是指人民法院和诉讼参与人运用证据加以证明的案件事实。在民事诉讼中原告先提出诉讼请求所根据的事实和理由，被告对原告诉讼请求的答辩、反驳和提出反诉所根据的事实和理由，第三人提出诉讼请求所根据的事实和理由，以及人民法院认为需要加以证明的其他事实，都是需要证据来加以证明的。

二、民事诉讼中证明对象的特征

民事诉讼证明对象具有一些法律特征。

（一）证明对象有赖于当事人提出的请求

在诉讼过程中，当事人依其诉讼地位提出各自的诉讼请求或者抗辩请求，即实体法上的权利主张，而这种实体法上的权利主张是否能得到人民法院支持，必须依实体法所规定的要件事实为基础，作为证明主体的当事人必须以一定的方法证明，主要是提出证据证明实体法所规定的要件事实即证明对象的存在，其诉讼请求才能获得支持。

（二）证明对象是实体法中规定的要件事实

当事人提出的诉讼请求能否得到人民法院支持，必须以实体法所规定的要件事实为基础，即以实体法规定的关于诉讼请求的要件事实获得证明为前提条件。这些需要证明的要件事实在当事人的主张下，便构成证明对象。任何与诉讼和抗辩请求无直接关系的存在于实体法律规范以外的事实，都不能成为证明对象。

（三）证明对象是必须以证据进行证明的事实

证明对象是有待证明主体加以证明的客体，是当事人之间存在争议的待证事实。也就是说，只有诉讼中存在争议的实体法所规定的要件才能成为证明对象。对于那些无须证明的事实，如自然规律、定理、推定的事实以及自以为是的事实都不能成为诉讼中的证明对象。

（四）证明对象与证明责任紧密联系

在具体诉讼中，证明对象一旦确立，证明责任便相继产生。这是因为待证事实需要证明主体提供证据加以证明，并且提出证据的质和量应达到法律的要求，这种提供证据对待证事实加以证明的责任与证明对象本身是密切联系的。有证明对象必有证明责任，谈到证明责任必定指向证明对象。

三、证明对象的范围

证明对象的范围就是待证事实的范围，待证事实要根据具体案件和一定的法律规范加以确定。民事诉讼中证明对象的范围一般包括三个方面。

（一）当事人主张的有关实体权益法律事实

当事人主张的有关实体权益法律事实是指当事人之间争议的民事法律关系发生、变更、消灭以及发生争议的事实。在实践中，当事人所主张的法律事实一般需要从三个方面加以证明：①就所主张的法律事实是否客观存在予以证明；②就该法律事实发生的时间、地点、原因及过程予以证明；③就该法律事实是否合法予以证明。

（二）当事人主张的程序法律事实

当事人主张的程序法律事实是能引起诉讼法律关系发生、变更、消灭或者对解决诉讼程序问题具有法律意义的事实。由于这些事实往往会引起一定诉讼后果，如不加证明就会影响诉讼的顺利进行和实体问题的解决，因而也必须加以证明，需要证明的程序法律事实一般有：①有关当事人资格的事实。公民、法人或者其他组织有具备法定的当事人条件，才能取得一个具体诉讼的当事人资格。公民，法人或者其他组织是否具有这种资格，应当首先加以证明。②有关主管或者管辖的事实。当事人对主管或者管辖提出异议时，应对其根据事实和理由予以证明。③有关回避的事实。当事人申请回避和人民法院决定回避的都应就回避根据加以证明。④适用强制措施所依据的事实。人民法院对妨害民事诉讼行为人适用强制措施的，应当对妨害的存在和施以强制措施的理由予以证明。此外，有关诉讼期间耽误的事实，需缓交、减交或者免交诉讼费的事实等，也都属于证明的对象。

（三）证据事实

证据事实指特定的证据形式所反映的案件或者与案件有关的事实。任何证据都不能证明自身是否真实、客观。因此，任何证据需要其他证据证明其客观性、关联性和合法性。证明相对于案件的特定事实是证明手段，证据相对于证明是证明对象。证据事实具有双重身份，是证明手段与证明对象的统一体。

第五节　民事诉讼证明标准

一、证明标准概述

民事诉讼中的证明标准是指法律规定的运用证据证明待证事实所要达到的程度和要求。

证明标准是一个动态的变化的量，不同的证据制度，其证明要求不同，相应地用以衡量是否达到这一要求的证明标准也不同。在奴隶社会的“神示证据”制度下，以占卜、水审、火审等愚昧、野蛮的方式作为证明案件事实的手段，神的启示成为诉讼证明的要求；封建社会的“法定证据”制度要求达到“法定真实”，即只要证据达到法律规定的形式就实现了证明的要求，而不管事实真相如何。其证明标准之一是必须有两个彼此无关的、具有信用的证人的一致证言。“自由心证”制度要求“主观真实”，其标准是法官“排除合理怀疑”，形成了内心确信，便达到了证明的要求。

民事诉讼证明标准是证明责任卸除的标志，即承担证明责任的主体只要证明其行为达到了法律设定的标准，即可卸除其证明责任，所指控的诉讼事实以及诉讼主张就意味着有较大可能被审判机关采信。

二、英美法系民事证明标准和大陆法系民事证明标准

英美法系国家在民事诉讼中一般采用“盖然性居上或者占优势”的证明标准。“所谓盖然性，是指可能而不是必然的一种性质，或者说为一种可能的状态。”在证据对某一事实的证明无法达到事实清楚、证据确凿的情况下，对盖然性较高的事实予以确认。也就是说，在民事诉讼中，负有举证责任的一方当事人，其最终证明的结果能达到一般正常人在具有普通常识的情况下认为具有某种必然的、合理的盖然性或者确信程度，而

并非要达到像刑事案件要求的那样，必须达到按情理无可置疑的证明标准。

大陆法系国家民事案件的证明标准一般为“高度盖然性”，也就是依据日常经验可能达到的那样的高度，疑问就可排除，达到近似确然性的可能。大陆法系诉讼体系一般采用职权主义模式，法官对事实的认定不完全依赖双方当事人使用各种证据进行攻击和防御，而主要由法官对各种证据的调查，庭审活动开展所直接形成的一种心证，当这种心证在内心深处达到相当高度时，便促使法官对某一案件事实进行认定。大陆法系的证明标准与法官的自由心证联系密切，当事人的证明达到“高度盖然性”，使法官能对待证事实的认定形成“内心确信”时，证明就是成功的。

大陆法系各国通常明确规定证据判断的原则是自由心证，法官对证据的取舍、评判享有广泛的自由裁量权，因此，在大多数大陆法系国家的立法上，并不直接涉及证明标准问题，证明标准主要体现在对法官自由心证的规定中。大陆法系国家法院的判例指示证明应当具有“高度盖然性”。关于证明标准，日本最高裁判所的判决指出：“诉讼上的证明原本就不同于自然科学工作者基于实验所作的理论上的证明，是一种历史性证明。理论证明的目标是‘真实’，与此不同，历史性证明只要具有‘高度盖然性’就可以了。换言之，即确信达到了普通人无论谁都不再怀疑的程度的真实，证明就成立了。”①

三、我国民事诉讼证明标准的发展轨迹

纵观我国法律及司法解释的规定，民事诉讼证明标准的发展经历了从“排除一切合理怀疑”到“高度盖然性”的过程。

（一）“排除一切合理怀疑”标准

长期以来，我国刑事、民事、行政三大诉讼活动采用基本一致的证明标准，即“事实清楚，证据确凿充分”的标准，有的论者称之为“排除一切合理怀疑”标准。②我国《刑事诉讼法》第129条、第137条、第141条、第162条和《行政诉讼法》第31条都有关于此标准的规定。我国《民事诉讼法》第63条规定，对七种法定证据“必须查证属实，才能作为认定事实的根据。”这里的“查证属实”指的是符合客观真实。《民事诉讼法》第64条第3款规定：“人民法院应当按照法定程序，全面地、客观地审查核实证据。”这里规定的“全面”、“客观”是对审查核实证据的严格要求。为了实现上述民事诉讼的证明标准，《民事诉讼法》第64条第1款规定：“当事人对自己提出的主张，有责任提供证据。”这就明确了民事诉讼的举证和证明责任。

“排除一切合理怀疑”的证明标准没有顾及刑事、民事和行政三大诉讼活动的不同特点。在刑事诉讼中应当坚持“排除一切合理怀疑”的证明标准，这有助于正确贯彻“不放过一个坏人，也不冤枉一个好人”的刑事审判工作政策。在民事诉讼中实行和刑事诉讼基本一致的严格的证明标准，这就会过分加重当事人的举证责任，会使他们产生

① 张卫平. 证明标准建构的乌托邦. 法学研究，2003（4）

② 常怡. 民事诉讼法学. 北京：中国政法大学出版社，2005. 215

畏讼心理，对民事诉讼活动的正常开展产生不利影响，这不符合民事诉讼的价值取向。

（二）“高度盖然性”标准

为了正确适用民事诉讼法，保证依法、正确、及时地审理案件，最高人民法院在总结各地实践经验的基础上，于1998年6月19日讨论通过了《关于民事经济审判方式改革问题的若干规定》，该司法解释第11条规定：“案件的同一事实，除举证责任倒置外，由提出主张的一方当事人首先举证，然后由另一方当事人举证。另一方当事人不能提出足以推翻前一事实的证据的，对这一事实可以认定；提出足以推翻前一事实的证据的，再转由提出主张的当事人继续举证。”这里的“足以”就是表达了有关证据在法官内心确信上所形成的“高度盖然性”的证明标准。

2001年12月21日，最高人民法院公布了《关于民事诉讼证据的若干规定》，从此正式确立了“高度盖然性”的证明标准，其中第73条规定，双方当事人对同一事实分别举出相反的证据，但没有足够的依据否定对方证据的，人民法院应当结合案件情况，判断一方提供证据的证明力是否明显大于另一方提供证据的证明力，从而对证明力较大的证据予以确认。如果证据的证明力无法判断导致争议事实难以认定的，人民法院应当依据证明责任分配的规则和辩论原则为基础，要求当事人为自己的主张或者自己的反驳意见提供证据。如果双方当事人对同一事实分别举出相反的证据，但没有足够的依据否定对方证据，那么，一方提供的证据的证明力明显大于另一方提供证据的证明力，则认为达到了高度盖然性的证明标准；一方提供的证据的证明力不能明显大于另一方提供证据的证明力时，则人民法院依据举证责任分配的规则作出裁判。

第六节　民事诉讼中的举证责任

一、举证责任概述

民事诉讼中的举证责任是指证明主体提出证据并按证明标准证明案件事实的责任，否则应承担其主张不能成立的不利法律后果。举证责任的概念包括三层意思：①就事实主张提出证据的责任（提供证据的责任）；②用充分的证据说明其事实主张的责任（说服责任）；③当不能提供充分证据说明其事实主张致其事实主张不被采信时承担不利后果的责任（担负不利后果责任）。

由于主客观条件的局限性，任何所争议的事实都不可能必然地被查清，案件事实也是如此，即使案件事实无法查清，法官面对起诉，也不能拒绝对案件作出裁判。证明责任的功能就在于，当诉讼终止时如果事实处于真伪不明状态，法官可以按照证明责任的分配原则对该事实真伪不明的案件作出裁判。明确了证明责任的功能之后，在逻辑上便顺理成章地过渡到证明责任的分配和转移，因为证明责任解决疑案功能的实现依赖于证明责任的分配和转移的规定科学合理。

二、当事人举证

(一) 当事人举证的法律依据

我国《民事诉讼法》第 64 条规定:“当事人对自己提出的主张,有责任提供证据。当事人及其诉讼代理人因客观原因不能自行收集的证据或者人民法院认为审理案件需要的证据,人民法院应当调查收集。”这条规定确立了我国民事诉讼以当事人举证为主、人民法院调查取证为辅的诉讼模式,即以当事人主义为基础,吸收职权主义优点的具有中国特色的当事人主义的诉讼模式。这一模式既体现了现代民事诉讼立法的公正与效益的价值取向,又符合我国当事人的法律意识普遍不高、法律服务业发展水平较低的国情。

(二) 当事人举证责任的分配

在完善举证责任分配原则时,应考虑不使任何一方当事人过多承担因事实真伪不明而产生的诉讼风险,双方当事人能在诉讼中保持大致平衡的地位,使依据实体法和民事诉讼法规定的举证责任在原告、被告之间适当分配。

1. 谁主张,谁举证

这一原则是各国民事诉讼法普遍适用的原则。当事人对自己提出的主张有提供证据加以证明的责任。以原告为例,原告在起诉时必须在诉状中写明证据和证据来源,证人姓名和住所,并能证明原告、被告具有本案诉讼当事人的资格,所起诉的法律关系成立及受理人民法院有管辖权的根据,人民法院才能受理该案。在诉讼中原告还必须补充提供足以胜诉的证据才能使自己的诉讼主张获得法官的支持。被告在应诉、答辩过程中对自己的诉讼主张及否认、反驳原告的主张或者提出反诉都必须以一定的事实为基础,并提供证据加以证明,只有这样,其主张才能得到法官的支持。只有少数情况下当事人只提出自己的诉讼主张而不必提出证据证明也可能胜诉,如被告对原告的诉讼主张表示认可,免除原告提供证据的责任,原告就可以不必提供证据而获得胜诉。

2. 举证责任倒置

举证责任倒置是指根据法律规定,通常情形下由提出权利主张的一方当事人(一般是原告)就自己的权利主张负担举证责任,改由否定权利主张的对方当事人(一般是被告)就权利主张的不成立承担举证责任,如果否定权利主张的当事人不能就此举证证明,则推定提出权利主张的一方当事人的权利主张成立的一种举证责任分配制度。“谁主张,谁举证”是举证责任分配的一般原则,举证责任的倒置则是一般原则的例外。根据最高人民法院《关于民事诉讼证据若干问题的规定》第 4 条规定,以下侵权诉讼适用举证责任倒置:

(1)因新产品制造方法发明专利引起的专利侵权诉讼,由制造同样产品的单位或者个人对其产品制造方法不同于专利方法承担举证责任;

(2)高度危险作业致人损害的侵权诉讼,由加害人就受害人故意造成损害的事实承担举证责任;

(3)因环境污染引起的损害赔偿诉讼,由加害人就法律规定的免责事由及行为与损害结果之间不存在因果关系承担举证责任；

（4）建筑物或者其他设施以及建筑物上搁置物、悬挂物发生倒塌、脱落、坠落致人损害的侵权诉讼，由所有人或者管理人对其无过错承担举证责任；

（5）饲养的动物致人损害的侵权诉讼，由动物饲养人或者管理人就受害人有过错或者第三人有过错承担举证责任；

（6）因缺陷产品致人损害的侵权诉讼，由产品的生产者就法律规定的免责事由承担举证责任；

（7）因共同危险行为致人损害的侵权诉讼，由实施危险行为的人就其行为与损害结果之间不存在因果关系承担举证责任；

（8）因医疗事故引起的侵权诉讼，由医疗机构就其医疗行为与损害结果之间不存在因果关系及不存在医疗过错承担举证责任。

此外，因期货公司未按客户指令单或者未入市场交易引起的诉讼，开办法人企业注册资金不到位引起的追加开办单位为共同被告的诉讼；因用人单位作出的开除、除名、辞退、解除劳动关系，以及涉及减少劳动工资性收入等决定而引起的劳动争议诉讼，或者人民法院认为应当由用人单位举证的其他劳动争议诉讼等案件，也适用举证责任倒置。

3. 当事人举证责任的免除

举证责任的免除指在民事诉讼中，当事人一方提出诉讼主张及事实理由，一方当事人予以认可或者人民法院认为当事人不需要提供证据加以证明，而免除其负担的举证责任。其主要情形有：一方当事人对另一方当事人陈述的案件事实及诉讼主张明确表示认可的；众所周知的事实和自然规律定理；根据法律规定或者已知事实能够推断出的另一事实；已为人民法院发生法律效力的裁判所确定的事实；已为有效公证书所证明的事实；人民法院保全的证据。但当事人反驳以上事实的应负担举证责任。

4. 当事人举证的公平合理原则

举证的公平合理原则只在法律法规及司法解释对举证责任分配原则没有规定时才适用。法官在分配举证责任时，要根据当事人距离证据的远近为标准，距离较近的当事人负举证责任；当事人距离证据相同时，以举证的难易或者事实的存在与不存在的可能性高低为标准，举证容易的当事人负举证责任，或者事实存在的可能性大而由主张事实存在的可能性大的当事人负举证责任。还要考虑当事人收集证据能力的强弱，兼顾个案公正、个别公正，适当地向受害人、经济上的弱者的方向倾斜。

（三）当事人举证期限

现行《民事诉讼法》没有对当事人举证期限作出规定，最高人民法院《关于民事诉讼证据若干问题的规定》第 33 条对当事人举证期限作出了具体规定。人民法院应当在送达案件受理通知书和应诉通知书的同时，向当事人送达举证通知书，举证通知书中应当载明人民法院指定的举证期限以及逾期提供证据的法律后果。人民法院指定的举证期限不少于 30 日，自当事人收到案件受理通知书和应诉通知书的次日起计算。举证期限也可以由当事人协商一致，经人民法院认可后确定。

最高人民法院《关于适用“民事诉讼证据的若干规定”中举证期限规定的通知》（2008年12月11日起施行）对举证期限问题作出如下规定：

（1）人民法院在征得双方当事人同意后，指定的举证期限可以少于30日。人民法院指定的举证期限届满后，针对某一特定事实或者特定证据或者基于特定原因，人民法院可以根据案件的具体情况，酌情指定当事人提供证据或者反证的期限，该期限不受“不得少于30日”的限制。

（2）适用简易程序审理的案件，人民法院指定的举证期限可以少于30日。简易程序转为普通程序审理，人民法院指定的举证期限少于30日的，人民法院应当为当事人补足不少于30日的举证期限。但在征得当事人同意后，人民法院指定的举证期限可以少于30日。

（3）当事人在一审答辩期限内提出管辖权意义的，人民法院应当在驳回当事人管辖权异议的裁定生效后，重新指定不少于30日的举证期限。但在征得当事人同意后，人民法院可以指定少于30日的举证期限。

（4）人民法院依职权调查收集的证据在庭审中出示后，当事人要求提出相反证据的，人民法院可以酌情确定相应的举证期限。

（5）人民法院在追加当事人或者有独立请求权的第三人参加诉讼的情况下，应当为新参加的当事人指定举证期限，该举证期限适用于其他当事人。

（6）当事人申请延长举证期限经人民法院准许的，为平等保护双方当事人的诉讼权利，该举证期限适用于其他当事人。

（7）当事人在一审举证期限内增加、变更诉讼请求或者提出反诉，或者人民法院依照《关于民事诉讼证据的若干规定》第35条规定告知当事人可以变更诉讼请求后，当事人变更诉讼请求的，人民法院应当根据案件的具体情况重新指定举证期限。

（8）在第二审人民法院审理中，当事人申请提供新的证据的，人民法院指定的举证期限不受“不得少于30日”的限制。

（9）发回重审的案件，第一审人民法院在重新审理时，可以结合案件的具体情况和发回重审的原因等情况，酌情确定举证期限。如果案件是因违反法定程序被发回重审的，人民法院在征求当事人意见后，可以不再指定举证期限或者酌情指定举证期限。但案件因遗漏当事人被发回重审的，应当为新参加的当事人指定举证期限，该举证期限适用于其他当事人。如果案件因认定事实不清、证据不足发回重审的，人民法院可以要求当事人协商确定举证期限，或者酌情指定举证期限。上述举证期限不受“不得少于30日”的限制。

（四）当事人举证的法律责任

当事人举证的法律责任是指当事人对自己所提出的主张在人民法院指定的期限内，因主观原因不能举证，或者虽因客观原因不能举证，经人民法院依职权调查也无法收集到审理案件所需要的证据时，由该当事人承担不利的诉讼后果。

1.举证内容不真实的法律责任

凡是当事人所举证，证据必须真实、客观、合法，不得伪造、隐匿、毁灭证据，不得指使、贿买他人作伪证。否则，除承担不利的诉讼结果外，还应承担提供伪证的法律责任。

2. 不举证的法律责任

当事人由于主观原因没有收集到证据，或者持有证据而故意不在人民法院指定的期限内提供证据，应承担败诉的诉讼结果。

3. 举证不充分的法律责任

当事人举证充分才能证明其主张的成立，如其提供的证据不全面，不具有证明其主张的充分性，其主张因证据不足不能成立，应承担败诉的诉讼结果。

4. 举证超过人民法院指定期限的法律责任

最高人民法院《适用民事诉讼法意见》第76条规定："人民法院对当事人一时不能提交证据的，应根据具体情况，指定其在合理期限内提交，当事人在指定期限内提交确有困难的，应在指定期限届满之前，向人民法院申请延期，延长的期限由人民法院决定。"因此，当事人在人民法院指定的最后期限内未提供证据的，应承担不利的诉讼结果。

5. 举证不能的法律责任

对于当事人因客观原因不能收集的证据，应向人民法院说明举证不能的原因并提出所要收集的证据及证据线索，在人民法院依职权调查收集不到证据时，应承担败诉的诉讼结果。

三、人民法院调查取证

《民事诉讼法》第64条第2款规定："当事人及其诉讼代理人因客观原因不能自行收集的证据，或者人民法院认为审理案件需要的证据，人民法院应当调查收集。"这一条规定是人民法院承担一定范围的事实查证责任的依据。人民法院应依职权调查收集当事人及其诉讼代理人因客观原因不能自行收集的证据和认为审理案件需要的证据。这一规定既符合人民法院在查清事实的基础上依法公正裁判的宗旨，同时又考虑到当事人举证还受着其他诸多主、客观条件的限制和举证能力有限的现状。人民法院调查收集证据是在当事人全面举证的基础上，为保证案件事实的正确认定及对案件实体作出公正处理而进行的，是对当事人举证的补充。过去，我国实际上采用的是一种"超职权主义"的诉讼模式，人民法院为了案件事实的绝对真实和裁判结果的绝对公正，包揽调查取证。这种片面地理解"以事实为根据，以法律为准绳"的原则思维模式，一方面忽视了民事诉讼的特点，未能充分肯定当事人的诉讼主体地位，影响了当事人参加诉讼的积极性；另一方面也忽视了人们对客观事实的认识在一定条件下具有相对性的特点，不利于案件的公正处理。

人民法院依职权调查收集证据，其范围是受法律限制的。根据最高人民法院《适用民事诉讼法意见》第73条规定，人民法院负责调查收集的证据有：①当事人及其诉讼代理人因客观原因不能自行收集的证据；②人民法院认为需要鉴定、勘验的证据；③当事人提供的证据互相矛盾，无法认定的证据；④人民法院认为应当由自己收集的其他证据。

当事人及其诉讼代理人因客观原因不能自行收集的证据，可以申请人民法院调查收集。根据最高人民法院《关于民事诉讼证据的若干规定》第 17 条规定，当事人及其诉讼代理人可以申请人民法院调查收集以下证据：①属于国家有关部门保存并须人民法院依职权调取的档案材料；②涉及国家秘密、商业秘密、个人隐私的材料；③当事人及其诉讼代理人确因客观原因不能自行收集的其他材料。根据《民事诉讼证据的若干规定》第 15 条规定，人民法院认为应当由自己收集的其他证据包括：①涉及可能有损害国家利益、社会公共利益或者他人合法权益的事实；②涉及依职权追加当事人、中止诉讼、终结诉讼、回避等与实体争议有关的程序事项。也就是说，人民法院认为应当由自己收集的其他证据必须是审理案件需要的证据，即与当事人主张和争议的事实有直接利害关系的、不调查收集就不足以查清案件事实的证据。

第七节　证据的收集与保全

一、民事证据的收集

《民事诉讼法》第 50 条规定："当事人有权委托代理人，提出回避申请，收集、提供证据。"第 61 条规定："代理诉讼的律师和其他诉讼代理人有权调查收集证据，可以查阅本案有关材料。"根据这两条规定，当事人不仅自己有权提供证据和收集证据，还有权委托诉讼代理人调查和收集证据。根据民事诉讼法和最高人民法院《关于民事诉讼证据的若干规定》，人民法院可以依当事人申请和依职权调查、收集证据。由此可见，我国民事诉讼证据收集机制是以当事人收集证据为主、人民法院调查收集证据为辅，两者相互配合，共同完成民事诉讼证据的收集任务。

在民事诉讼中，证据收集机制存在于两个阶段，即诉讼开始前阶段和诉讼开始后阶段。

（一）我国诉讼前的证据收集机制

在诉讼开始前，当事人应当在诉讼时效范围内，尽量收集充分的证据，为诉讼后的胜诉奠定基础。这样也可节省诉讼成本，缩短诉讼周期。当事人在诉前可以采用以下方式收集证据。

1. 当事人自行收集证据

当事人是民事案件主体，也是将来所涉诉讼中的主体，当事人收集证据具有两大优势：一是熟悉情况，可以最为充分地利用与对方的各种关系收集证据，化消极因素为积极因素；二是积极性高，因为证据收集状况直接关系到庭外和解能否成功，同时也关系到将来诉讼能否胜诉。当事人收集证据是一个普遍现象，也是经历时间跨度最大的收集证据的方法。从民事纠纷发生以前，当事人便注意保全证据，发生纠纷后，当事人会采取补救措施收集证据。因此，当事人自行收集证据的机制最值得重视。

2. 申请公证机关进行证据保全

根据我国《公证法》规定，公证机关的法定业务之一便是“保全证据”。这里所说的“保全证据”是指在纠纷发生后对证据的保全，与纠纷发生前的公证证明行为是有区别的。根据《民事诉讼法》第67条规定，人民法院对经过公证证明的法律行为、法律事实和文书，应当确认其效力。但是，有相反证据足以推翻公证证明的除外。该条规定的内容，并不是证据保全，而是对法律事实的证明行为，该证明行为具有特别的证明效力，人民法院一般不得予以推翻，这可以称之为“公证证据”。公证证据具有推定为真的效果。但公证机关所进行的证据保全，则仅是当事人利用公证机关收集证据的方法之一，它所收集的证据，除其形式真实性外，仅是普通证据，不具有特殊的效力。比如双方当事人就遗产发生争议，本案中涉及的关键证人将去国外定居，当事人在起诉前委托公证机关对该证人证言进行保全。该被保全的证言可以在诉讼中作为证据使用，但这并不能使之成为具有推定为真的证据效力，该证言是否符合客观实际情况，还需要人民法院加以判断。在此意义上，该证词与当事人自行收集的证言在效力上并无二样，这可以称为“公证证据保全”。

3. 申请鉴定机关进行鉴定

鉴定结论是民事诉讼中常用的证据形式，它既可以使用在诉讼发生前，也可以使用在诉讼发生后。在诉讼发生前，一般由当事人自己申请有关部门或者个人进行鉴定，有关部门或者个人既可以接受，也可以拒绝此种鉴定的申请。所以，诉前鉴定不受民事诉讼法的调整，但可能会受其他部门法律调整。如某人购买了一台品牌电脑，打开电脑后发现软件不正常，怀疑是盗版软件，因而与销售者交涉更换，销售者否认此为盗版软件。作为消费者，对电脑软件是否为正版并不十分清楚，判断鉴别也较困难，如果贸然起诉，有可能被判败诉。为此，他申请有关技术监督部门对此进行鉴定。有关技术监督部门在鉴定后出具鉴定结论，认定此为盗版软件。有此证据后，消费者向人民法院起诉，人民法院采信了该鉴定结论，消费者获胜诉判决。这种收集证据的方法可称为“诉前鉴定保全证据法”。随着鉴定机构日益社会化、中介化和非垄断化发展，在诉前通过鉴定的方式来提取、收集证据将会越来越普遍、越来越重要。

4. 请求有关国家机关和社会团体介入调查

在民事纠争发生后，可以向有关国家机关或者社会团体请求介入调查处理。有关国家机关和社会团体在处理的过程中，会对双方当事人进行询问，并作出有关笔录；也可能向有关部门和个人调查收集证据。这些证据，在将来的民事诉讼中均可以使用，而且因为其有公信力的保证，其证明力往往较高。例如，在打架斗殴之后，受害人可以向公安机关报案，公安机关在处理该打架斗殴案件过程中，会作出有关笔录，甚至会作出有关处理，这些均可以作为今后民事诉讼中的证据使用。再如在交通事故发生后，请有关交通管理部门进行调查处理，其调查情况和处理意见，也可以作为民事诉讼中的证据使用。

5. 申请人民法院进行诉前证据保全

在我国，虽然民事诉讼法没有规定人民法院的诉前证据保全问题，但其他有关法律和司法解释对诉前证据保全进行了规定。规定诉讼证据保全的法律和司法解释主要有《海事诉讼特别程序法》(第63条)、最高人民法院《关于民事诉讼证据的若干规定》、最高人民法院《关于诉前停止侵犯注册商标专用权行为和保全证据适用法律问题的解释》(2002年1月起施行)、最高人民法院《关于诉前停止侵犯专利权行为适用法律问题的若干规定》(2001年7月1日起施行)、最高人民法院《关于审理著作权民事纠纷案件适用法律若干问题的解释》(2002年10月15日起施行)。我们认为，根据上述有关法律和司法解释的规定，我国实际上已经确立了诉前证据保全的制度，当事人或者利害关系人可以根据上述法律和司法解释的具体规定，申请人民法院进行证据保全。

6. 委托律师调查取证

律师是社会的法律工作者，以向社会提供法律服务为职业。律师不仅具有丰富的法律知识，而且具有丰富的办案经验和熟练的诉讼技巧，能在不同的诉讼阶段为当事人作出适当的选择。一般说来，律师调查取证要比当事人调查取证方便得多，收集证据的范围也更加广泛。这一点不仅在立法上有所体现，在诉讼实践中，律师调查的证据也会受到审判人员的重视。

（二）诉讼中的证据收集机制

当事人在诉前收集证据的方法在诉讼中可以继续使用。但是，与诉前收集证据相比，诉讼中收集证据更具有法律保障和优势，这些法律保障和优势主要体现在两个方面。

1. 当事人可以申请人民法院调查收集证据

在诉讼中，当事人仍然可以行使广泛的证据收集权，但当事人在收集证据的过程中一旦受到阻碍，则可以“客观不能”为由向人民法院申请调查。这是与当事人诉前收集证据的权利不同的一个地方。

2. 利用证据交换达到证据资源共享

最高人民法院《关于民事诉讼证据的若干规定》第37条规定：“经当事人申请，人民法院可以组织当事人在开庭审理前交换证据。”在交换证据中，可以做到证据资源的共享共用，同时弥补己方证据之不足。比如，在某合同纠纷案件中，原告起诉于人民法院，诉称对方违约，在提供证据时找不到双方在商谈时的备忘录，而对方当事人持有该备忘录。在人民法院主持证据交换时，被告有可能因需要利用该备忘录而提交人民法院，这就使原告方通过证据交换获得了他原本所不具有的证据。可见，证据交换具有收集证据的功能。

（三）调查取证中应当注意的问题

为了保证证据的有效性，当事人在收集证据时应注意几个问题。

1. 客观性问题

当事人不管采取哪种方法收集证据，都要以客观性为前提，不能篡改、伪造证据。实务中存在不少这样的案例，本来具有一定证明力的证据因此而出现了不应有的疑点，最终导致败诉。比如有的当事人为了获取更多的损害赔偿金而自伤，有的当事人私自添加合同内容，有的当事人故意剪切视听资料，还有的当事人和证人恶意串通伪造证据。

这样做不仅不能增强证据的证明力，反而因证据上的疑点使证据失去了客观性的基础。

2. 及时性问题

及时性就是要求收集证据一定要讲求时效，早比晚好。如果收集证据不及时，当事人就可能因超过举证时限和违反诉讼时效规定而败诉。

3. 防患性问题

防患就是要注意证据的保全，防止其他因素影响证据的证明效力。比如交易时请见证人见证或者到公证处举行公证，即使是远程交易碍于空间的限制，也可以通过传真公证来确定证据的效力。我们常见的合同登记、备案以及公证等，都是防患性的有效措施。重要的证据，要特别注意保管，一般不能由一人单独保存，以免遗失或者毁坏。

4. 文书证据的重要性

书证以其记载的内容来证明案件事实，易于固定，便于采信，证明效力比较高。一般认为，口头证据或者其他证据不可更改文书证据。比如合同约定价款，不得通过鉴定改变。所以书证是民事诉讼运用最普遍的一种证据，我们在收集证据过程中也应特别重视收集书证。

5. 合法性

合法性就是说证据的调查、收集、审查都必须符合法定的程序，否则都不能作为定案的依据。比如用盗窃的方法取得借据，或者以私拆他人的信件为手段获取证据都是非法证据。非法证据在美国被喻为“毒树之果”，不论这种果实看起来多么诱人，均被推定为有毒而加以排斥。

二、民事证据的保全

（一）民事证据保全的概念

日本诉讼法学者兼子一认为，证据保全程序是指对于那些等到诉讼正式调查期日开展调查时就很有可能无法进行或者难以取得的特定证据，因此，事先就有必要进行证据调查并保存其结果的诉讼程序。我国有学者认为，证据保全即证据的固定和保管，是指用一定的形式将证据固定下来，加以妥善保管，以便司法人员或者律师分析、认定案件事实时使用。证据保全是取证制度的重要环节，是收集证据工作不可分的一部分，发现证据后妥善保管并及时提取、固定，否则一旦被毁坏、灭失就达不到收集证据的目的。[①]还有学者认为，证据保全是在证据可能灭失或者以后难以取得的情况下，执法机关根据当事人的请求或者依照职权主动采取一定措施对证据加以固定的调查取证措施。[②]可以看出，无论哪种定义方式，都有一个条件，就是证据保全的采取必须符合证据可能灭失或者以后难以取得这样一种情形，而参照世界各国或者地区的规定，以及司法实践经验，在经对方当事人同意等情形时，也可以申请证据保全。同时，我们可以看出，上述概念中是将证据保全的主体定义为执法机关，事实上，定义证据保全的主体不能忽视另

① 何家弘. 新编证据法学. 北京. 法律出版社. 2000

② 樊崇义. 证据法学. 北京. 法律出版社. 2001

外一个情况，即公证机关或者其他专业性强的机构的证据保全，在现实生活中，许多诉讼证据保全实际上是由公证机关或者其他专业性强的机构来承担的。因此，我们认为，民事证据保全应该定义为：在证据可能灭失或者以后难以取得或者经对方当事人同意的情况下，人民法院、公证机关或者其他专业性强的机构依利害关系人的申请，或者人民法院依职权采取必要措施对证据加以固定和保护的行为。

(二) 民事证据保全制度的功能

1. 证据的保全功能

申请证据保全可以在诉讼过程中，也可以在诉讼前进行。无论以何种方式进行，其目的都是为了使证据经由公信力的调查和记载，从而避免因情势变更，或者物理上的变化，或者其他意外情况而导致灭失或者以后难以取得的情况发生。也就是说证据保全的传统或者一般功能在于事前防御，为今后是否起诉或者起诉后能否获得证据提供基础。

2. 事实的确定功能

所谓事实的确定，即由先行的证据调查以确立、固定相关事实和证据。也就是说，在人民法院尚未启动证据调查程序之前，当事人可以就事实、证据的现状，以有法律上的利益为前提，请求人民法院以证据保全的名义先行进行证据调查，以确定相关事实。如果在起诉前或者起诉后人民法院开庭审理前，以证据保全名义而确定相关事实，有利于人民法院在开庭审理时集中焦点就法律问题或者其他未明确的事实问题进行审理，以实现法庭审理功能化，提高庭审效率。也可以使当事人之间的争议自然减少甚至消除，更重要的是，双方当事人由此获得了达成调解协议的基础，可以更好地促进案件的解决。

3. 促成纠纷的诉讼外解决功能

促成纠纷的诉讼外解决功能可以说是证据开示功能和事实确定功能的必然结果。如果当事人经过证据保全程序并对纠纷的事实有所了解和掌握后，即可据此判断是否提起诉讼，或者在起诉时减少对相关事实争议。这也就是使当事人之间的争议减少到最小甚至消除，对于实现诉讼外解决案件起到不可估量的作用。

(三) 我国民事证据保全制度的现状

1. 现行《民事诉讼法》及司法解释的相关规定

现行《民事诉讼法》第 74 条规定：“在证据可能灭失或者以后难以取得的情况下，诉讼参加人可以向人民法院申请保全证据，人民法院也可以主动采取保全措施。”该条规定了证据保全的条件、启动的主体及方式，从条文本身来看，此处的证据保全规定为诉讼中的证据保全。

最高人民法院《关于民事诉讼证据的若干规定》第 23 条规定：“当事人依据《民事诉讼法》第 74 条的规定向人民法院申请保全证据，不得迟于举证期限届满前 7 日。当事人申请保全证据的，人民法院可以要求其提供相应的担保。法律、司法解释规定诉前保全证据的，依照其规定办理。”第 24 条规定：“人民法院进行证据保全，可以根据具体情况采取查封、扣押、拍照、录音、录像、复制、鉴定、勘验、制作笔录等方法。人民法院进行证据保全，可以要求当事人或者诉讼代理人到场。”这两条规定了申请证据保全的期限、担保、方法等，同时以司法解释的形式正式承认了诉前证据保全的存在。

2.《海事诉讼特别程序法》中证据保全的规定

《中华人民共和国海事诉讼特别程序法》第5章就证据保全制度作了专门详细的规定，该法第63条、第64条规定了证据保全的管辖；第65条至第67条规定了申请的要件；第68条规定了人民法院的裁判及对当事人的救济；第69条对裁定不服作出了规定；第70条对被请求人和利害关系人对于申请人申请错误而造成的损失有获得赔偿的权利作出了规定。从上述详细的法条规定可以看出，海事证据保全制度对民事证据保全制度的细化和完善，实现了在诉讼程序上对《民事诉讼法》的继承和超越。作为最为详尽的证据保全规则，海事证据保全程序对普通民事证据保全程序有着不可忽视的借鉴意义，极大地丰富了证据保全制度的内容，对民事诉讼中的证据保全制度也必将产生重大影响。

3. 知识产权立法及相关司法解释中证据保全的规定

2001年修订的《商标法》第58条规定："为制止侵权行为，在证据可能灭失或者以后难以取得的情况下，商标注册人或者利害关系人可以在起诉前向人民法院申请保全证据。人民法院接受申请后，必须在48小时内作出裁定；裁定采取保全措施的，应当立即开始执行。人民法院可以责令申请人提供担保，申请人不提供担保的，驳回申请。申请人在人民法院采取保全措施后15日内不起诉的，人民法院应当解除保全措施。"该条分别对证据保全程序的启动、人民法院的裁判、担保以及不起诉的处理等作出了规定。

（四）我国民事证据保全制度存在的缺陷

1. 诉前证据保全中的缺陷

我国目前没有制定出一部统一的证据法典，现行《民事诉讼法》也只是对诉讼证据保全制度作了粗略的规定，而对诉前证据保全制度，立法却很少涉及。然而，司法实务界早就开始了诉前证据保全的探索。对在立法上尚未明确规定而在实践中已遇到的问题进行了大胆尝试。我国司法实践中适用诉前证据保全的情形并不罕见。如厦门海事人民法院于1992年12月2日受理的厦门特区锦江贸易公司诉前申请对天津远洋运输公司倒签提单予以证据保全案；广州海事人民法院于1993年8月9日受理的重庆对外贸易进出口公司对被申请人土耳其舍瑞荷古里拉公司所属"娅菲丝"轮实施诉前证据保全案；海南省海口市中级人民法院于2001年4月23日受理的原告光明日报社记者杨连成诉海南国际旅游网络有限公司和海南中款银通网络有限公司网络侵犯著作权案，正是由于原告在诉前于4月16日对被告经营的两网站侵权的证据及时申请海南省公证处进行了诉前保全，才致使被告在诉讼中主动与原告调解，达成了调解协议。这些都是成功进行诉前证据保全的实例，然而更多的情形则是由于立法的缺失而使诉前证据保全工作举步维艰。

我国在立法上首次规定诉前证据保全制度是1999年颁布的《中华人民共和国海事诉讼特别程序法》，该法第63条规定："当事人在起诉前申请海事证据保全，应当向被保全的证据所在地海事人民法院提出。"2001年修订的《著作权法》和《商标法》再次对诉前证据保全制度予以确认。2002年4月1日起施行的《关于民事诉讼证据的若干规定》中以司法解释的形式规定："法律、司法解释规定诉前保全证据的，依照其规定办理。"

2. 申请证据保全的条件方面的缺陷

《民事诉讼法》第 74 条规定申请证据保全的条件为证据可能灭失或者以后难以取得的情形。像德国、我国台湾地区在申请要件方面，除了要求"在证据可能灭失或者以后难以取得"这一条件外，还规定在取得对方当事人同意时，或者必须确定案件的现状并且申请人确定有法律上的利害关系时也可申请证据保全。

就证据保全的申请条件而言，我国规定得比较单一，申请的条件也比较狭窄。随着社会的发展，经济的高速增长，新鲜事物的不断出现对我国立法提出了新的挑战。因此应当针对不同情形，适时地扩大我国申请证据保全的条件范围，提高当事人对证据保全的适用能力，保证诉讼程序的公正，以维护当事人的合法权益。

3. 证据保全主体方面的缺陷

根据我国《民事诉讼法》第 74 条的规定，证据保全由人民法院进行，即证据保全的主体是人民法院，可见我国《民事诉讼法》只规定了一个证据保全的主体即人民法院。在司法实践中，人民法院作为唯一的证据保全的主体，不仅增加了人民法院的负担，而且减少了当事人选择证据保全主体的范围，对于保障当事人权利的行使和实现是不利的。在现实生活中，我国的公证机关或者其他专业性强的机构承担了大量的诉前证据保全的功能。由于具有政府职能的行政机关（包括公安、工商、卫生、质检、渔政、海事、计量等部门）依据其自身的行政职权在采取保全措施时更具有较强的可操作性，在现实生活中，这些机构事实上也采取过大量的证据保全措施，同样对案件的处理起到了重要的作用。因而，《民事诉讼法》仅规定人民法院作为证据保全的主体是狭隘的，对于证据保全的实际操作是大为不利的。

案例分析

【案情】

在陈文涛诉李先楚借款纠纷一案中，有以下几个证据：①陈文涛出具的由李先楚签名的借条一张。该借条内容为：今借陈文涛人民币 3 000 元整，一个月内返还。1999 年 3 月 20 日。②李先楚的同事乔生明的证言。乔生明证明，他在 1999 年 3 月 21 日听李先楚说，李先楚向陈文涛借了 3 000 元钱，准备到外地去旅游时用。③李先楚向受诉人民法院所作的陈述。李先楚说："我在 1999 年 3 月 20 日向陈文涛借了 3 000 元钱，但我在 5 月份就还给他了，当时我向他要借条，他说借条丢了。他给我写了一张收条，但收条我现在找不着了。"④李先楚的朋友张明向受诉人民法院提出的证言：李先楚在 1999 年 3 月底与张明到五台山旅游时向张明说，这次出来玩的钱是向别人借的。

【问题】

在上述证据中，哪些是证明李先楚向陈文涛借了 3 000 元钱的直接证据和间接证据？并说明理由。

【解析】

直接证据有：①、②、③；间接证据有：④。根据证据与待证事实之间联系的不同，证据可分为直接证据和间接证据。直接证据是指与案件中的待证事实具有直接联系，能够单独证明某件事实；间接证据是指与待证的案件事实之间具有间接联系，不能单独证明案件事实，因而需要与其他证据结合起来才能证明案件事实的证据。证据①、②、③均能直接证明陈文涛借给李先楚 3 000 元人民币这一主要事实，所以是直接证据；而证据④不能单独证明李先楚的旅游费用是向陈文涛借的这一案件主要事实。

第八章　期间、送达和诉讼费用

为了及时维护当事人的民事权益，保证民事诉讼程序的有序进行，实现民事诉讼的公平和高效的价值目标，民事诉讼法专门设置了期间、送达和诉讼费用等诉讼保障制度。本章分节阐述了人民法院、当事人和其他诉讼参与人进行或者完成诉讼行为的期间、人民法院送达诉讼法律文书的各种方式以及民事诉讼费用制度。期间分为法定期间和指定期间。人民法院、当事人和其他诉讼参与人必须在规定的期间内完成应当完成的诉讼行为，否则该诉讼行为不能产生相应的法律效力。送达规定了人民法院向当事人和其他诉讼参与人送交诉讼文书的法定程序和方式，民事诉讼法规定了六种送达方式，依法送达的诉讼文书将产生程序和实体上的法律后果。诉讼费用制度规定了诉讼费用的交纳范围、交纳标准、交纳和退还、管理和监督、诉讼费用的负担、司法救助等制度，具备条件的当事人可以申请缓交、减交、免交诉讼费用，司法救助制度为弱势群体裁判请求权的实现提供了程序保障。

第一节　期间

一、期间与期日的概念及意义

期间是指人民法院、当事人和其他诉讼参与人进行或者完成某项诉讼行为的时限。期间有广义和狭义之分，狭义的期间仅指期限；广义的期间包括期限和期日。期限是指人民法院、当事人和其他诉讼参与人单独进行或者完成某项诉讼行为的一段时限。期日是指人民法院、当事人和其他诉讼参与人会合进行某种诉讼活动的特定时日。如人民法院调查证据期日、证据交换期日、开庭审理期日、宣判期日等。期日必须由人民法院根据个案诉讼活动的进程依职权予以确定，因而我国民事诉讼法未对期日作出具体规定。

期间和期日既有联系又有区别，两者的主要区别是：①期间是有始期和终期的一段时间；期日则是特定的某一日。②期间是指人民法院、当事人或者其他诉讼参与人单独进行或者完成某项诉讼行为的时间段；期日则是他们会合在一起进行诉讼活动的特定时日。③期间有适用于所有同类案件的法定期间，也有人民法院根据案件具体情况而确定的指定期间；期日都是人民法院根据案件具体情况指定的，人民法院在指定期日时，不仅要确定具体的日期，而且要确定具体的时刻。④期间有可变期间和不变期间之分；期日则可由人民法院根据诉讼中发生的特殊情况而变更。⑤期间开始后，人民法院、当事人或者其他诉讼参与人不必立即实施或者完成某种诉讼行为，只要在规定的期间内完成诉讼行为，均会产生诉讼法上的预期效果；期日所确定的日期和时刻一旦到来，上述主体就必须会合到一起立即实施或者完成某项诉讼行为。

诉讼期间制度的确立意味着人民法院、当事人和其他诉讼参与人进行诉讼活动必须遵守期间所规定的时间，否则其诉讼行为不产生诉讼上的法律效果。期间在民事诉讼中具有十分重要的意义，它有助于保护当事人和其他诉讼参与人的合法权益，有利于人民法院及时解决民事案件，提高诉讼效率，保证诉讼程序的顺畅进行和诉讼公正的实现。

二、期间的种类

根据我国《民事诉讼法》第75条规定，民事诉讼中的期间包括法定期间和指定期间。

（一）法定期间

法定期间是指法律明确规定的期间，包括民事诉讼法规定的期间和最高人民法院有关民事诉讼程序问题的司法解释中规定的期间。法定期间原则上都是不变期间，如立案期间、提出答辩状期间、管辖权异议期间、上诉期间、申请执行期间等。作为法律明确规定的例外情形，法定期间也有少数属于可变期间。例如，《民事诉讼法》第135条规定："人民法院适用普通程序审理的案件，应当在立案之日起6个月内审结。有特殊情况需要延长的，由本院院长批准，可以延长6个月；还需要延长的，报请上级人民法院批准。"

法定期间通常基于某种民事诉讼法律事实的发生而开始，如上诉期间是在第一审判决、裁定送达后才开始计算。当事人和其他诉讼参与人只有在法律规定的期间内进行或完成诉讼行为，该行为才能产生诉讼上预期的法律效力。如根据《民事诉讼法》第147条规定，当事人对地方各级人民法院第一审判决不服的，可以在判决书送达之日起15日内提起上诉。当事人只有在法律规定的上诉期间内上诉，才能引起第二审程序发生的诉讼效果。否则，其上诉行为不能引起第二审程序发生的法律效果。

（二）指定期间

指定期间是指人民法院根据审理案件的具体情况，依职权指定当事人及其他诉讼参与人完成或实施某种诉讼行为的期间。指定期间是为了满足案件审理和执行的需要由人民法院灵活确定的，指定期限的长短及延展，既要考虑诉讼效率，又要为当事人及其他诉讼参与人完成诉讼行为提供充分的程序保障，否则将会损害当事人及其他诉讼参与人的合法权益，如人民法院为当事人指定举证期限及延长举证期限，就要给予当事人合理的期限，以保证其完成举证工作，如果给予的期限不足以完成举证工作，就会使当事人处于不利的诉讼局面，损害当事人的合法利益。

指定期间是可变期间，是法定期间的必要补充，但这并不意味着人民法院可以随意变更已经确定的期间。人民法院的职权行为应当具有严肃性和权威性，为避免诉讼迟延、保证诉讼的顺利进行，指定期间应明确、具体，一旦确定就不宜随意变更。

三、期间的计算

期间计算的是否正确，直接关系到人民法院和当事人及诉讼参与人进行或者完成诉讼行为的效力。在诉讼实践中，人民法院应严格遵循《民事诉讼法》第 75 条对诉讼期间计算方法的规定。

（一）期间以时、日、月、年为计算单位，期间开始的时和日不计算在期间内

期间以时、日、月、年为计算单位，期间开始的时和日不计算在期间内。期间以小时为计算单位的，应从下一个小时起算。如《民事诉讼法》第 93 条第 2 款规定，人民法院对符合诉前财产保全条件的利害关系人的诉前财产保全申请，必须在 48 小时内作出裁定。对这 48 小时的计算，应从人民法院接受利害关系人申请后的下一个小时开始计算。期间以日为计算单位的，应当从次日起算。如《民事诉讼法》第 147 条第 1 款规定："当事人不服地方人民法院第一审判决的，有权在判决书送达之日起 15 日内向上一级人民法院提起上诉。"对 15 日上诉期间的计算，应当从判决书送达的次日开始计算。这里需要说明的是，《民事诉讼法》第 147 条第 1 款所表述的"之日起"的计算方法与总则中第 75 条所表述的"期间开始的时和日，不计算在期间内"的上位规定是相违背的，导致司法实践中当事人上诉权的行使期限普遍"缩水"为 14 日。《民事诉讼法》和有关司法解释中还有一些期间的计算是从"之日起"而非"次日起"的规定，这些失当的规定应在今后《民事诉讼法》的修订中予以修正。

期间以月和年为计算单位的，不分大、小月与平、闰年。以月计算的，期间届满的日期应当是期间届满月对应的期间开始月份的那一天；期间届满月没有对应日期的，则以届满月的最后一日为期间届满日。例如，一个适用特别程序审理的宣告失踪案件，根据《民事诉讼法》第 168 条规定，人民法院应当发出期间为 3 个月的寻找下落不明人的公告，如果公告之日是 11 月 29 日，公告期间应从 11 月 30 日开始计算，公告期间的届满日应当是第 2 年的 2 月 30 日，但因 2 月没有第 30 日，则应以 2 月的最后一日 28 日或者 29 日为期间的届满日。期间以年为计算单位的，期间届满的日期应当是期间届满年的某月对应的期间开始年的某月份的那一天。

（二）期间届满的最后一日是节假日的，以节假日后的第一日为期间届满的日期

节假日是国家统一规定的适用所有人的休息日，包括星期六、星期日、元旦、春节、"五一"劳动节、国庆节等，不包括专为某一类人规定的节假日。需要明确的是，如果节假日在期间的开始日及中间日则不予扣除，如果期间届满的最后一日是节假日的，以节假日的第一日为期间届满的日期。

（三）期间不包括在途时间，诉讼文书在期满前交邮的，不算过期

在途时间是指人民法院或者当事人通过邮寄送达或者递交诉讼文书时，诉讼文书在邮寄途中所用去的时间。确定诉讼文书是否在期间届满前交邮，应当以邮局的邮戳为准。如当事人在上诉期间的最后 1 日将上诉状通过邮局寄出，不论人民法院何时收到上诉状，都不影响当事人上诉行为的效力。

四、期间的耽误及补救

期间的耽误是指当事人及其诉讼代理人在法定或者指定期间内，没有实施或者完成某项诉讼行为。

期间耽误的法律后果因耽误的原因不同而有所区别。如果当事人及其诉讼代理人因主观上的故意或者过失导致了期间的耽误，直接后果就是当事人丧失了再进行该项诉讼行为的权利。如果当事人及其诉讼代理人由于不可抗拒的事由或者其他正当事由致使期间耽误，允许顺延期间。根据《民事诉讼法》第 76 条规定，当事人因不可抗拒的事由或者其他正当理由耽误期限的，在障碍消除后的 10 日内，可以申请顺延期限，是否准许，由人民法院决定。

根据《民事诉讼法》第 76 条规定，当事人申请顺延期限，必须符合下列条件：

（1）申请的主体为当事人。提出顺延期限申请的只能是当事人，其他诉讼参与人无权提出申请。

（2）当事人申请的理由必须是不可抗拒的事由或者其他正当理由。不可抗拒的事由是指当事人无法预见、不能避免和克服的各种情况。如洪水、地震等重大自然灾害的发生，致使当事人无法实施或者完成应为的诉讼行为。其他正当理由是指不可抗拒的事由以外，不可归责于当事人的导致期间耽误的各种客观情况。

（3）当事人应在障碍消除后的 10 日内申请顺延期限。当事人应在障碍消除后的 10 日内申请顺延期限，如果在这一期限内不提出申请，当事人就不能再申请顺延期限，期间耽误的不利法律后果由自己承担。顺延期限是补足耽误了的期限，而不是重新开始计算期限。如果障碍消除后，当事人能够在剩余期限内完成诉讼行为的，则不能构成期限的耽误，当然也就不会产生顺延期限的问题。如果当事人能够在剩余期限内完成诉讼行为而怠于实施，向人民法院申请顺延期限，人民法院可以不予批准。

第二节　送达

一、送达的概念和意义

（一）送达的概念

民事诉讼中的送达是指人民法院依照法定的程序和方式，将诉讼文书送交当事人和其他诉讼参与人的行为。送达是人民法院单方实施的重要诉讼行为，具有一些特征。

1. 送达的主体是人民法院

送达是人民法院单方向当事人和其他诉讼参与人实施的诉讼行为，送达的主体必须是人民法院。人民法院之间、当事人及其他诉讼参与人相互之间递交诉讼文书的行为不能称为送达。

2. 送达的对象是当事人或者其他诉讼参与人

受送达人必须是当事人或其他诉讼参与人，当事人及其他诉讼参与人向人民法院递交诉讼文书的行为以及人民法院向其他单位或者个人发送材料的行为均不是送达，不能适用民事诉讼法和司法解释中有关送达的规定。

3. 送达的内容是各种诉讼文书

人民法院送达的诉讼文书主要包括案件受理通知书、应诉通知书、举证通知书、起诉状副本、答辩状副本、开庭通知书、传票、裁定书、决定书、调解书、判决书、支付令等。

4. 送达必须按照法律规定的程序和方式进行

《民事诉讼法》和《适用民事诉讼法意见》对送达的程序和方式作了较为具体的规定，人民法院实施送达行为必须按照这些规定进行，否则，其送达行为不产生法律效力。

（二）送达的意义

送达是民事诉讼中的一项重要制度，也是人民法院的职权和义务，依法送达诉讼文书具有重要意义，主要表现为：①依法送达诉讼文书，可以使当事人与其他诉讼参与人及时了解诉讼文书的内容，以便他们在规定的期间内行使诉讼权利，履行诉讼义务。送达直接关系到当事人与其他诉讼参与人的合法权益，从这一意义上讲，送达也可以被当作是法律为当事人与其他诉讼参与人维护自己的合法权益所提供的程序保障。②依法送达诉讼文书保证了诉讼程序的合法性和诉讼行为的有效性，使人民法院进一步推进诉讼进程的行为具有程序上的正当性。③依法送达诉讼文书能产生诉讼上的法律效力，保证诉讼顺利进行。受送达人无正当理由未在规定的期间内进行或完成某项诉讼行为，或者丧失进行该项诉讼行为的权利，或者要承担法律规定的后果。

二、送达的方式

根据民事诉讼法和有关司法解释的规定，人民法院送达诉讼文书的方式有六种。民事诉讼中的送达应当以直接送达为主，其他送达方式为补充。

（一）直接送达

直接送达是指人民法院执行送达任务的人员，直接将诉讼文书送交受送达人签收的送达方式。执行送达任务的人员一般是人民法院的司法警察或者是书记员。诉讼文书的送达，一般要求直接送达，凡是能够直接送达的，都应当采取直接送达的方式。根据

《民事诉讼法》第78条规定，以下情形均属于直接送达：

（1）受送达人是公民的，应当直接送交受送达人本人签收；本人不在时，则交给与他同住的成年家属签收。

（2）受送达人是法人或者其他组织的，应当由法人的法定代表人、其他组织的主要负责人或者该法人、组织负责收件的人签收。

（3）受送达人有诉讼代理人的，可以送交其诉讼代理人签收。

（4）受送达人已向人民法院指定代收人的，送交代收人签收。

受送达人以及受送达人的同住成年家属，法人或者其他组织的负责收件的人，诉讼代理人或者代收人在送达回证上签收的日期为送达日期。

（二）留置送达

留置送达是指受送达人或者与其同住的成年家属、指定收件人拒绝签收送达的诉讼文书时，送达人依法将诉讼文书留置在受送达人住所的送达方式。留置送达是针对诉讼实践中受送达人或者与其同住成年家属指定收件人拒绝签收诉讼文书时所规定的一种强制性送达方式，留置送达与直接送达具有同等的法律效力。

留置送达适用于三种情形：①受送达人或者与他同住的成年家属拒绝接收诉讼文书的；②向法人或者其他组织送达诉讼文书，法人的法定代表人、该组织的主要负责人或者办公室、收发室、值班室等负责收件的人拒绝签收或者盖章的；③受送达人指定诉讼代理人为代收人，送达时，该指定诉讼代理人拒绝签收的。

调解书应当直接送达当事人本人，不适用留置送达。当事人本人因故不能签收的，可由其指定的代收人签收。

留置送达的强制性决定了人民法院适用留置送达时必须遵守法律规定的特定程序，否则，不能产生送达的法律效力。受送达人或者与他同住的成年家属拒绝接收诉讼文书的，送达人应当邀请有关基层组织或者所在单位的代表到场，说明情况，在送达回证上记明拒收事由和日期，由送达人、见证人签名或者盖章，把诉讼文书留在受送达人的住所，即视为送达。受送达人拒绝接受诉讼文书，有关基层组织或者所在单位的代表及其他见证人不愿在送达回证上签字或盖章的，由送达人在送达回证上记明情况，把送达文书留在受送达人住所，即视为送达。

（三）委托送达

委托送达是指受诉人民法院直接送达诉讼文书有困难时，委托受送达人所在地人民法院代为送达的送达方式。委托送达的前提条件是受诉人民法院直接送达诉讼文书有困难，如受送达人不在受诉人民法院辖区内，路途遥远，只有发函委托受送达人所在地人民法院代为送达。委托送达的委托人必须是受诉人民法院，接受委托的受托人也必须是受送达人所在地人民法院。

受诉人民法院委托其他人民法院代为送达的，应当出具委托函，并附需要送达的诉讼文书和送达回证，受送达人在送达回证上签收的日期为送达日期。受委托人民法院接受委托后应采取直接送达或者留置送达的方式将诉讼文书送达受送达人，不能采用其他方式送达诉讼文书。

（四）邮寄送达

邮寄送达是指在直接送达有困难时，人民法院通过邮局将诉讼文书挂号寄交受送达人的送达方式。邮寄送达与委托送达均是受诉人民法院直接送达诉讼文书有困难时才适用的一种送达方式。诉讼实践中，直接送达有困难时，人民法院一般选择邮寄送达。

最高人民法院《关于以法院专递方式邮寄送达民事诉讼文书的若干规定》（2005 年 1 月 1 日起施行，以下简称《法院专递规定》）对如何确定送达地址作出了明确规定，当事人起诉或者答辩时应当向人民法院提供或者确认自己准确的送达地址，并填写送达地址确认书。当事人拒绝提供的，人民法院应当告知其拒不提供送达地址的不利后果，并记入笔录。送达地址确认书的内容应当包括送达地址的邮政编码、详细地址以及受送达人的联系电话等内容。当事人要求对送达地址确认书中的内容保密的，人民法院应当为其保密。当事人在第一审、第二审和执行终结前变更送达地址的，应当及时以书面方式告知人民法院。当事人拒绝提供自己的送达地址，经人民法院告知后仍不提供的，自然人以其户籍登记中的住所地或者经常居住地为送达地址；法人或者其他组织以工商行政管理部门登记或者其他依法登记、备案中的住所地为送达地址。

邮寄送达的，以回执上注明的收件日期为送达日期。因受送达人自己提供或者确认的送达地址不准确、拒不提供送达地址、送达地址变更未及时告知人民法院、受送达人本人或者受送达人指定的代收人拒绝签收，导致诉讼文书未能被受送达人实际接收的，文书退回之日视为送达之日。但受送达人能够证明自己在诉讼文书送达的过程中没有过错的，不适用该规定。

人民法院在采用邮寄送达时，应当附有送达回证。挂号信回执上注明的收件日期与送达回证上注明的收件日期不一致的，或者送达回证没有寄回的，以挂号信回执上注明的收件日期为送达日期。

根据《法院专递规定》第 9 条的规定，有下列情形之一的，即视为送达：①受送达人在邮件回执上签名、盖章或者按印的；②受送达人是无民事行为能力或者限制民事行为能力的自然人，其法定代理人签收的；③受送达人是法人或者其他组织，其法人的法定代表人、该组织的主要负责人或者办公室、收发室、值班室的工作人员签收的；④受送达人的诉讼代理人签收的；⑤受送达人指定的代收人签收的；⑥与受送达人同住的成年家属签收的。

（五）转交送达

转交送达是指人民法院将诉讼文书交受送达人所在部队或者有关单位代收后转交给受送达人的送达方式。转交送达是在不宜或者不便直接送达的情况下所适用的一种送达方式。转交送达是在受送达人身份特殊的情况下适用，包括三种情形：①受送达人是军人的，通过其所在部队团以上单位的政治机关转交；②受送达人被监禁的，通过其所在监所或者劳动改造单位转交；③受送达人被劳动教养的，通过其所在劳动教养单位转交。

代为转交的机关、单位收到诉讼文书后，必须立即交受送达人签收，受送达人在送达回证上的签收日期为送达日期。

（六）公告送达

公告送达是指在受送达人下落不明或者用其他方法无法送达的情况下，人民法院发出公告，将需要送达的诉讼文书的内容告知受送达人的送达方式。公告发出后经过法定的公告期限，无论受送达人是否知悉公告内容，即视为送达。

人民法院采用公告送达，必须是在受送达人下落不明或者用其他方式无法送达时适用。公告送达可以在人民法院的公告栏、受送达人原住所地张贴公告，也可以在报纸上刊登公告；对公告送达方式有特殊要求的，应按要求的方式进行公告。公告送达必须在公告期满后才能发生送达效力，即自发出公告之日起，经过 60 日，即视为送达。公告送达后，人民法院应当在案卷中记明公告送达原因和经过。

三、送达回证和送达的效力

（一）送达回证

送达回证是人民法院按照法定格式制作的用以证明人民法院所送达的诉讼文书已经被受送达人收到的一种书面凭证。送达回证的内容包括：实施送达的人民法院，受送达人的姓名（名称）、职务、住所地或者经常居住地，应当送达文书的名称和案件编号，送达方式，送达人、受送达人或者见证人签名或盖章、签收日期等。

送达诉讼文书必须有送达回证，由受送达人在送达回证上记明收到日期，并签名或者盖章。受送达人在送达回证上的签收日期为送达日期。除公告送达没有送达回证外，人民法院向当事人和其他诉讼参与人送达诉讼文书时，不论采取何种送达方式，都应当有送达回证，送达回证必须带回人民法院或者寄回人民法院附卷备查。

（二）送达的效力

送达的效力是指诉讼文书送达受送达人后所产生的法律后果。诉讼文书的内容不同，产生的法律后果也有所区别。有的诉讼文书送达后仅产生程序法上的效力，如诉讼中止的裁定书；有的诉讼文书送达后既产生程序法上的效力，又产生实体法上的效力，如判决书、调解书。总体而言，送达的效力主要表现在两个方面：

（1）程序上的效力。程序上的效力是指诉讼文书送达后所产生的民事诉讼程序上的法律后果。①诉讼文书送达后引起某些诉讼法律关系的发生或者消灭，受送达人具有诉讼法律关系上的权利和义务。例如，人民法院将起诉状副本和应诉通知书送达给被告后，人民法院与被告之间就产生了民事诉讼法律关系，被告应当应诉并有权提出答辩状。②诉讼文书送达后，以当事人和其他诉讼参与人实施或者完成诉讼行为的期间的起始日期开始计算。例如，起诉状副本的送达，导致被告答辩期间和管辖权异议期间的计算开始。③诉讼文书送达后，受送达人不实施诉讼文书要求的诉讼行为，他将承担程序法上的法律后果。如原告经传票传唤无正当理由拒不到庭，即可按撤诉处理，被告反诉的，人民法院可以缺席判决。

（2）实体上的效力。实体上的效力是指诉讼文书送达后所产生的实体上的法律后果。送达是有的法律文书发生法律效力的前提条件，例如，双方当事人对依法送达的第一审判决书在法定上诉期间内不上诉，判决书即发生法律效力。有的法律文书一经送达就发生法律效力，负有义务的一方当事人应当履行义务。例如，具有给付内容的第二审判决书送达后，债务人不在判决书确定的期限内履行义务，债权人可以申请人民法院强制执行。

第三节　诉讼费用

一、诉讼费用的概念和意义

（一）诉讼费用的概念

诉讼费用是指当事人在人民法院进行民事诉讼及相关活动，依法应当向人民法院交纳和支付的费用。《民事诉讼法》第107条规定，当事人进行民事诉讼，应当按照规定交纳案件受理费，财产案件除交纳案件受理费外，并按照规定支付其他诉讼费用。

2006年12月8日国务院第159次常务会议通过了《诉讼费用交纳办法》，自2007年4月1日起施行。《诉讼费用交纳办法》确定了不得违反规定的范围和标准向当事人收取费用，对交纳诉讼费用确有困难的当事人提供司法救助，外国人在人民法院进行诉讼适用国民待遇原则和对等原则等，并在降低诉讼费用标准方面作了6个方面的规定：①将财产案件收费比例的起点由原来的4%下调为2.5%；②取消其他诉讼费用和执行实际支出费用的收取，实行先执行，后收费；③将离婚案件涉及财产分割不另行收费的最高限额由财产总额不超过1万元调整为不超过20万元；④行政案件不论是否涉及财产一律按件收取案件受理费；⑤当事人申请撤诉、调解结案或者适用简易程序的案件，减半交纳案件受理费；⑥对财产案件提起上诉的，按照不服第一审判决部分的上诉请求数额交纳案件受理费。《诉讼费用交纳办法》逐一细化了诉讼费用的交纳标准并多方面降低了诉讼费用，扩大了司法救助的范围，为普通民众顺利进行诉讼，维护自己的合法权益，提供了诉讼制度上的保障。

（二）诉讼费用制度的意义

《民事诉讼法》和《诉讼费用交纳办法》规定的诉讼费用制度是人民法院行使审判权的一项保障制度，具有四个方面的重要意义。

1. 减少国家财政开支和减轻纳税人的负担

民事案件绝大部分是特定公民、法人和其他组织之间的民事权益之争，与其他社会成员并没有直接的利害关系。人民法院为解决这些纠纷，必然要付出一定的人力、物力和财力。人民法院之所以向当事人收取案件受理费，主要是基于“受益者分担”的原理。即当事人除了作为纳税人承担支撑审判制度的一般责任外，还因为具体利用了审判制度获得国家提供的纠纷解决这一服务，故必须进一步负担支撑审判的部分费用。[①]当事人为了自身的利益而利用审判制度，如果由全体纳税人来承担少数人进行诉讼的费用开支，显然是不合理的。因此，依法向当事人收取合理的诉讼费用，既可以减少国家财政开支，也可以减轻纳税人的负担。

2. 防止和减少当事人滥用诉权，减轻人民法院的工作负担

司法实践中，常常有少数当事人为了一些琐事而诉诸人民法院，甚至滥用诉权，无理缠诉，导致司法资源的无端耗费。诉讼费用制度的确立，可促使纠纷中的当事人慎重考虑诉讼的必要性和诉讼成本，尽可能选择诉讼外自行和解、民间调解等方式解决纠纷。诉讼费用制度促使民事纠纷当事人依法慎重行事诉权，客观上也减轻了人民法院的工作负担。

3. 促使当事人遵守法律，自觉履行义务

诉讼费用负担的基本原则是由败诉方承担，败诉方通常就是违反法律或者约定、不履行义务、给对方当事人的合法权益造成了一定损害的当事人。法律规定由败诉方承担诉讼费用，实质上是对违法行为和违约行为的一种间接制裁。同时，也可以促使民事主体遵守法律，自觉履行自己应承担的民事义务。

4. 维护国家主权和经济利益

随着我国改革开放的不断推进，国际交往日益频繁和广泛，诉诸人民法院的涉外案件也不断增多。在当今世界大多数国家和地区的法院普遍收取诉讼费用的情况下，如果我国人民法院不收取诉讼费用，必然会有损国家主权，使国家蒙受经济损失，也不符合对等原则和同等原则。

二、诉讼费用的交纳范围

根据《诉讼费用交纳办法》规定，当事人进行民事诉讼需要向人民法院交纳的诉讼费用包括三类。

（一）案件受理费

案件受理费是指当事人为进行民事诉讼依法向人民法院交纳的、具有国家规费性质的诉讼费用。除《诉讼费用交纳办法》明确规定不交纳案件受理费的案件外，其他民事案件当事人都要交纳案件受理费。案件受理费包括：第一审案件受理费，第二审案件受理费与申请再审需要交纳的案件受理费。

当事人无需交纳案件受理费的案件包括：①依照民事诉讼法规定的特别程序审理的案件；②裁定不予受理、驳回起诉、驳回上诉的案件；③对不予受理、驳回起诉和管辖权异议裁定不服而提起上诉的案件；④适用审判监督程序审理的案件无需交纳案件受理费，但下列情形除外：当事人有新的证据，足以推翻原判决或裁定，向人民法院申请再

① 江伟. 民事诉讼法专论. 北京：中国人民大学出版社，2005. 329

审，人民法院经审查决定再审的案件；当事人对人民法院第一审判决或者裁定未提出上诉，第一审判决、裁定或者调解书发生法律效力后又申请再审，人民法院经审查决定再审的案件。

（二）申请费

申请费是指当事人申请人民法院为特定的程序行为或者启动相关程序依法应当向人民法院交纳的、具有国家规费性质的诉讼费用。

当事人依法向人民法院申请下列事项应当交纳申请费：①申请执行人民法院发生法律效力的判决、裁定、调解书，仲裁机构依法作出的裁决和调解书，公证机构依法赋予强制执行效力的债权文书；②申请保全措施；③申请支付令；④申请公示催告；⑤申请撤销仲裁裁决或者认定仲裁协议效力；⑥申请破产；⑦申请海事强制令、共同海损理算、设立海事赔偿责任限制基金、海事债权登记、船舶优先权催告；⑧申请承认和执行外国法院判决、裁定和国外仲裁机构裁决。

（三）证人、鉴定人、翻译人员、理算人员出庭发生的费用

证人、鉴定人、翻译人员、理算人员在人民法院指定日期出庭发生的交通费、住宿费、生活费和误工补贴，由人民法院按照国家规定标准向当事人收取，然后分别转交给证人、鉴定人、翻译人员、理算人员。

除上述三类诉讼费用外，当事人复制案件卷宗材料和法律文书，应当按实际成本向人民法院交纳工本费。在诉讼过程中，因鉴定、公告、勘验、翻译、评估、拍卖、变卖、仓储、保管、运输、船舶监管等发生的依法应当由当事人负担的费用，人民法院根据谁主张谁负担的原则，决定由当事人直接支付给有关机构或者单位，人民法院不得代收代付。人民法院依照《民事诉讼法》第 11 条第 3 款规定提供当地民族通用语言、文字翻译的，不收取费用。

三、诉讼费用的交纳标准

（一）案件受理费的交纳标准

根据案件的类别，《诉讼费用交纳办法》规定了各种案件受理费的交纳标准和减半收取案件受理费的情形。

1. 财产案件受理费的交纳标准

财产案件根据诉讼请求的金额或者价额，按照下列比例分段累计交纳：①不超过 1 万元的，每件交纳 50 元；②超过 1 万元至 10 万元的部分，按照 2.5%交纳；③超过 10 万元至 20 万元的部分，按照 2%交纳；④超过 20 万元至 50 万元的部分，按照 1.5%交纳；⑤超过 50 万元至 100 万元的部分，按照 1%交纳；⑥超过 100 万元至 200 万元的部分，按照 0.9%交纳；⑦超过 200 万元至 500 万元的部分，按照 0.8%交纳；⑧超过 500 万元至 1 000 万元的部分，按照 0.7%交纳；⑨超过 1 000 万元至 2 000 万元的部分，按照 0.6%交纳；⑩超过 2 000 万元的部分，按照 0.5%交纳。

2. 非财产案件受理费的交纳标准

非财产案件按照下列标准交纳受理费：

(1) 离婚案件每件交纳50元至300元。涉及财产分割且财产总额不超过20万元的，不另行交纳；超过20万元的部分，按照0.5%交纳。

(2) 侵害姓名权、名称权、肖像权、名誉权、荣誉权以及其他人格权的案件，每件交纳100元至500元。涉及损害赔偿，赔偿金额不超过5万元的，不另行交纳；超过5万元至10万元的部分，按照1%交纳；超过10万元的部分，按照0.5%交纳。

(3) 其他非财产案件每件交纳50元至100元。

3. 知识产权民事案件受理费的交纳标准

知识产权民事案件没有争议金额或者价额的，每件交纳500元至1 000元；有争议金额或者价额的，按照财产案件的标准交纳。

4. 劳动争议案件受理费的交纳标准

劳动争议案件每件交纳10元。

5. 管辖权异议案件受理费的交纳标准

当事人提出案件管辖权异议，异议不成立的，每件交纳50元至100元。

为了使诉讼费用的交纳与各地经济发展水平相一致，方便案件当事人进行诉讼，各省、自治区、直辖市人民政府可以结合本地实际情况，在上述第2项、第3项、第5项规定的幅度内制定具体交纳标准。

6. 上诉案件、申请再审案件受理费的交纳标准

对财产案件提起上诉的，按照不服第一审判决部分的上诉请求数额交纳案件受理费。需要交纳案件受理费的再审案件，按照不服原判决部分的再审请求数额交纳案件受理费。

7. 减半收取案件受理费情形

为了减轻当事人诉讼费用负担，加快诉讼进程，《诉讼费用交纳办法》规定了三种减半收取案件受理费的情形：①以调解方式结案或者当事人申请撤诉的案件；②适用简易程序审理的案件；③被告提起反诉、有独立请求权的第三人提出与本案有关的诉讼请求，人民法院决定合并审理的案件。

（二）申请费的交纳标准

根据《诉讼费用交纳办法》第14条规定，申请费应分别按照下列标准交纳：

（1）依法申请执行人民法院发生法律效力的判决、裁定、调解书，仲裁机构依法作出的裁决和调解书，公证机关依法赋予强制执行效力的债权文书，申请承认和执行外国法院判决、裁定以及国外仲裁机构裁决的，按照下列标准交纳申请费：①没有执行金额或者价额的，每件交纳50元至500元。②执行金额或者价额不超过1万元的，每件交纳50元；超过1万元至50万元的部分，按照1.5%交纳；超过50万元至500万元的部分，按照1%交纳；超过500万元至1 000万元的部分，按照0.5%交纳；超过1 000万元的部分，按照0.1%交纳。③符合《民事诉讼法》第55条第4款规定，未参加登记的权利人向人民法院提起诉讼的，按照本项规定的标准交纳申请费，不再交纳案件受

理费。

（2）申请保全措施的，根据实际保全的财产数额按照下列标准交纳申请费：财产数额不超过 1 000 元或者不涉及财产数额的，每件交纳 30 元；超过 1 000 元至 10 万元的部分，按照 1%交纳；超过 10 万元的部分，按照 0.5%交纳。当事人申请保全措施交纳的费用最多不超过 5 000 元。

（3）依法申请支付令的，比照财产案件受理费标准的三分之一交纳申请费。

（4）依法申请公示催告的，每件交纳 100 元申请费。

（5）申请撤销仲裁裁决或者认定仲裁协议效力的，每件交纳 400 元申请费。

（6）破产案件依据破产财产总额计算，按照财产案件受理费标准减半交纳，但最高不超过 30 万元。

（7）海事案件的申请费按照下列标准交纳：①申请设立海事赔偿责任限制基金的，每件交纳 1 000 元至 1 万元；②申请海事强制令的，每件交纳 1 000 元至 5 000 元；③申请船舶优先权催告的，每件交纳 1 000 元至 5 000 元；④申请海事债权登记的，每件交纳 1 000 元；⑤申请共同海损理算的，每件交纳 1 000 元。

四、诉讼费用的交纳和退还

诉讼费用的交纳主要指诉讼费用的预交，即由一方当事人预先交纳诉讼费用。预先交纳诉讼费用的一方当事人不一定是最终承担诉讼费用的当事人。诉讼费用的预交既能保证诉讼费用的有效交纳，又有利于保护胜诉方当事人的合法权益。诉讼费用的退还是指人民法院在特定情况下依法将已经预收的诉讼费用退还给预交该项讼费的当事人。

根据《诉讼费用交纳办法》第 4 章规定，诉讼费用的交纳和退还包括下列内容：

（1）案件受理费由原告、有独立请求权的第三人、上诉人预交。被告提起反诉需要交纳案件受理费的，由被告预交。追索劳动报酬的案件可以不预交案件受理费。具体交纳和退还办法为：①原告应自接到人民法院交纳诉讼费用通知次日起 7 日内交纳案件受理费。②反诉案件应由提起反诉的当事人自提起反诉次日起 7 日内交纳案件受理费。③上诉案件的案件受理费应由上诉人向人民法院提交上诉状时预交。双方当事人都提起上诉的，分别预交。上诉人在上诉期内未预交诉讼费用的，人民法院应当通知其在 7 日内预交。④需要交纳案件受理费的再审案件，由申请再审的当事人预交。双方当事人都申请再审的，分别预交。⑤当事人增加诉讼请求数额的，按照增加后的诉讼请求数额计算补交。⑥当事人在法庭调查终结前提出减少诉讼请求数额的，按照减少后的诉讼请求数额计算退还。

（2）申请费由申请人预交。申请费应由申请人在提出申请时或者在人民法院指定的期限内预交。执行申请费应待执行后交纳，破产申请费清算后交纳。

当事人逾期不交纳诉讼费用又未提出司法救助申请，或者申请司法救助未获批准，在人民法院指定期限内仍未交纳诉讼费用的，由人民法院依照有关规定处理。

（3）由人民法院按照国家规定的标准代为收取的证人、鉴定人、翻译人员、理算人员在人民法院指定日期出庭发生的费用以及当事人复制案件卷宗材料和法律文书应当按实际成本向人民法院交纳的工本费，一律待实际发生后交纳。

（4）移送、移交的案件，原受理人民法院将当事人预交的诉讼费用随案移交接收案件的人民法院。

（5）当事人交纳的诉讼费用在下列情形下，应予以退还或者不予退还：①人民法院审理民事案件过程中发现涉嫌刑事犯罪并将案件移送有关部门处理的，当事人交纳的案件受理费予以退还；移送后民事案件需要继续审理的，当事人已交纳的案件受理费不予退还。②中止诉讼、中止执行的案件，已交纳的案件受理费、申请费不予退还。中止诉讼、中止执行的原因消除，恢复诉讼、执行的，不再交纳案件受理费、申请费。③第二审人民法院决定将案件发回重审的，应当退还上诉人已交纳的第二审案件受理费。第一审人民法院裁定不予受理或者驳回起诉的，应当退还当事人已交纳的案件受理费；当事人对第一审人民法院不予受理、驳回起诉的裁定提起上诉，第二审人民法院维持第一审人民法院作出的裁定的，第一审人民法院也应当退还当事人已交纳的案件受理费。④依照《民事诉讼法》第 137 条规定终结诉讼的案件，已交纳的案件受理费不予退还。

五、诉讼费用的负担

诉讼费用的负担是指案件审理终结和执行完毕后，诉讼费用最终由何方当事人负担以及如何负担。败诉人负担诉讼费用是世界各国普遍采用的一项原则，我国也将败诉人负担诉讼费用作为诉讼费用负担的最基本原则。根据《诉讼费用交纳办法》规定，我国诉讼费用负担原则主要包括四个方面内容。

（一）败诉人负担

根据《诉讼费用交纳办法》第 29 条规定，诉讼费用由败诉方负担，胜诉方自愿承担的除外。当事人部分胜诉、部分败诉的，人民法院根据案件的具体情况决定当事人各自负担的诉讼费用数额。共同诉讼当事人败诉的，人民法院根据其对诉讼标的的利害关系决定当事人各自应负担的诉讼费用数额。

（二）当事人协商负担

当事人协商负担诉讼费用主要适用于调解、执行和解结案的案件。《诉讼费用交纳办法》规定了三种应由当事人协商诉讼费用的情形：①经人民法院调解达成协议的案件，诉讼费用的负担由双方当事人协商解决；协商不成的，由人民法院决定。②离婚案件诉讼费用的负担由双方当事人协商解决；协商不成的，由人民法院决定。③执行中当事人达成和解协议的，申请费的负担由双方当事人协商解决；协商不成的，由人民法院决定。

（三）人民法院决定负担

由当事人自行协商诉讼费用的负担，当事人协商不成的，由人民法院决定。第二审人民法院改变第一审人民法院作出的判决、裁定的，应当相应变更第一审人民法院对诉讼费用负担的决定。

（四）自行负担

根据《诉讼费用交纳办法》规定，在下列情形下，由当事人自行负担诉讼费用：

（1）应当交纳案件受理费的再审案件，诉讼费用由申请再审的当事人负担。

（2）民事案件的原告或者上诉人申请撤诉，人民法院裁定准许的，案件受理费由原告或者上诉人负担。

（3）当事人在法庭调查终结后提出减少诉讼请求数额的，减少请求数额部分的案件受理费由变更诉讼请求的当事人负担。

（4）公示催告的申请费由申请人负担。

（5）申请保全措施的申请费，由申请人负担，申请人提起诉讼的，可以将该申请费列入诉讼请求。

（6）海事案件中的有关诉讼费用，按照下列规定负担：①诉前申请海事请求保全、海事强制令的，申请费由申请人负担；申请人就有关海事请求提起诉讼的，可将上述费用列入诉讼请求；②诉前申请海事证据保全的，申请费由申请人负担；③申请设立海事赔偿责任限制基金、申请债权登记与受偿、申请船舶优先权催告案件的申请费，由申请人负担；④设立海事赔偿责任限制基金、船舶优先权催告程序中的公告费用，由申请人负担。

（7）债务人对督促程序提出异议致使督促程序终结的，申请费由申请人负担。申请人另行起诉的，可以将申请费列入诉讼请求。

（8）当事人因自身原因未能在举证期限内举证，在第二审或者再审期间提出新的证据致使诉讼费用增加的，增加的诉讼费用由该当事人负担。

（9）依照特别程序审理案件的公告费，由起诉人或者申请人负担。

根据《诉讼费用交纳办法》第 43 条规定，当事人不得单独对人民法院关于诉讼费用的决定提起上诉。当事人单独对人民法院关于诉讼费用的决定有异议的，可以向作出决定的人民法院院长申请复核。复核决定应当自收到当事人申请之日起 15 日内作出。当事人对人民法院决定诉讼费用的计算有异议的，可以向作出决定的人民法院请求复核。计算确有错误的，作出决定的人民法院应当予以更正。

六、司法救助

（一）司法救助的概念及适用对象

司法救助是指人民法院根据交纳诉讼费用确有困难的当事人的申请，依法允许当事人缓交、减交或者免交诉讼费用的制度。

司法救助的适用对象是指在民事、行政诉讼中有权接受司法救助的当事人。根据《诉讼费用交纳办法》第 44 条规定，司法救助的对象是“交纳诉讼费用确有困难的”当事人。具体而言，诉讼费用的免交只适用于自然人形态的当事人，诉讼费用的缓交、减交则可适用于所有“交纳诉讼费用确有困难的”当事人，包括自然人、法人和其他组织。

（二）司法救助的适用情形

1. 免交诉讼费用的情形

根据《诉讼费用交纳办法》第 45 条规定，免交诉讼费用，适用于以下几种情形的当事人：①残疾人无固定生活来源的；②追索赡养费、扶养费、抚育费、抚恤金的；③最低生活保障对象、农村特困定期救济对象、农村五保供养对象或者领取失业保险金人员，无其他收入的；④因见义勇为或者为保护社会公共利益致使自身合法权益受到损害，本人或者其近亲属请求赔偿或者补偿的；⑤确实需要免交的其他当事人。

2. 减交诉讼费用的情形

根据《诉讼费用交纳办法》第 46 条第 1 款规定，减交诉讼费用适用于以下几种情形的当事人：①因自然灾害等不可抗力造成生活困难，正在接受社会救济或者家庭生产经营难以为继的；②属于国家规定的优抚、安置对象的；③社会福利机构和救助管理站；④确实需要减交的其他当事人。

人民法院准予以上几种情形的当事人减交诉讼费用的，减交比例不得低于 30%。

3. 缓交诉讼费用的情形

根据《诉讼费用交纳办法》第 47 条规定，缓交诉讼费用适用于以下几种情形的当事人：①追索社会保险金、经济补偿金的；②海上事故、交通事故、医疗事故、工伤事故、产品质量事故或者其他人身伤害事故的受害人请求赔偿的；③正在接受有关部门法律援助的；④确实需要缓交的其他当事人。

（三）司法救助的申请与审查批准

当事人申请司法救助，应当在起诉或者上诉时提交书面申请和足以证明其确有经济困难的证明材料以及其他相关证明材料。因生活困难或者追索基本生活费用而申请免交、减交诉讼费用的，还应当提供本人及其家庭经济状况符合当地民政、劳动保障等部门规定的公民经济困难标准的证明。

人民法院接到当事人的司法救助申请书和相关材料后，应当及时进行审查。对于符合条件的申请，应批准并予以司法救助。人民法院对当事人的司法救助申请不予批准的，应当向当事人书面说明理由。

案例分析

【案情】

胡某向刘某借款 3 万元并向其出具欠条一张，后双方因还款问题发生争议，刘某诉至人民法院。人民法院经审理作出判决，判令胡某向刘某支付欠款及利息。人民法院向胡某直接送达判决书时，胡某不在家，胡某的妻子对送达人员说，胡某在外地做生意，大约两个月后才回来。人民法院认为，胡某在外地做生意，流动性大，无法直接送达，遂决定用公告方式送达。①

【问题】

人民法院决定用公告方式向胡某送达判决书是否正确？

【解析】

本案不应适用公告送达。公告送达的法定条件是受送达人下落不明或者用其他方法无法送达。本案胡某在外地做生意而不是下落不明，不符合公告送达的条件。本案完全可以采用直接送达的方式，即将判决书交胡某的妻子签收，如果胡某的妻子拒绝签收，则可适用留置送达。

① 史长青，郑莹. 民事诉讼法案例教程. 北京：北京大学出版社，2004. 215

第九章　民事诉讼保障制度

本章阐述财产保全、行为保全、先予执行和对妨害民事诉讼的强制措施等民事诉讼保障制度。财产保全和行为保全的目的在于保证人民法院将来的生效裁判能够顺利执行，切实维护权利人的合法权益。采取诉讼财产保全和诉前财产保全均须具备法定的条件。先予执行的目的是在人民法院判决生效前就实现申请人的部分或者全部权利，满足权利人生活或者生产经营的急需，保障诉讼的顺畅进行。先予执行有严格的适用范围和适用条件。对妨害民事诉讼的强制措施的适用，目的在于排除各种妨害民事诉讼的行为，维护诉讼秩序和保证诉讼活动的顺利进行。对妨害民事诉讼的强制措施主要包括拘传、训诫、责令退出法庭、罚款和拘留。人民法院对实施了妨害民事诉讼行为的人适用强制措施，必须遵循适用强制措施的法定要件和程序。

第一节　财产保全制度

一、财产保全的概念和意义

财产保全是指人民法院在受理案件前或者在诉讼开始后，为保障将来作出的判决能够得到执行，根据利害关系人或者当事人的申请，或者依职权对当事人争议的财产或者与本案有关的财产依法采取的临时强制性保全措施。财产保全包括诉讼财产保全和诉前财产保全。

财产保全制度是保证人民法院生效判决能够得到执行，保障权利人实现生效判决所确认的权利的一项制度。原告请求人民法院判令被告履行一定义务的诉讼往往需要几个月甚至更长的时间，在此期间，义务人为逃避将来生效判决的强制执行，可能转移、隐匿、变卖、挥霍、毁损争讼财产和与本案有关的财产，或者争讼的标的物因腐烂变质而减少或者丧失其价值。无论义务人的责任财产发生上述情形的哪种变化，都有可能导致人民法院生效判决不能或者难以得到执行，权利人被判决所确认的权利也就落空。民事诉讼法设置财产保全制度，可以保证人民法院的生效判决能够得到执行，维护人民法院生效判决的权威性和严肃性，确保权利人为生效判决所确定的实体权利能够得到实现。

二、诉讼财产保全

诉讼财产保全是指人民法院在受理案件后作出判决之前，为了保证将来作出的判决能够得到执行，对当事人争议的财产或者与本案有关的财产依法采取的临时强制性保全措施。

人民法院采取诉讼财产保全措施主要是针对被申请的财产进行的，财产保全措施有可能出现错误而给被申请人造成损失。为了防止一方当事人滥用诉讼保全措施，维护被申请人的合法权益，民事诉讼法规定了严格的诉讼保全申请条件。

1. 采取诉讼财产保全的案件必须具有给付内容

给付之诉具有以财产作为诉讼标的物的给付内容，存在着判决生效后不能或者难以给付的情况，当然也存在着财产保全的可能性和必要性。但这并不意味着确认之诉、形成之诉就不存在适用财产保全制度的潜在可能性，如离婚案件系典型的形成之诉，如果在诉讼前或者诉讼中一方非法处分夫妻共有财产，损害对方的财产权益，自然有适用财产保全制度的可能性和必要性。

2. 必须具有采取财产保全的必要性

《民事诉讼法》第 92 条第 1 款规定："人民法院对于可能因当事人一方的行为或者其他原因，使判决不能执行或者难以执行的案件，可以根据对方当事人的申请，作出财产保全的裁定；当事人没有提出申请的，人民法院在必要时也可以裁定采取财产保全措施。"根据这一规定，并不是所有具有给付内容的案件均有适用财产保全的必要性，只有在诉讼过程中存在"可能因当事人一方的行为或者其他原因，使判决不能执行或者难以执行"的情况时，人民法院才能对具有财产给付内容的案件采取财产保全。这里所指的当事人一方的行为主要是指当事人一方转移、隐匿、变卖、挥霍、毁损财产的行为，其他原因主要是指客观上可能存在争讼的财产因腐烂变质而减少或者丧失其价值。

3. 诉讼财产保全措施必须在案件受理后判决作出前进行

当事人申请诉讼财产保全或者人民法院依职权采取保全措施必须在案件受理后判决作出前进行，人民法院判决作出后再进行财产保全就会使保全失去意义。作为例外情形，诉讼财产保全也可以在第一审判决作出后尚未生效之前进行。《适用民事诉讼法意见》第 103 条规定："对当事人不服一审判决提出上诉的案件，在第二审人民法院接到报送的案件之前，当事人有转移、隐匿、出卖或者毁损财产等行为，必须采取财产保全措施的，由第一审人民法院依当事人申请或者依职权采取。第一审人民法院制作的财产保全的裁定，应及时报送第二审人民法院。"

三、诉前财产保全

诉前财产保全是指在起诉前，人民法院根据利害关系人的申请，对被申请人的有关财产依法采取的临时强制性保全措施。

由于诉前财产保全是在起诉之前进行的，利害关系人是否起诉以及起诉后是否符合起诉条件，此时均难以判定，诉前财产保全更有可能给被申请人造成损害。因此，诉前财产保全的适用应受到严格的限制。《民事诉讼法》第93条规定了诉前财产保全适用的条件：

1. 采取诉前财产保全必须存在紧急情况

客观的紧急情况存在使诉前保全具有紧迫性和必要性，如果利害关系人不立即申请并由人民法院采取财产保全措施，将会使其合法权益受到难以弥补的损失。紧急情况是指被申请人即将或者正在转移、隐匿、变卖、毁损有关财产的行为，或者有关财产的价值正在减少或者逐渐丧失等。如果人民法院受理案件后当事人再申请财产保全，将会使当事人已经受到的损失难以弥补。

2. 诉前财产保全必须由利害关系人向人民法院提出申请

诉前财产保全发生在起诉之前，民事权利主体之间的实体法律关系是否发生争议以及是否存在紧急情况，人民法院并不了解，况且诉讼尚未开始，不存在人民法院依职权采取财产保全措施的前提条件，所以，只有利害关系人提出申请，人民法院才能进行财产保全。

3. 申请人必须提供担保

由于利害关系人的申请是在起诉前提出的，与诉讼财产保全相比，人民法院对是否存在保全的必要性难以判定，为保护被申请人的合法权益和慎重适用诉前保全，法律将申请人提供相应的担保作为适用诉前保全的必要条件。申请人不提供担保的，人民法院将驳回其申请。

申请人在人民法院采取诉前财产保全措施后15日内不起诉的，人民法院应当解除诉前财产保全。申请人起诉的，应当向采取诉前财产保全的人民法院或者其他有管辖权的人民法院提起。采取诉前财产保全措施的人民法院对该案有管辖权的，应当依法受理；没有管辖权的，应当及时将采取诉前财产保全的全部材料移送有管辖权的受诉人民法院。采取诉前财产保全措施的人民法院受理申请人的起诉后，发现所受理的案件不属于本院管辖的，应当将案件和诉前财产保全的申请费一并移送有管辖权的人民法院。案件移送后，诉前财产保全的裁定继续有效。因执行诉前保全裁定而实际支出的费用，应由受诉人民法院在申请费中返还给作出诉前财产保全的人民法院。当事人申请诉前财产保全后没有在法定的期间内起诉，因而给被申请人造成财产损失引起诉讼的，由采取该财产保全措施的人民法院管辖。

四、财产保全的范围、措施和效力

（一）财产保全的范围

《民事诉讼法》第94条第1款规定："财产保全限于请求的范围，或者与本案有关的财物。""限于请求的范围"是指被保全的财产的价值应当与利害关系人的保全请求或者与当事人的诉讼请求数额大体相等。"与本案有关的财物"是指保全的财物是本案的标的物或者与本案标的物有牵连的其他财物，或者是当事人虽未在诉讼请求中提出但与本案生效判决的强制执行有牵连的财物。例如，在请求返还木材价款诉讼中，被告已经将木材制成了家具，家具就是与本案有关的财物；在金钱借贷纠纷中，原告在诉讼请求中没有直接主张的被告可用于偿债的财产也是与本案有关的财物。

人民法院采取财产保全措施时，保全的范围应当限于当事人争议的财产，或者限于诉讼请求范围内的被申请人的财产。对案外人的财产不得采取保全措施，对案外人善意取得的与案件有关的财产，一般也不得采取财产保全措施。人民法院对债务人到期应得的收益，可以采取财产保全措施，限制其支取，通知有关单位协助执行。债务人的财产不能满足保全请求，但对案外人有到期债权的，人民法院可以依债权人的申请裁定该案外人不得对债务人清偿。该案外人对其到期债务没有异议并要求偿付的，由人民法院提存财物或者价款，但人民法院不应对其财产采取保全措施。

（二）财产保全的措施

我国《民事诉讼法》第 94 条对财产保全的措施作出了明确规定："财产保全采取查封、扣押、冻结或者法律规定的其他方法。"

查封是指人民法院依法对需要保全的财产进行清点、加贴封条并就地予以封存。此种措施主要是针对不动产采取的。扣押是指人民法院依法对需要保全的财产就地扣留或者转移到一定的场所加以扣留，以防止被申请人动用和处分被强制扣留的财产的一种保全措施，这种措施主要适用于动产。《适用民事诉讼法意见》第 100 条规定，"人民法院在财产保全中采取查封、扣押财产措施时，应当妥善保管被查封、扣押的财产。当事人、负责保管的有关单位或者个人以及人民法院都不得使用该项财产。"冻结是指人民法院依法通知有关金融机构，禁止被申请人在一定期限内提取或者转移其存款的一种财产保全措施。人民法院冻结财产后，应当立即通知被冻结财产的人。财产已被查封、冻结的，不得重复查封、冻结。任何单位和个人都不得动用人民法院依法查封、冻结的款项。

法律规定的其他方法主要是指查封、扣押、冻结以外的其他保全方法。根据有关司法解释的规定，这些方法主要包括：①提取、扣留被申请人的劳动收入。②人民法院对季节性商品，鲜活、易腐烂变质以及其他不宜长期保存的物品采取保全措施时，可以责令当事人及时处理，由人民法院保存价款；必要时人民法院可予以变卖并保存价款。③人民法院对不动产和特定的动产（如车辆、船舶等）进行财产保全，可以采用扣押有关财产权证照并通知有关产权登记部门不予办理该项财产的转移手续的财产保全措施；必要时也可以查封或者扣押该项财产。④人民法院对抵押物、留置物可以采取财产保全措施，但抵押权人、留置权人有优先受偿权。⑤人民法院对有偿还能力的企业法人，一般不得采取查封、冻结的保全措施。已采取查封、冻结保全措施的，如该企业法人提供了可供执行的财产担保，或者可以采取其他方式保全的，应当及时予以解封、解冻。

（三）财产保全的效力

人民法院裁定采取财产保全措施后，除非作出保全裁定的人民法院自行解除和其上级人民法院决定解除外，诉讼中的财产保全裁定的效力一般应维持到生效的法律文书执行时止。在财产保全期限内，任何单位都不得解除保全措施。需要解除保全措施的，人民法院应及时作出裁定，解除保全措施。当事人对财产保全的裁定可以申请复议，复议期间不停止裁定的执行。

五、财产保全的程序

（一）申请

诉讼保全一般应基于当事人的申请而开始，人民法院依职权主动采取财产保全措施应当是特殊的例外情形。只有在诉讼争议的财产有毁损、灭失等危险，或者有证据表明被申请人可能采取隐匿、转移、出卖其财产的，人民法院方可依职权采取财产保全措施。诉前财产保全只能根据利害关系人的申请而开始。

财产保全的申请原则上应当采用书面形式，申请书应写明申请人与被申请人的基本情况，即申请保全财物的名称、数量、价额、所在地点与申请保全的原因及相关证据等。

当事人申请诉讼保全，应当向受理案件的人民法院提出申请。利害关系人申请诉前保全应当向对诉讼有管辖权的人民法院提出。受理利害关系人诉前保全申请的人民法院，应当按照诉前财产保全标的金额并参照民事诉讼法关于级别管辖和专属管辖的规定，决定采取诉前财产保全措施。

（二）提供担保

当事人申请诉讼财产保全的，人民法院可以责令其提供担保，以便在申请错误给被申请人造成损失时，被申请人能够及时获得赔偿。被人民法院责令提供担保的申请人拒不提供担保，人民法院驳回申请。利害关系人申请诉前保全必须提供担保，否则，人民法院驳回其申请。申请人提供担保的数额应相当于请求保全的数额。

（三）人民法院审查、裁定和复议

为慎重适用财产保全制度，避免因申请错误给被申请人造成损失，人民法院应认真审查申请人的申请是否符合财产保全的条件，对符合法定条件的，裁定应采取保全措施；对不符合法定条件的，应裁定驳回。人民法院应当在法律规定的期限内完成审查并作出裁定，对情况紧急的诉讼财产保全申请，接受申请的人民法院必须在 48 小时内作出裁定。对诉前财产保全申请，接受申请的人民法院也必须在 48 小时内作出裁定，且裁定应送达给申请人和被申请人。

当事人或者利害关系人对财产保全裁定不服的，可以向作出裁定的人民法院申请复议一次，复议期间不停止裁定的执行。对当事人不服财产保全裁定提出的复议申请，人民法院应及时审查。裁定正确的，通知驳回当事人的申请；裁定不当的，作出新的裁定变更或者撤销原裁定。

（四）执行

人民法院同意财产保全申请的裁定一旦作出，就应当立即执行，以免错过保全时机，造成难以弥补的损失。财产保全由审理案件的审判庭负责执行，但被申请人提供相应数额并有可供执行的财产作担保的，人民法院应当及时解除财产保全。

六、财产保全的解除与财产保全错误的救济

（一）财产保全的解除

根据民事诉讼法和相关司法解释的规定，人民法院采取财产保全措施后，除作出保全裁定的人民法院和其上级人民法院决定解除外，任何单位都不得在保全期限内解除保全措施。财产保全的原因或者条件发生变化使已经进行的财产保全不再具备保全条件的，人民法院应当及时作出解除财产保全的裁定。人民法院解除财产保全措施，主要有以下几种情形：①被申请人提供担保的；②生效的法律文书已经得到执行的；③申请人撤回保全申请的；④诉前保全的申请人在人民法院采取诉前保全措施后 15 日内不起诉的。

（二）财产保全错误的救济

为保障被申请人的合法权益，抑制申请人滥用申请财产保全的权利，《民事诉讼法》第96 条规定："申请人有错误的，申请人应当赔偿被申请人因财产保全所遭受的损失。"法律要求申请人提供担保的目的，就在于使被申请人可能因财产保全错误而遭受的损失能够切实获得赔偿救济。受诉人民法院院长或者上级人民法院发现采取财产保全措施确有错误的，应当按照审判监督程序立即纠正。因人民法院依职权采取保全措施错误造成损失的，由人民法院依法予以赔偿。

第二节　行为保全制度

一、行为保全的概念及适用条件

行为保全是指在诉讼前或者在诉讼过程中，为了保证人民法院将来的判决能够得到执行，或者避免权利人的合法权益受到进一步的侵害，人民法院根据利害关系人或者当事人的申请，责令被申请人为某种行为或者不为某种行为的临时性强制措施。

由于客观上存在侵害人的行为或者其他原因对权利人利益的损害，如果不及时制止，权利人的合法权益就会遭受进一步的侵害或者受到难以弥补的损害。为此，采取行为保全措施，是非常必要的。人民法院采取行为保全措施必须符合下列条件：①申请人有证据证明他人正在实施或者即将实施侵害其权利的行为；②他人正在实施或者即将实施的侵害行为会给申请人造成损害或者使其合法权益受到难以弥补的损失；③责令被申请人停止有关行为不会损害社会公共利益。

二、我国的行为保全制度

在英美法系中，行为保全制度的规定体现在“诉前禁令”或者“中间禁令”的规定之中，通常适用于侵权行为领域，其目的在于禁止侵害方实施或者继续采取某些侵权行为，以避免权利人的合法权益受到更大的损害。法院根据利害关系人或者当事人的申请签发“诉前禁令”或“中间禁令”后，被申请人不得继续实施威胁性行为或者停止实施侵权行为，或者立即实施特定的行为，从而使权利人的利益在法院判决生效前得以保全。德国和日本以及我国台湾地区的“假处分”制度包含了行为保全的内容，“假处分”制度与英美法系的“诉前禁令”或者“中间禁令”的规定在行为保全的内容和法律效果方面大同小异。

我国民事诉讼法没有规定行为保全制度，民事诉讼中的先予执行制度在一定程度上具有行为保全的功能，但适用先予执行必须以“当事人之间民事权利义务关系明确”为先决条件，因此，我国的先予执行制度不能及时全面地对行为进行保全，与行为保全制度不能相提并论。为保证人民法院将来的判决能够得到执行，维护权利人的合法权益，我们主张，我国应尽快建立较为系统和完善的行为保全制度。

我国《专利法》、《商标法》、《著作权法》、《海事诉讼特别程序法》以及相关的司法解释规定了行为保全制度。如《专利法》第 61 条规定，专利人或者利害关系人有证据证明他人正在实施或者即将实施侵犯其专利权的行为，如不及时制止将会使其合法权益受到难以弥补的损害的，可以在起诉前向人民法院申请采取责令停止有关行为和财产的保全措施。人民法院处理前款申请适用《民事诉讼法》第 93 条至第 96 条和第 99 条的规定。《商标法》第 57 条和《著作权法》第 49 条也同样对诉前停止侵权行为作出了规定。根据上述法律的规定，最高人民法院制发了《关于对诉前停止侵犯专利权行为适用法律问题的若干规定》和《关于诉前停止侵犯注册商标专用权行为和保全证据适用法律问题的解释》，这两个司法解释对诉前停止侵权行为的申请人、申请的条件、管辖的人民法院、申请和审查的程序、采取的措施等作出了较为详尽的规定。

我国《海事诉讼特别程序法》第 4 章规定了海事强制令制度，海事强制令是一种行为保全的强制措施，当事人可以在起诉前或者在诉讼中申请海事强制令。

由此可见，我国行为保全的规定仅适用于侵犯专利权、商标权、著作权案件和海事纠纷案件，且多为诉前的行为保全。我们认为，就行为保全适用的案件范围而言，无论是以财产为内容的给付之诉，还是以行为为内容的给付之诉，均有可能存在行为保全的理由；就行为保全适用的时间而言，诉讼过程中同样可能存在行为保全的理由。

第三节　先予执行制度

一、先予执行的概念和意义

先予执行是指人民法院受理案件后，终审判决作出前，为解决当事人一方生活或者生产上的急迫需要，根据一方当事人的申请，依法裁定对方当事人向申请一方当事人给付一定的财产，或者责令实施某种行为或者停止实施某种行为，并立即付诸执行的一种制度。

在通常情况下，执行应当以人民法院生效判决为依据，但人民法院审理案件需要时间，在这段时间内，有些案件的原告因经济困难无法维持生活，或者难以进行生产经营活动；有些案件的被告正在实施某种行为，如果待人民法院的判决生效后再由义务人自动履行或者强制执行，会使他们的生活、生产经营受到严重影响，或者使原告的合法权益受到难以挽回的损失。因此，有必要设置一项在人民法院判决生效前就全部或者部分实现当事人一方权利的制度，先予执行正是为此目的而设置的一种应急措施。先予执行可以解决当事人生活、生产经营上的燃眉之急，避免当事人一方的合法权益遭受更大损失，进而保证诉讼活动的顺利进行。

二、先予执行的适用范围和条件

（一）先予执行的适用范围

根据《民事诉讼法》第 97 条规定，人民法院根据当事人的申请，对一些案件可以裁定先予执行。

1. 追索赡养费、扶养费、抚育费、抚恤金、医疗费用的案件

这几类民事案件均涉及申请人的正常生活和身心健康，先予执行有利于保护申请人的合法权益，有利于诉讼的顺利进行。

2. 追索劳动报酬的案件

追索劳动报酬的案件与权利人的生活和工作有密切联系，需要先予执行。

3. 因情况紧急需要先予执行的案件

“情况紧急”的情形具体包括：①需要立即停止侵害、排除妨碍的；②需要立即制止某项行为的；③需要立即返还用于购置生产原料、生产工具货款的；④追索恢复生产、经营急需的保险理赔费的。

（二）先予执行的适用条件

根据《民事诉讼法》第 98 条第 1 款规定，人民法院裁定先予执行，必须符合几个条件。

1. 当事人之间权利义务关系明确

先予执行的前提是双方当事人之间存在明确的民事法律关系，就具体诉讼而言，原告所享有的要求被告履行某种义务的权利和被告对原告应承担的义务，应当是十分清楚的。具体来说，人民法院对当事人申请先予执行的案件，只有在案件的基本事实清楚，当事人间的权利义务关系明确，被申请人负有给付、返还或者赔偿义务，先予执行的财产为申请人生产、生活所急需，不先予执行会造成更大损失的情况下，才能采取先予执行的措施。

2. 当事人提出申请

人民法院采取先予执行措施，必须依据当事人的申请，不能依职权主动裁定先予执行。这样规定既符合处分原则，又遵循了不告不理的诉讼法理。

3. 被申请人有履行能力

为了保证先予执行的实效性和平衡当事人双方之间的利益，先予执行前必须查清被申请人是否有履行先予执行的能力。如果被申请人没有履行能力，就失去了作出先予执行措施的意义。

三、先予执行的程序

（一）申请

人民法院先予执行的裁定应当由当事人提出书面申请。当事人提出申请的时间应当在人民法院受理案件后终审判决作出之前，申请一般应采用书面形式，申请书中应写明先予执行的请求、理由和根据，并说明被申请人有履行能力的状况。

（二）审查与责令申请人提供担保

人民法院接到当事人的申请后应及时审查。对符合条件的申请，人民法院还需要考虑是否责令申请人提供担保。对于符合申请条件的追索赡养费、扶养费、抚育费、抚恤金、追索劳动报酬案件的申请人，人民法院一般不必责令申请人提供担保。对于其他案件的申请人，人民法院认为有必要的，可以责令其提供担保。一旦人民法院责令申请人提供担保，提供有效担保就成为先予执行的必要条件之一，申请人不提供担保的，人民法院驳回其申请。

（三）先予执行的裁定

人民法院先予执行的裁定必须经开庭审理后作出。先予执行应当限于当事人诉讼请求的范围，并以当事人的生活、生产经营的急需为限。在管辖权尚未确定的情况下，不得裁定先予执行。先予执行裁定一经送达双方当事人，立即发生法律效力。当事人对裁定不服的，可以向作出裁定的人民法院申请复议一次，复议期间不停止裁定的执行。对当事人不服先予执行裁定提出的复议申请，人民法院应及时审查。裁定正确的，通知驳回当事人的申请；裁定不当的，作出新的裁定变更或者撤销原裁定。

人民法院采取先予执行措施后，申请先予执行的当事人申请撤诉的，人民法院应当及时通知对方当事人、第三人及有关的案外人。在接到通知至准予撤诉的裁定送达前，对方当事人、第三人及有关的案外人，对撤诉提出异议的，人民法院应当裁定驳回撤诉申请。

四、先予执行错误的救济

受诉人民法院院长或者上级人民法院发现采取先予执行措施确有错误的，应当按照审判监督程序立即予以纠正。申请人败诉的，或者虽未败诉但判决确定的给付数额小于先予执行的数额，人民法院应依生效判决责令申请人返还因先予执行所获得的利益，申请人拒不返还，被申请人可以申请人民法院强制执行。如果返还的财产尚不足以弥补因先予执行给被申请人所造成的损失，申请人还应当赔偿损失。

第四节　对妨害民事诉讼的强制措施

一、对妨害民事诉讼的强制措施概述

对妨害民事诉讼的强制措施是指在民事诉讼过程中，人民法院为了制止和排除妨害民事诉讼的行为，维护正常的诉讼秩序，保证民事审判和执行活动的顺利进行，依法对实施妨害民事诉讼行为的人所采取的强制手段的总称。

民事诉讼法规定对妨害民事诉讼的强制措施，对于维护诉讼秩序，保障诉讼的顺利进行有着重要作用。

1. 保障人民法院顺利完成审判和执行任务

在民事诉讼中，良好的诉讼秩序是人民法院顺利完成审判和执行任务的基本条件。证人作伪证，哄闹、冲击法庭，以暴力、威胁或者其他方式妨碍或者抗拒执行等妨害民事诉讼的行为，不仅破坏了诉讼秩序，而且干扰和阻碍了人民法院对案件的审判和执行。因此，只有依法对妨碍民事诉讼的行为人采取强制措施，才能保证人民法院顺利完成审判和执行任务。

2. 保障当事人和其他诉讼参与人充分行使诉讼权利

妨害民事诉讼的行为不仅扰乱了正常的诉讼秩序，而且还会阻碍当事人和其他诉讼参与人充分行使诉讼权利，致使审判或者执行迟延，甚至使审判和执行根本无法正常进行，其结果是当事人和其他诉讼参与人的合法权益受到损害，甚至还有可能危及他们的人身安全。因此，只有人民法院依法对妨碍民事诉讼的行为人采取强制措施，才能保障当事人和其他诉讼参与人充分行使诉讼权利，避免他们的合法权益在诉讼中受到侵害。

3. 教育公民自觉遵守法律，维护诉讼秩序

依法对妨碍民事诉讼的行为人采取必要的强制措施，不仅可以使行为人本人受到深刻的教育，而且对其他人也具有普遍的教育意义和警示作用，进而促使他们提高法律意

识，自觉遵守法律，自觉维护诉讼秩序。

二、妨害民事诉讼行为的构成

妨害民事诉讼行为是指当事人、其他诉讼参与人或者案外人在民事诉讼过程中，故意实施的扰乱诉讼秩序、阻碍诉讼活动正常进行的尚未构成犯罪的行为。构成妨害民事诉讼的行为应同时具备几个要件。

1. 必须有妨害民事诉讼的具体行为发生

妨害民事诉讼的行为必须是客观上已经存在的行为，如果仅有妨害的意图并没有实施具体的行为，或者开始实施后又自动中止且没有造成妨害诉讼的后果，则不能认定其是妨害民事诉讼的行为。妨害民事诉讼行为的形式可以是作为，也可以是不作为。前者是指行为人主动实施妨害民事诉讼的行为，如毁灭、伪造重要证据以及哄闹、冲击法庭等；后者是指行为人拒绝实施法律规定要求实施的行为，如拒不履行人民法院生效的裁判、拒绝协助执行等。

2. 必须是在民事诉讼过程中实施的行为

妨害民事诉讼的行为是阻碍诉讼程序正常进行的行为，因此，妨害民事诉讼的行为必须是妨害人在诉讼期间实施的。诉讼期间包括审判程序和执行程序两大阶段。在民事诉讼过程中，不论行为人是在法庭内还是在法庭外实施扰乱诉讼秩序、阻碍诉讼活动正常进行的行为，均构成妨害民事诉讼的行为。行为人在民事诉讼程序开始前或者结束后实施的类似行为，通常不存在对诉讼进程的阻碍，不属于妨害民事诉讼的行为。由于诉前保全与后续的审判程序和执行程序有密切关系，因此，对诉前财产保全中遇到妨害行为的，应对行为人采取强制措施。

3. 必须是行为人故意实施的行为

行为人主观上故意实施妨害行为是构成妨害民事诉讼行为的主观要件。行为人不以阻碍民事诉讼进程为目的的过失行为，即使这一行为在客观上妨碍了民事诉讼活动的正常进行，也不能认定为是妨害民事诉讼的行为。

以上三个条件必须同时具备，才能构成妨害民事诉讼的行为。只有正确理解妨害民事诉讼的行为，才能依法适用强制措施，使强制措施的保障功能得到充分发挥。

三、妨害民事诉讼行为的种类

根据民事诉讼法和有关司法解释规定，妨害民事诉讼的行为具体可分为以下几种。

1. 必须到庭的当事人经两次传票传唤，无正当理由拒不到庭

必须到庭的当事人：一是指必须到庭的被告，即负有赡养、抚育、扶养义务和不到庭就无法查清案情的被告；二是指给国家、集体或者他人造成损害的未成年人的法定代理人；三是指必须到人民法院接受询问的被执行人或者被执行人的法定代表人、负责人。对于这些当事人，经两次传票传唤无正当理由拒不到庭的，可被认为是妨害民事诉讼的行为。

2. 违反法庭规则，扰乱法庭秩序的行为

如未经法庭许可，在审理时录音、录像、拍照，哄闹、冲击法庭，侮辱、诽谤、威胁、殴打审判人员等扰乱法庭秩序，情节较轻的行为。

3. 妨碍诉讼证据的收集、调查和阻碍、扰乱诉讼的正常进行等行为

（1）伪造、毁灭重要证据，妨碍人民法院审理案件的行为。

（2）以暴力、威胁、贿买方式阻止证人作证或者指使、贿买、胁迫他人作伪证的行为。

（3）隐藏、转移、变卖、毁损已被查封、扣押的财产，已被清点并责令其保管的财产，或者转移已被冻结的财产的行为。

（4）对司法工作人员、诉讼参加人、证人、翻译人员、鉴定人、勘验人、协助执行人进行侮辱、诽谤、诬陷、殴打或者打击报复的行为。

（5）以暴力、威胁或者其他方式阻碍司法工作人员执行职务的行为。

4. 拒不履行人民法院已经发生法律效力的判决、裁定，情节较轻的行为

在法律文书发生法律效力后隐藏、转移、变卖、毁损财产，造成人民法院无法执行的；以暴力、威胁或者其他方式妨碍或抗拒人民法院执行的；有履行能力而拒不执行人民法院发生法律效力的判决书、裁定书、调解书和支付令的，等等。这些都是拒不履行人民法院已经发生法律效力的判决、裁定，情节较轻的行为。

5. 执行的单位有义务协助调查却拒不履行协助义务的行为

（1）有关单位拒绝或者妨碍人民法院调查取证的。

（2）银行、信用合作社和其他有储蓄业务的单位接到人民法院协助执行通知书后，拒不协助查询、冻结或者划拨存款的。

（3）有关单位接到人民法院协助执行通知书后，拒不协助扣留被执行人的收入，不办理有关财产权证照转移手续，不转交有关票证、证照或者其他财产的。

（4）擅自转移已被人民法院冻结的存款，或者擅自解冻的。

（5）以暴力、威胁或者其他方式阻碍司法工作人员查询、冻结、划拨银行存款的。

（6）接到人民法院协助执行通知后，给当事人通风报信，协助其转移、隐匿财产的。

（7）其他拒绝协助执行的。

6. 采取非法拘禁他人或者非法私自扣押他人财产方式追索债务

债务人不履行法律文书确定的义务，只有人民法院可以对其采取对妨害民事诉讼的强制措施和执行措施，任何单位和个人采取非法拘禁他人或者非法私自扣押他人财产追索债务，均构成妨害民事诉讼的行为。

7. 妨害执行的行为

（1）隐藏、转移、变卖、毁损向人民法院提供执行担保的财产的。

（2）案外人与被执行人恶意串通转移被执行人财产的。

（3）故意撕毁人民法院执行公告、封条的。

（4）伪造、隐藏、毁灭有关被执行人履行能力的重要证据，妨碍人民法院查明被执行人财产状况的。

（5）指使、贿买、胁迫他人对被执行人的财产状况和履行义务的能力问题作伪证的。

（6）妨碍人民法院依法搜查的。

（7）以暴力、威胁或者其他方式妨碍或者抗拒执行的。

（8）哄闹、冲击执行现场的。

（9）对人民法院执行人员或者协助执行人员进行侮辱、诽谤、诬陷、围攻、威胁、殴打或者打击报复的。

（10）毁损与抢夺执行案件材料、执行公务车辆、其他执行器械、执行人员服装和执行公务证件的。

四、对妨害民事诉讼的强制措施的种类及适用

根据民事诉讼法规定，对妨害民事诉讼的强制措施分为五种：拘传、训诫、责令退出法庭、罚款、拘留。

（一）拘传及其适用

拘传也称强制到庭，是指人民法院在法定情况下强制必须到庭的被告或者其法定代理人、被执行人或者被执行人的法定代表人或者负责人到庭参加诉讼，或者到庭接受询问的强制措施。适用拘传必须具备三个条件。

1. 针对必须到庭的当事人

必须到庭的当事人包括：一是指必须到庭的被告，即负有赡养、抚育、扶养义务和不到庭就无法查清案情的被告；二是指给国家、集体或者他人造成损害的未成年人的法定代理人；三是指必须到人民法院接受询问的被执行人或者被执行人的法定代表人、负责人。

2. 必须经过两次传票传唤

人民法院必须依照法定程序，将传票两次送达受送达人，传唤其出庭。

3. 必须到庭的当事人无正当理由拒不到庭

正当理由包括不可抗力的事由、当事人无法预见或者难以自行克服的困难，如自然灾害、突然病重等。

只有同时符合以上三个条件，人民法院才能使用拘传措施。适用拘传措施应由合议庭或者独任审判员提出，报经本院院长批准，填写拘传传票并直接送达被拘传人。司法警察在拘传前，应向被拘传人出示拘传传票并说明拒不到庭的后果，如果被拘传人经批评教育仍拒不到庭的，可以使用械具强制其到庭。

对被拘传人的调查询问不得超过 24 小时，调查询问后不得限制被拘传人的人身自由。在本辖区以外采取拘传措施时，应当将被拘传人拘传到当地人民法院，当地人民法院应予以协助。

（二）训诫及其适用

训诫是指人民法院对实施了情节较轻的妨害民事诉讼行为的人以口头形式予以批评教育，指出其行为的违法性并责令其改正与不得再犯的强制措施。训诫的适用对象主要

是违反法庭规则的人。训诫的适用由合议庭或者独任审判员决定，由审判长或者独任审判员以口头方式指出行为人妨害行为的性质及危害后果，并责令其改正。训诫的内容应记录在案，并由被训诫人签字或者盖章。

（三）责令退出法庭及其适用

责令退出法庭是指人民法院对于违反法庭规则，扰乱法庭秩序较为严重的行为人，强行命令其退出法庭或者由司法警察强制带离法庭的强制措施。责令退出法庭的强制力度重于训诫，轻于罚款、拘留。责令退出法庭由合议庭或者独任审判员决定。审判人员可以直接适用责令退出法庭的强制措施，也可以先适用训诫，经训诫行为人仍不改正的，再决定对其适用责令退出法庭的强制措施。责令退出法庭的适用情况应记录在案。

（四）罚款及其适用

罚款是指人民法院依法决定强制妨害民事诉讼行为的人在指定期间内缴纳一定数额的金钱的强制措施。罚款的力度重于训诫和责令退出法庭，轻于拘留，是一种带有惩罚性的强制措施。除被告拒不到庭或者被执行人拒不到场的行为外，人民法院对其他妨害民事诉讼行为人，均可根据其行为情节的轻重决定是否采取罚款措施并决定罚款数额。

对个人的罚款金额为人民币 1 万元以下。对单位的罚款金额为人民币 1 万元以上 30 万元以下。适用罚款措施必须经人民法院院长批准，并由人民法院出具《罚款决定书》。被罚款人对决定不服的，可以向上一级人民法院申请复议一次。上一级人民法院应在收到复议申请后 5 日内作出决定，并将复议结果通知下一级人民法院和被罚款人。上一级人民法院复议时认为强制措施不当，应当制作决定书，撤销或者变更下一级人民法院的罚款决定。情况紧急的，可以在口头通知后 3 日内发出决定书。复议期间不停止罚款决定的执行。

（五）拘留及其适用

拘留又称司法拘留，是指人民法院对妨害民事诉讼情节严重的行为人所依法采取的在一定期间内限制其人身自由的强制措施。拘留是强制措施中最严厉的一种，它涉及公民的人身自由和民主权利。因此，人民法院应慎重适用拘留措施。行为人有本节妨害民事诉讼行为的种类中的第 2、第 3、第 4、第 6 项妨害民事诉讼行为的，人民法院均可根据其行为情节的轻重决定是否采取拘留措施并决定拘留的天数。拘留的期限为 15 日以下。法人和其他组织实施了《民事诉讼法》第 102 条第 1 款、第 103 条第 1 款所规定的行为之一的，人民法院可以对其主要负责人或者直接责任人予以拘留。

人民法院适用拘留措施，可由合议庭或者独任审判员提出，报人民法院院长批准。拘留应当制作《拘留决定书》。被拘留人对决定不服的，可以向上一级人民法院申请复议一次。上一级人民法院应在收到复议申请后 5 日内作出决定，并将复议结果通知下级人民法院和被拘留人。上一级人民法院复议时认为强制措施不当，应当制作决定书，撤销或者变更下一级人民法院的拘留决定。情况紧急的，可以在口头通知后 3 日内发出决定书。复议期间不停止拘留决定的执行。被拘留的人由人民法院交公安机关看管。被拘留人不在本辖区的，作出拘留决定的人民法院应派员到被拘留人所在地的人民法院，请该院协助执行，受委托的人民法院应及时派员协助执行。被拘留人申请复议或者在拘留期间承认并改正错误，需要提前解除拘留的，受委托人民法院应向委托人民法院转达或者提出建议，由委托人民法院审查决定。在拘留期间，被拘留人承认并改正错误的，人民法院可以决定提前解除拘留。

因哄闹、冲击法庭，用暴力、威胁等方式抗拒执行公务等紧急情况，必须立即采取拘留措施的，可在拘留后，立即报告院长补办批准手续。院长认为拘留不当的，应当解除拘留。被拘留人在拘留期间认错悔改的，可以责令其具结悔过，提前解除拘留。提前解除拘留应报经院长批准，并制作提前解除拘留决定书，交负责看管的公安机关执行。

案例分析

【案情】

北京 A 公司与山东 B 公司签订了一份大蒜购销合同，约定由山东 B 公司向北京 A 公司提供一批大蒜出口。山东 B 公司交货后，北京 A 公司支付了 70%的货款，余额 58 万未付。大蒜经北京商检局检验质量不合格，于是北京 A 公司要求退货，并要求山东 B 公司再发一批质量符合出口标准的大蒜。山东 B 公司不同意，认为已发的货质量合格，商检不合格是因为北京 A 公司保管不当所致。双方为此发生争议，山东 B 公司向本地有管辖权的人民法院起诉了北京 A 公司，并在人民法院受理案件后提出了财产保全申请。人民法院根据山东 B 公司的申请，派审判人员到北京冻结了北京 A 公司的一个存款 200 万元的账户。案件审理过程中，山东某人民法院审判人员持先予执行的裁定，到北京从已冻结的 A 公司账户强制划拨 58 万元。据了解山东 B 公司经营状况很好，为当地的利税大户。①

【问题】

1. 人民法院采取的财产保全措施是否正确？

2. 人民法院采取的先予执行措施是否正确？

【解析】

1. 人民法院采取的财产保全措施不正确。本案诉讼请求额为 58 万元，而人民法院却冻结了北京 A 公司一个 200 万元的账户，超过原告诉讼请求的数额，不符合民事诉讼法关于财产保全范围的规定。

2. 人民法院采取的先予执行措施不正确。本案当事人争议的法律关系的事实并不清楚，当事人之间的权利义务关系也不明确，且申请人经营状况很好，不符合采取先予执行措施的“不先予执行将严重影响申请人的生活或者生产经营”的法定条件。

① 江伟. 民事诉讼法练习题集. 北京：中国人民大学出版社，2006. 107

第十章　第一审普通程序

第一审普通程序是指人民法院审判第一审民事案件通常所适用的最基本的程序，它具有程序的基础性、独立性、完整性和广泛的适用性。在第一审民事案件中，除了简单的民事案件外，其他案件都要依照普通程序进行审理。本章主要介绍了第一审普通程序从原告提起诉讼、人民法院审查受理，到人民法院庭前准备、开庭审理、最后宣判等各个环节，阐述了一个完整的第一审程序体系。对审理过程中出现的如撤回起诉、缺席判决、诉讼中止等特殊情形也作了翔实的介绍，同时对目前学界关注较多的审前程序也进行了一定深度的探讨。

第一节　第一审普通程序的启动

一、起诉

（一）起诉的概念和意义

起诉是指公民、法人或者其他组织认为其民事权益受到侵害或者与他人发生民事争议时，请求人民法院通过审判方式予以司法保护的诉讼行为。

我国民事诉讼实行“不告不理”的原则，只有在当事人起诉的情况下，人民法院才启动民事审判程序。民事案件发生后，当事人选择诉讼方式解决的，必须向人民法院起诉。起诉便是当事人行使诉权的起点，是公民、法人和其他组织请求人民法院通过裁判方式对其民事权益进行司法救济的有效措施。正是因为当事人的起诉引起被告的应诉，才导致人民法院与全体诉讼参与人发生民事诉讼法律关系，使民事审判程序制度的功能得到充分体现。因此，起诉作为当事人的一项重要诉讼权利，必须受到充分的尊重和保护。

（二）起诉的条件

当事人起诉是民事审判程序开始的前提，只有符合条件的起诉，才会启动民事审判程序，对不符合条件的起诉，人民法院将裁定不予受理。根据《民事诉讼法》第 108 条规定，当事人起诉必须具备几个条件。

1. 有适格的原告

原告必须是与本案有直接利害关系的公民、法人和其他组织。“直接利害关系”是指公民、法人和其他组织的民事权益以及受自己管理、支配的民事权益受到侵害或者与他人发生争议。只要原告认为这种直接利害关系存在并声明受到侵害或者与他人发生争议，就可以自己的名义向人民法院起诉。与本案件没有直接利害关系的公民、法人和其他组织，不能以自己的名义向人民法院起诉。

2. 有明确的被告

民事诉讼所要解决的是相互对立的当事人之间的权利义务争议，因此，原告起诉时要指明发生争议的相对一方。如果被告不明确，民事诉讼就无法进行。

3. 有具体的诉讼请求、事实和理由

“具体的诉讼请求”是指原告在起诉时必须明确请求人民法院予以司法保护的具体内容和方式。人民法院只能以原告提出的诉讼请求为审理的范围，诉讼请求若不具体、不明确，人民法院将无从审理该案件。“事实”是指原告向人民法院提出诉讼请求所依据的案件事实和证据事实，包括当事人之间民事法律关系发生、变更和消灭的基本事实，当事人之间发生民事争议的事实，以及有关的证据。“理由”是指证明该诉讼请求是合理、合法并应得到人民法院支持的原因。

4. 属于人民法院受理民事诉讼的范围和受诉人民法院管辖

属于人民法院受理民事诉讼的范围是指当事人之间的争议事项必须属于人民法院行使民事审判权的职权范围。根据《民事诉讼法》第 3 条规定，人民法院受理民事诉讼的范围是公民之间、法人之间、其他组织之间以及他们相互之间因财产关系和人身关系提起的民事诉讼。不属于这个范围的不得提起民事诉讼。属于受诉人民法院管辖是指原告必须根据民事诉讼法关于人民法院之间管辖民事案件的分工，向有管辖权的人民法院提起民事诉讼。管辖权是审判权的基础，人民法院对案件没有管辖权，就不能对案件进行审判。

（三）起诉的方式

《民事诉讼法》第 109 条第 1 款规定：“起诉应当向人民法院递交起诉状，并按照被告人数提出副本。”起诉状是原告向人民法院提起诉讼的意思表示的载体。起诉状应当记明下列事项：①当事人的姓名、性别、年龄、民族、职业、工作单位和住所，法人或者其他组织的名称、住所和法定代表人或者主要负责人的姓名、职务；②诉讼请求和所根据的事实与理由；③证据和证据来源、证人姓名和住所。此外，起诉状还应写明受诉人民法院的名称与起诉的时间，并由原告签名或者盖章。起诉状应当符合上述要求，内容如有欠缺的与受诉人民法院应限期原告补正。

《民事诉讼法》第 109 条第 2 款规定：“书写起诉状确有困难的，可以口头起诉，由人民法院记入笔录，并告知对方当事人。”当事人口述时，人民法院应当按照起诉状内容的要求予以提示，使之清楚、明确而有依据。

二、起诉的审查与受理

（一）起诉的审查

人民法院收到原告的起诉状或者口头起诉后，应当对起诉进行审查，查明是否符合法律规定，以便确定是否立案受理。

其一，审查起诉的形式要件。人民法院主要审查起诉状是否具备了《民事诉讼法》第 110 条规定的事项，如有遗漏或者失误的，应当通知原告补正。起诉状中有谩骂和人身攻击之词，送达副本可能引起矛盾激化，不利于案件解决的，人民法院应当说服原告实事求是地修改。坚持不改的，可以送达起诉状副本。

其二，审查起诉的实质要件。人民法院要审查原告的起诉是否符合《民事诉讼法》第 108 条规定的四个条件。要对当事人的资格进行审查，确定原告是否与案件有直接的利害关系，被告是否明确、具体，原告提出的诉讼请求是否明确、具体，是否有支持其诉讼请求的事实和理由；审查当事人提起的诉讼是否属于人民法院受理民事案件的范围和受诉人民法院管辖。如发现原告起诉不符合上述四个条件的，应当裁定不予受理。

人民法院收到起诉状或者口头起诉后，必须在 7 日内完成对起诉的审查，并根据审查的结果确定受理或者不予受理。经审查被认为符合起诉条件的，应当在 7 日内立案，并通知当事人；认为不符合起诉条件的，应当在 7 日内裁定不予受理；原告对不予受理的裁定不服的，可以提起上诉。

人民法院审查起诉时，发现有下列情况之一的，不予受理，并根据不同情况作相应处理：

（1）依照行政诉讼法的规定，属于行政诉讼受案范围的，告知原告提起行政诉讼。

（2）依照法律规定，双方当事人自愿达成书面仲裁协议，以仲裁方式排除了人民法院管辖权的，告知原告向仲裁机构申请仲裁。

（3）依照法律规定，应当由其他国家机关处理的争议，告知原告向有关机关申请解决。

（4）对本院没有管辖权的案件，告知原告向有管辖权的人民法院起诉；原告坚持起诉的，裁定不予受理；立案后发现本院没有管辖权的，应当将案件移送有管辖权的人民法院。

（5）对判决、裁定已经发生法律效力的案件，当事人又起诉的，告知原告按照申请再审程序处理，但人民法院准许撤诉的裁定除外。

（6）依照法律规定，在一定期限内不得起诉的案件，原告在不得起诉的期限内起诉的，不予受理。例如我国《婚姻法》第 34 条规定：“女方在怀孕期间、分娩后 1 年内或中止妊娠后 6 个月内，男方不得提出离婚。”该规定体现了对妇女和儿童的特殊保护。但是，女方提出离婚的，或者人民法院认为确有必要受理男方离婚请求的，不在此限。

（7）对判决不准离婚和调解和好的离婚案件、原告撤诉或者人民法院按撤诉处理的离婚案件、判决或者调解维持收养关系的案件，如没有新情况、新理由，原告在 6 个月内又起诉的，不予受理。

（二）起诉的受理

受理是指人民法院对原告的起诉进行审查后，认为符合法律规定的起诉条件，决定立案并启动诉讼程序的行为。起诉是当事人的诉讼行为，受理是人民法院的审判行为，任何一个民事案件都必须有原告起诉和人民法院受理，诉讼程序才能开始。人民法院在收到原告的起诉状或者口头起诉后，经审查认为符合起诉条件的，应当在 7 日内立案，并通知当事人。

第二节　审理前的准备

一、审理前的准备的含义

审理前的准备也称审前准备程序，是指人民法院受理案件后至开庭审理之前为开庭审理所进行的一系列诉讼活动。审前准备程序是为保证开庭审理的顺利进行和案件的及时、公正审理而设立的必经程序，具有重要的作用。一方面，审前准备程序使当事人了解对方掌握的证据和对案件事实的看法，为参加庭审作好充分准备，充分发挥当事人在庭审中的作用；另一方面，人民法院通过审前准备程序，特别是通过整理讼争点和进行证据交换，对案件事实和争执的问题有了初步了解，更好地发挥庭审的功能，提高诉讼效率，保障诉讼公正和诉讼效益价值的实现。

二、审理前准备的内容

根据民事诉讼法和有关司法解释的规定，审理前准备程序的内容包括几个方面。

（一）在法定期间内送达诉讼文书

人民法院受理案件后，应当分别向原告、被告发送案件受理通知书和应诉通知书，并在立案之日起 5 日内将起诉状副本送达被告。原告口头起诉的，人民法院应当将原告口述笔录内容告知被告。被告在收到原告的起诉状副本之日起 15 日内提出答辩状，阐明对原告诉讼请求及所依据的事实和理由的意见。被告答辩有助于人民法院了解双方当事人争执的焦点和相关的证据材料。被告放弃答辩的，不影响人民法院对案件的审理。被告在法定期间内提出答辩状的，人民法院应当在收到答辩状之日起 5 日内将答辩状副本送达原告。

（二）告知当事人的诉讼权利和合议庭的组成人员

人民法院受理案件后，应当在受理案件通知书和应诉通知书中告知双方当事人有关的诉讼权利义务，也可以口头方式告知双方当事人有关的诉讼权利义务，保证当事人正确地行使各种诉讼权利，履行诉讼义务。适用普通程序审理民事案件，应组成合议庭。合议庭组成人员确定后，应当在 3 日内告知双方当事人。

（三）指定举证时限

举证时限是指负有举证责任的当事人应当在法律规定和人民法院指定的期限内提出证明其主张的相应证据，逾期不举证则承担证据失效的法律后果的一项民事诉讼期间制度。一般认为，在举证时限制度确立之前，我国民事诉讼实行的是“证据随时提出主义”，当事人在法庭辩论终结前的各个诉讼阶段均可以提出证据，这主要依据《民事诉讼法》第 125 条“当事人可以在法庭上提出新的证据”的规定。由于“新的证据”范围不明确，导致在审判实践中有的当事人基于自己的诉讼利益，故意不在开庭前向人民法院提供证据，而是庭审中或者庭审后才提供，也有的在第一审中故意不提供，在第二审提供等，给对方当事人造成诉讼上的突然袭击。同时，由于当事人不及时提供证据，人民法院无法有效地进行讼争点整理与组织质证，导致一些案件难以在审理期限内审结，严重影响了人民法院的审判效率和司法权威，也增加了当事人的诉讼成本。最高人民法院《关于民事诉讼证据的若干规定》对举证时限及相关问题作了规定。虽然《民事诉讼法》没有明文规定举证时限，但《民事诉讼法》第 75 条第 1 款规定“期间包括法定期间和人民法院指定的期间”，因此，人民法院指定举证时限，属于人民法院指定的期间，符合《民事诉讼法》规定。

确立举证时限制度可以克服“证据随时提出主义”的弊端，为双方当事人提供了平等的诉讼机会，调动当事人举证的积极性；同时，有助于人民法院在庭前整理讼争点，固定证据，进一步提高审判效率，节约审判资源；也为指定期间内确因客观原因无法举证的当事人提供必要的救济手段，充分保护当事人的诉讼权利。

（四）组织当事人交换证据

对于证据较多或者复杂疑难的案件，人民法院需要组织双方当事人交换各自提供的证据，以固定讼争点和证据，防止双方当事人在庭审时提供本应在举证期限内提供的证据。

（五）审核诉讼材料，整理讼争点

合议庭组成后，合议庭的成员应当认真审核案件材料，包括起诉状、答辩状和有关的证据。通过对诉讼材料的审核，了解双方当事人对案件的基本态度和主要分歧，对证据材料的真伪及其证明力作出初步判断，初步整理双方当事人争执的焦点，确定是否有需要由人民法院调查收集证据。

（六）调查收集必要的证据

诉讼证据主要由当事人来提供，但在特定的情况下，人民法院应调查收集证据，以便更好地解决纠纷，保护当事人的合法权益。根据《民事诉讼法》第 64 条规定，人民法院调查收集证据包括两种情形：一是当事人及其诉讼代理人因客观原因不能自行收集的证据，可以向人民法院申请调查收集；二是人民法院认为审理案件需要的证据，人民法院应当依职权主动调查收集。最高人民法院《关于民事诉讼证据的若干规定》第15条将“人民法院认为审理案件需要的证据”解释为以下两种情形：一是涉及可能有损国家利益、社会公共利益或者他人合法权益的事实；二是涉及依职权追加当事人、中止诉讼、终结诉讼、回避等与实体争议无关的程序事项。

（七）追加当事人

《民事诉讼法》第119条规定：“必须共同进行诉讼的当事人没有参加诉讼的，人民法院应当通知其参加诉讼。”必须共同进行诉讼的当事人是指必要共同诉讼的原告和被告。

人民法院在审查诉讼材料后，发现必须到庭参加诉讼的当事人没有参加诉讼的，应当通知其参加诉讼，当事人也可以向人民法院申请追加。人民法院对当事人提出的申请应当进行审查，对不符合法律规定的申请，裁定驳回；对符合法律规定的申请，书面通知当事人参加诉讼。人民法院追加共同诉讼的当事人时，应通知其他当事人。需要追加的原告明确表示放弃实体权利的，可以不作为当事人；需要追加的原告既不愿意参加诉讼，又不放弃实体权利的，仍然追加为共同原告，其不参加诉讼不影响人民法院对案件的审理。对于追加的必须到庭的被告，经人民法院合法传唤，无正当理由拒不到庭的，人民法院可以采取强制措施，强制其到庭。对于追加的不是必须到庭的被告，如果不到庭的，可以缺席判决。对于无独立请求权的第三人，人民法院认为有必要追加或者当事人提出申请时，也可以追加为当事人。

第三节　开庭审理

一、开庭审理的概念和意义

开庭审理是指人民法院在当事人和其他诉讼参与人的参加下，按照法定的方式和程序对案件进行全面审查并作出裁判的诉讼活动。开庭审理的过程分为几个既相互独立又相互联系的阶段：庭审准备、法庭调查、法庭辩论、合议庭评议和宣告裁判。

开庭审理是普通程序中最基本和最主要的阶段，是当事人行使诉讼权利和人民法院行使审判权最集中、最生动的体现。开庭审理时，将案件的审理过程置于群众的监督之下，增加了审判活动的透明度，督促人民法院正确行使审判权，有利于保护当事人的诉讼权利和实体权利，保证案件处理的公正性。

二、开庭审理的方式和地点

开庭审理是人民法院作出最终裁判的基础和依据，具体而言，人民法院审理第一审民事案件，有公开审理和不公开审理两种方式。

公开审理是指开庭审理时向群众和社会公开，允许群众旁听，允许新闻媒体对案件审理的情况进行采访报道，将案情公之于众。不公开审理是指不向社会公开，禁止群众旁听和新闻媒体采访报道。开庭审理以公开审理为主、不公开审理为辅。人民法院审理民事案件，除涉及国家秘密、个人隐私或者法律另有规定的以外，应当公开进行。对于离婚案件、涉及商业秘密的案件，当事人申请不公开审理的，可以不公开审理。

人民法院审理民事案件，一般在人民法院的审判庭进行，根据需要进行巡回审理的，可以到当事人所在地、案发地、标的物所在地进行审理。

三、开庭审理的程序

人民法院适用普通程序审理民事案件必须严格依照法定程序进行。人民法院审理案件，分为五个阶段。

（一）庭审准备

庭审准备是指人民法院正式对案件进行实体审理之前所进行的各项准备工作，它是开庭审理的最初阶段。庭审准备的内容包括以下几个方面：

（1）人民法院在开庭 3 日前将出庭传票送达当事人，将出庭通知书送达其他诉讼参与人，传票和通知书应当写明案由、开庭的时间和地点，以确保当事人和其他诉讼参与人为参加庭审做好准备。

（2）对公开审理的案件，人民法院在开庭 3 日前公告当事人的姓名、案由和开庭的时间、地点。

（3）正式开庭审理之前，由书记员查明当事人和其他诉讼参与人是否到庭，并向审判长报告，同时宣布法庭纪律。

（4）开庭审理时，由审判长核对当事人身份，核实诉讼代理人的代理资格和代理权限，宣布案由，宣布审判人员、书记员名单，告知当事人有关的诉讼权利义务，询问当事人是否提出回避申请。

（二）法庭调查

法庭调查的主要任务是全面调查案件事实，审查和核实各种证据，为正确认定案件事实和适用法律奠定基础。法庭调查主要包括当事人陈述、出示证据和质证。

1. 当事人陈述

当事人陈述首先由原告陈述其诉讼请求及其所依据的事实、理由，然后由被告陈述案件事实及其所持的不同意见。被告提出反诉的，应陈述反诉的诉讼请求及其所依据的事实、理由。有诉讼第三人的，先由有独立请求权的第三人陈述诉讼请求及其所依据的事实、理由，再由无独立请求权的第三人针对原告、被告的陈述提出承认或者否认的答辩意见。

2. 出示证据和质证

当事人陈述结束后，必须将案件的有关证据在法庭上展示，并由当事人进行质证。当事人在证据交换过程中认可并记录在卷的证据，经审判人员在庭审中说明后，可以作为认定案件事实的依据，不必在法庭上质证。各类证据按以下顺序出示，由当事人进行质证：

（1）证人、证言。经当事人申请与人民法院许可，证人可以出庭作证。确有困难不能出庭的证人，经人民法院许可，可以向法庭提交书面证言或者视听资料，或者通过双向视听传输技术等方式作证。

（2）书证、物证和视听资料。在法庭出示的书证、物证和视听资料包括当事人提供的证据，也包括人民法院调查收集的证据。人民法院依照当事人申请调查收集的证据作为提出申请的一方当事人提供的证据。出示书证、物证应当由法警进行，出示视听资料时必须当庭播放演示，必要时由录制人员到庭说明录制过程和情况。对书证、物证、视听资料进行质证时，当事人有权要求出示证据的原件或者原物，但是出示原件或者原物确有困难，经人民法院准许，可以出示复制件或者复制品；原件、原物已不存在，有证据证明复制件、复制品与原件或者原物一致的，也可以出示复制件、复制品。

（3）鉴定结论。鉴定结论由鉴定人当庭宣读，并接受当事人质询。鉴定人确因特殊原因无法出庭的，由审判人员宣读鉴定结论。经人民法院准许，鉴定人可以书面答复当事人的质询。经法庭许可，当事人可以向出庭的鉴定人发问。当事人对鉴定结论不服的，可以申请重新鉴定，是否准许由法庭决定。

（4）勘验笔录。勘验笔录由勘验人或者审判人员当庭宣读。经法庭准许，当事人可以向勘验人发问。当事人可以申请重新勘验，是否准许由法庭决定。

经过庭审质证的证据，能够当即认定的应当即认定；当即不能认定的可以休庭再予以认定。

在法庭上，当事人可以提出“新的证据”。“新的证据”是指当事人在第一审举证期限届满后新发现的证据，或者是当事人确因客观原因无法在举证期限内提供的证据。

（三）法庭辩论

法庭辩论是当事人及其诉讼代理人在合议庭的主持下，根据法庭调查阶段查明的事实和证据，阐明自己的观点和意见，相互进行言词辩驳的诉讼活动。法庭辩论是辩论原则最生动和最集中的体现。当事人及其诉讼代理人针对法庭调查阶段审核的事实和证据，围绕案件争执焦点互相进行辩论，争取合议庭作出有利于自己的裁判。同时，通过辩论有助于审判人员查清案件事实，分清是非责任。

法庭辩论按照下列顺序进行：①原告及其诉讼代理人发言；②被告及其诉讼代理人答辩；③第三人及其诉讼代理人发言或者答辩；④互相辩论。第一轮辩论结束后，当事人要求继续辩论的，可以进行下一轮辩论，但不得重复第一轮辩论的内容。法庭辩论时，审判人员不得对案件性质、是非责任发表意见，不得与当事人辩论。在法庭辩论过程中，如果当事人及其诉讼代理人提出新的事实和证据，合议庭可以决定停止辩论，恢复法庭调查，法庭调查结束后再继续辩论。如当庭难以查清事实和证据，且该事实和证据对案件的裁判有重大影响的，可以延期审理。法庭辩论终结后，由审判长按照原告、被告、第三人的先后顺序征询各方最后意见。

法庭辩论结束后，审判长征得各方当事人同意，可以依法进行调解，调解不成的应当及时判决。

（四）合议庭评议

合议庭评议是开庭审理的最后阶段。合议庭根据已经查明的事实和证据，依照法律规定分清是非，明确责任，作出判决并宣告判决结果，从而解决民事案件。合议庭应根据法庭调查和法庭辩论的情况，确定案件的性质，认定案件的事实，分清是非责任，正确地适用法律，对案件作出最后的处理。合议庭评议案件由审判长主持并秘密进行，合议庭有不同意见时实行少数服从多数的原则，但少数意见要如实记入笔录。评议笔录由书记员制作，经合议庭成员和书记员签名或者盖章后归档备查，不得对外公开。评议结束后应制作判决书，并由合议庭成员签名。

（五）宣告判决

宣告判决有两种方式：一种是当庭宣判，即在合议庭评议后，由审判长宣布继续开庭并宣读判决，宣判后 10 日内向有关人员发送判决书；另一种是定期宣判，即不能当庭宣判的，另定日期宣判，定期宣判后应立即发送判决书。无论是公开审理还是不公开审理的案件，宣告判决一律公开。宣告离婚判决时，应告知当事人在判决未生效前不得另行结婚。

四、法庭笔录

法庭笔录是书记员对开庭审理的全部活动所作的记录。制作法庭笔录应当按照开庭审理各个阶段的顺序，客观、真实、全面地记载庭审的全部过程，由合议庭成员和书记员签名。法庭笔录由书记员宣读，也可以告知当事人和其他诉讼参与人当庭或者在 5 日内阅读。法庭笔录经宣读或者阅读后，当事人和其他诉讼参与人认为记录无误的，应当在笔录上签名或者盖章；拒绝签名、盖章的，由书记员记明情况附卷；当事人认为对自己的陈述记录有遗漏或者差错并申请补正的，允许在笔录后面或者另页补正。

五、审结期限

人民法院适用普通程序审理的案件，应当在立案之日起 6 个月内审结。有特殊情况需要延长的，由本院院长批准，可以延长 6 个月；还需要延长的，报请上级人民法院批准。由于民事诉讼法对需要再次延长而报请上级人民法院批准的期限没有明确，因而从理论上讲，适用普通程序审理民事案件没有最长的期限。最高人民法院《关于严格执行案件审理期限制度的若干规定》（2000 年 9 月 28 日起施行）弥补了这一立法缺陷。根据这一司法解释的规定，适用普通程序审理的第一审民事案件的期限为 6 个月；有特殊情况需要延长的，应当在审理期限届满10日前向本院院长提出申请，经本院院长批准，可以延长6个月，还需延长的，应当在审理期限届满10日前报请上一级人民法院批准，可以再延长3个月。

民事案件的审理期限从立案次日起计算。下列期间不计入审理期限：①民事案件公告、鉴定的期间；②审理当事人提出的管辖权异议和处理人民法院之间的管辖争议的期间；③诉讼中止的期间。

人民法院的判决书、裁定书或者调解协议送达最后一名当事人的日期为结案时间。留置送达的，以裁判文书留在受送达人的住所日为结案时间；公告送达的，以公告刊登之日为结案时间；邮寄送达的，以交邮日期为结案时间；通过有关单位转交送达的，以送达回证上当事人签收的日期为结案时间。

第四节　撤诉与缺席判决

一、撤诉

（一）撤诉的概念

撤诉是指在人民法院受理案件后至宣判前，当事人撤回其诉讼请求，要求人民法院对案件不予审判的诉讼行为。撤诉权是与起诉权相对应的一种诉讼权利，撤诉是当事人处分自己诉讼权利的一种体现。根据民事诉讼法规定，第一审程序中的撤诉由当事人申请撤诉和人民法院按撤诉处理两种情形。

（二）申请撤诉

申请撤诉是指在第一审宣判前，当事人主动向人民法院申请撤回其起诉的一种诉讼行为。在第一审程序中，原告申请撤诉必须符合几个条件。

1. 要有申请撤诉的具体行为

原告应向人民法院递交撤诉申请书，明确提出撤诉请求。原告也可以口头方式向人民法院提出撤诉申请，人民法院将原告的口头撤诉申请记入笔录。

2. 申请撤诉必须是原告的自愿行为

撤诉必须是原告自主决定实施的诉讼行为，任何单位和个人包括审判人员不得强迫原告申请撤诉。

3. 申请撤诉的目的必须正当、合法

原告对自己诉讼权利的处分要符合法律的规定，不得损害国家、集体和他人的合法权益，否则，人民法院不准许撤诉。

4. 申请撤诉申请必须在判决宣告前提出

原告申请撤诉的，必须在宣判前提出。因为宣判后，人民法院已对案件作实质性处理并依法作出了裁判，故为了维护人民法院裁判的严肃性和和权威性，不允许原告以申请撤诉的方式使人民法院的裁判失去法律效力。

（三）按撤诉处理

按撤诉处理是指人民法院依照《民事诉讼法》规定，对原告的某些行为裁定按照申请撤诉处理的一种诉讼制度。

根据《民事诉讼法》和最高人民法院《适用民事诉讼法意见》的有关规定，有下列情形之一的，按撤诉处理：

（1）原告经传票传唤，无正当理由拒不到庭的，或者未经法庭许可中途退庭的。

（2）原告未按规定预交案件受理费，经人民法院通知后仍不预交的，且又没有申请免交或者缓交的。

（3）原告为无诉讼行为能力人，其法定代理人经传票传唤，无正当理由拒不到庭，或者未经法庭许可中途退庭的。

（4）有独立请求权的第三人无正当理由拒不到庭，或者未经法庭许可中途退庭的。

除上述第 2 种情形外，如果当事人有违反法律的行为需要依法处理的，人民法院可以不按撤诉处理。

（四）撤诉的法律后果

人民法院准许撤诉或者按照撤诉处理以后，将产生如下法律后果：

（1）终结诉讼程序。人民法院裁定准许撤诉或者按照撤诉处理后，诉讼程序便告终结，这是撤诉产生的最直接的法律后果。但是，由于撤诉仅处分了当事人的程序权利，对于当事人之间的实体权利义务的争议，人民法院并未作出处理。因此，当事人撤诉后，可以就同一诉讼标的的同一事实和理由，再次提起诉讼，人民法院应该予以受理。

（2）诉讼费用由原告负担。根据国务院《诉讼费用交纳办法》规定，原告撤诉的，由原告自行负担诉讼费用，人民法院减半收取。

（3）诉讼时效重新开始计算。原告起诉后，诉讼时效中断，自人民法院裁定准予撤诉之日起，诉讼时效重新开始计算。

二、缺席判决

缺席判决是相对于对席判决而言，它是指人民法院在一方当事人无故拒不到庭或者未经法庭许可中途退庭的情况下依法审理后所作出的判决。法律规定缺席判决制度对于人民法院及时有效地行使审判权，维护司法权威，保护当事人的合法权益具有重要的意义。根据《民事诉讼法》第 130 条和最高人民法院《适用民事诉讼法意见》的有关规定，有下列情形之一的，可以缺席判决：

（1）被告经传票传唤，无正当事由拒不到庭，或者未经法庭许可中途退庭的。

（2）被告反诉，原告经人民法院传票传唤无正当事由拒不到庭，或者未经法庭许可中途退庭的。

（3）被告无民事行为能力，其法定代理人经传票传唤无正当理由拒不到庭，或者未经法庭许可中途退庭的。

（4）人民法院裁定不准许原告撤诉，原告经人民法院传票传唤无正当理由拒不到庭的。

（5）无独立请求权的第三人经人民法院传票传唤无正当理由拒不到庭，或者未经法庭许可中途退庭的。

第五节 诉讼中止和诉讼终结

一、诉讼中止

（一）诉讼中止的概念

诉讼中止是指在诉讼过程中，因出现法定事由，受诉人民法院裁定暂时停止本案诉讼程序的制度。一般情况下，民事诉讼开始后都会依照民事诉讼法规定的程序顺利进行，直到宣判或者调解结案。在特定情况下，在民事诉讼进行的过程中，出现了妨害诉讼继续进行的法定事由，致使诉讼无法进行而需要暂时停止。

（二）诉讼中止的原因

根据《民事诉讼法》第 136 条规定，有下列情形之一的，人民法院裁定中止诉讼：①一方当事人死亡，需要等待继承人表明是否参加诉讼的；②一方当事人丧失诉讼行为能力，尚未确定法定代理人的；③作为一方当事人的法人或者其他组织终止，尚未确定权利义务承受人的；④一方当事人因不可抗拒的事由不能参加诉讼的；⑤本案必须以另一案的审理结果为依据，而另一案尚未审结的；⑥其他应当中止诉讼的情形。

（三）诉讼中止裁定的效力

出现诉讼中止的法定事由后，人民法院应当作出中止诉讼的裁定。裁定一经宣布，立即生效，当事人不得上诉，也不得申请复议。裁定中止诉讼后，人民法院、当事人和其他诉讼参与人应当停止与本案有关的诉讼活动，但财产保全和证据保全除外。中止诉讼的原因消除后，由当事人申请或者人民法院依职权恢复诉讼程序。恢复诉讼程序时，不必撤销原裁定，从人民法院通知或者准许当事人双方继续进行诉讼时起，中止诉讼的裁定即失去效力，在中止诉讼前进行的诉讼行为继续有效。

二、诉讼终结

（一）诉讼终结的概念

诉讼终结是指在诉讼过程中，由于法定的原因使诉讼无法继续进行或者进行下去没有意义，从而结束诉讼程序的一种法律制度，这是狭义的诉讼终结。广义的诉讼终结还包括因人民法院作出确定判决、当事人撤诉、达成调解协议等事由导致的诉讼终结。

诉讼终结和诉讼中止虽然都是停止诉讼活动，但两者有根本的区别。诉讼终结是永远停止，不再恢复诉讼程序；诉讼中止是暂时停止，待障碍消除后可恢复诉讼程序。

（二）诉讼终结的原因

根据《民事诉讼法》第137条规定，有下列情形之一的，人民法院应当裁定终结诉讼：①原告死亡，没有继承人，或者继承人放弃诉讼权利的；②被告死亡，没有遗产，也没有应当承担义务的人的；③离婚案件一方当事人死亡的；④追索赡养费、扶养费、抚育费以及解除收养关系案件的一方当事人死亡的。

（三）诉讼终结裁定的效力

诉讼终结的原因出现时，人民法院应当作出终结诉讼的裁定。诉讼终结的裁定一经送达当事人，即发生法律效力，当事人既不得上诉，也不得申请复议。因此，一旦诉讼终结，人民法院不得再对案件进行审理，当事人不能基于同一事实、同一理由就同一诉讼标的再行起诉。

案例分析

【案情】

张某于2006年10月1日向刘某借款2 000元，约定张某于2006年10月20日归还，但到期后张某拒绝归还借款，于是刘某在2006年11月2日到某县人民法院起诉，要求张某归还借款。某县人民法院收到刘某的起诉状后认为符合起诉条件，于2006年11月11日立案，并通知了当事人。2006年11月18日某县人民法院将起诉状副本发送给被告张某，但张某未提交答辩状。某县人民法院组成了合议庭，径行判决张某归还刘某欠款2 000元。张某不服，依法向上一级人民法院提交了上诉状。

【问题】

本案在程序上存在哪些问题？

【解析】

本案存在下列程序问题：

（1）根据《民事诉讼法》第112条规定，人民法院应当在收到起诉状后的7日内决定是否立案，在本案中，人民法院应当在2006年11月9日前立案，但人民法院在11月11日才立案，违反了审查起诉的期限规定。

（2）根据《民事诉讼法》第113条规定，人民法院应当在立案之日起5日内将起诉状副本发送被告。本案中，人民法院在立案后第7日才将起诉状副本发送被告，违反了有关送达起诉状副本的期限规定。

（3）第一审人民法院不能未经开庭审理而径行判决，径行判决只适用于第二审程序。本案中第一审法院未经开庭审理即径行对案件作出判决，是违反第一审程序规定的。

第十一章　简易程序

在我国民事诉讼中，为了体现诉讼经济原则，减轻当事人的讼累，便利人民法院审判案件，在普通程序之外又设置了简易程序。本章主要介绍简易程序的基本概念、特点、适用状况及相关具体规定，简易程序与普通程序的区别以及简易程序的适用范围。鉴于简易程序适用中出现的问题，不少论者提出了改革和完善此程序的意见，并从立法体例上借鉴其他国家和地区对小额程序的规定，提出了在我国制定专门的小额程序的构想。

第一节　简易程序概述

一、简易程序的概念

简易程序是指基层人民法院和它的派出法庭审理简单民事案件所适用的审判程序。简易程序是我国司法工作优良传统和成功经验的重要体现，它既方便人民群众进行民事诉讼，又有利于人民法院提高审判效率和效益。

二、简易程序的适用范围

基层人民法院和它的派出法庭审理事实清楚、权利义务关系明确、争议不大的简单的民事案件时，适用简易程序的规定。

（一）适用简易程序的人民法院

只有基层人民法院和它的派出法庭可以适用简易程序，中级以上人民法院不能适用简易程序。基层人民法院的派出法庭包括两种方式：一种是基层人民法院根据地区、人口和案件情况，在区、乡、镇常设的人民法庭，即在其辖区内设立的固定派出机构，它是基层人民法院的组成部分；另一种是基层人民法院为审理具体案件而临时派出的巡回审判、就地办案的审判组织。人民法庭是基层人民法院的组成部分，其审判活动及所作出的裁判与基层人民法院的审判活动及其作出的裁判具有同等法律效力。

（二）适用简易程序的民事案件

事实清楚、权利义务关系明确、争议不大的简单民事案件适用简易程序审理。《适用民事诉讼法意见》第 168 条对简单民事案件作了较为具体的解释。"事实清楚"是指当事人双方对争议的事实陈述基本一致，并能提供可靠的证据，无须人民法院调查收集证据即可判明事实、分清是非；"权利义务关系明确"是指谁是责任的承担者，谁是权利的享有者，关系明确；"争议不大"是指当事人对案件的是非、责任以及诉讼标的的争执无原则分歧。事实清楚、权利义务关系明确、争议不大是认定简单的民事案件的三个标准。这三个标准是相互联系、不可分割的，必须同时具备才能构成简单的民事案件，适用简易程序来进行审理，否则便不能适用简易程序。

为了防止在诉讼实践中随意扩大简易程序的适用范围，《适用民事诉讼法意见》规定了不适用简易程序的情形：第一，起诉时，被告下落不明的案件不得适用简易程序审理。第二，对于适用简易程序审理的案件，在审理过程中发现案情复杂的，或者一方当事人就适用简易程序提出异议，人民法院认为其异议成立的，可以转为普通程序并由合议庭进行审理；但是，已经按照普通程序审理的案件，在审理过程中无论是否发生情况变化，都不得改用简易程序审理。第三，发回重审和按照审判监督程序再审的案件，不得适用简易程序审理。第四，涉外案件不宜适用简易程序审理。

三、我国增设小额程序的构想

在许多国家和地区的法律规定的第一审民事诉讼程序中，除了普通程序和简易程序外，还设有一种小额程序。[①] 所谓小额程序（Small Claims Procedure）是指基层法院的小额法庭或者专门的小额法院审理数额很小的案件所适用的专门程序。

在立法体例上，多数国家和地区的法律将小额程序与简易程序分别加以规定，制定了专门的小额裁判法。如日本和韩国将创设小额程序作为民事诉讼改革的重点，我国台湾地区在 1999 年修订《民事诉讼法》时，在"第一审程序"中增设了"小额诉讼程序"。还有一些国家虽然没有制定专门的小额裁判法，但在简易程序中对小额案件作出了更为简易的特别规定。例如，德国《民事诉讼法》第 495 条规定："对 1 200 马克以下的诉讼请求，法官可以不经辩论，直接作出不附事实的判决。如果理由已经记录在案卷中，判决不需要写明理由。"

从各国和地区的法律规定来看，小额程序主要有以下特征：①以低成本和高效率为价值取向；②诉讼请求一般只限于债权债务纠纷，而且不能超过法律规定的最高限额；③程序简便、灵活；④法官享有较大的自由裁量权。

我国目前尚未规定小额程序，而是将小额案件与简单民事案件合一，简单民事案件中包括小额案件，两者都适用简易程序。近几年，随着人们法治意识的增强，即使是很小的纠纷，人们也希望通过严格的法律程序来加以解决。小额案件适用简易程序来解决

---

① 章武生. 民事诉讼简易程序研究. 北京：中国人民大学出版社，2003.

的做法，没有完全体现小额案件的审理特点，而且违背了民事诉讼的程序设置应当与案件类型相适应的程序法理。因此，有必要将小额案件与一般的简单案件区分开来，为小额案件设立专门的程序，发挥小额程序的功能。基于以上认识，一些论者认为，应当在现有的普通程序和简易程序的结构之外再增加一个小额程序。

目前，我国一些基层人民法院也开始了设置小额程序的探索，对审理案件发挥了一定的积极作用，但也存在不少问题。目前，我们应当对小额程序的探索采取更加审慎的态度，循序渐进，日臻完善。我们认为，我国的民事第一审诉讼程序应当包括普通程序、简易程序和小额程序三种相互联系而又各自独立的程序，使三者各自有其适用领域，而又并行不悖，发挥出各自的最佳作用。

第二节 简易程序的特点

一、简易程序的特点

简易程序与普通程序相比较，具有一些特点。

（一）起诉方式简便

适用简易程序的简单民事案件，原告可以口头起诉。人民法院对原告口头起诉应当记入笔录。“可以口头起诉”是指依据原告的意愿，可以书面起诉，也可以口头起诉。普通程序中的起诉一般要求是书面起诉，只有采用书面起诉确有困难时，才允许口头起诉。

（二）受理程序简便

在简易程序中简化了审查起诉和决定是否立案的程序。当事人双方可以同时到基层人民法院或者它的派出法庭请求解决纠纷。基层人民法院或者它的派出法庭可以当即审理，也可以另定日期审理。适用普通程序审理案件，人民法院对原告的起诉有 7 天的立案审查期限，开庭审理前，还必须进行必要的审理前的准备。与普通程序相比，简易程序中的受理程序显然要便捷得多。

（三）传唤方式简便

基层人民法院和它的派出法庭审理简单的民事案件，可以用简便方式随时传唤当事人、证人。“简便方式”是指基层人民法院和它的派出法庭可以根据实际情况，采用如口头通知、电话通知等传票以外的方式传唤当事人和通知证人出庭。适用普通程序的民事案件，人民法院则应在开庭 3 日前以传票的方式传唤当事人，以书面通知方式通知诉讼代理人、证人出庭。

（四）审判组织采取独任制的形式

简易程序采用独任制，由审判员一人独任审理。在独任审判中，必须由书记员担任记录并制作庭审笔录，不得由独任审判员自审自记。在普通程序中，则由审判员或者审判员和人民陪审员组成合议庭对案件进行审判。

（五）庭审程序简便

适用简易程序开庭审理时，不必遵守民事诉讼法关于当事人陈述、证据出示和辩论依次进行的规定。是原告先行陈述、出示证据和发表辩论意见，还是被告先行陈述、出示证据和发表辩论意见，可以根据案件审理需要确定，也可以交叉进行。在正式审理前，也不必严格要求由审判长核对当事人和书记员宣布法庭纪律，可以直接进入审理阶段。

（六）审结期限较短

基层人民法院和它的派出法庭适用简易程序审理案件，应当在立案之日起 3 个月内审结。这 3 个月期限为不变期限。如果在 3 个月内不能审结案件，则必须转为普通程序审理，并及时通知双方当事人，审理期限从立案的次日起计算。适用普通程序的审理期限是 6 个月，遇有特殊情况可以延长。

二、适用简易程序应当注意的问题

（1）正确理解和处理简易程序转换为普通程序的相关问题。适用简易程序审理的案件，由于审结期限不得延长，因此在审理过程中，如果发现案情复杂，需要转为普通程序审理的，可以转为普通程序，这种程序转换的条件为：①当事人就适用简易程序提出异议，人民法院认为异议成立。②人民法院在审理过程中发现不宜适用简易程序。此时，审结期限仍然应当从最初立案之日起计算；但是，已经按照普通程序审理的案件，在审理过程中无论是否发生了情况变化，都不得改用简易程序审理。

（2）适用简易程序审理的案件，当事人同时到庭的可以径行开庭进行调解。简易程序中应当先行调解的简易案件主要有：①婚姻家庭纠纷和继承纠纷；②劳务合同纠纷；③交通事故和工伤事故引起的权利义务关系较为明确的损害赔偿纠纷；④宅基地和相邻关系纠纷；⑤合伙协议纠纷；⑥诉讼标的额较小的纠纷。对调解的案件，调解前告知当事人诉讼权利义务和主持调解的审判人员，在询问当事人是否申请审判人员回避后，当事人不申请回避的，可以直接进行调解。调解不成的或者达成协议后当事人反悔又未提出新的事实和证据的，可以不再重新开庭，直接作出判决。

（3）适用简易程序时，人民法庭制作的判决书、裁定书、调解书必须加盖基层人民法院的印章，不得用人民法庭的印章代替基层人民法院的印章。

（4）适用简易程序审理案件，判决结案的，应当公开宣判。

（5）适用简易程序审理案件也应整理、制作完整的卷宗。卷宗中应当具备以下材料：①书面诉状或者口头起诉笔录；②答辩状或者口头答辩笔录；③委托诉讼代理人的授权委托书；④必要的证据；⑤询问当事人笔录；⑥审理（包括调解）笔录；⑦判决书、裁定书、调解书，或者调解协议；⑧送达和宣判笔录；⑨执行情况；⑩其他材料。

案例分析

【案情】

原告潘甲与被告潘东、潘西、潘北、潘南是父子关系，潘甲与潘东、潘西共同居住潘甲所有的房屋四间。潘甲因与潘东发生矛盾，向某区人民法院起诉，要求四被告每人每月给付赡养费 50 元，并要求某区人民法院对四间住房进行分割。某区人民法院适用简易程序，传唤潘东、潘西到庭。经过调解，潘东、潘西同意每月给付潘甲赡养费 50 元。某区人民法院动员潘甲撤诉，没有制作调解书。

【问题】

本案在程序处理上存在哪些问题？

【解析】

本案中应当到庭的被告潘南、潘北没有被传唤到庭；原告两个诉讼请求（要求被告给付赡养费、与被告分割房产）只就其中一个在部分当事人中进行了调解；调解协议具有执行内容，应当制作调解书而没有制作，动员原告撤诉，这些做法都不属于简易程序中对程序的正常简化，因而都是不正确的。由此可见，简易程序作为一种简便易行的诉讼程序，是对普通程序的简化，但并不能随意地简化审理工作。

第十二章　第二审程序

我国民事诉讼实行两审终审的审级制度，第二审也称之为上诉审程序、终审程序。第二审程序审理上诉案件，通过对上诉请求的有关事实和法律适用的审理，保护当事人的合法权益。本章重点阐述第二审程序与第一审程序的关系，上诉的条件以及第二审人民法院审理上诉案件所适用的程序问题。

第一节　第二审程序概述

一、第二审程序的概念和意义

第二审程序是指当事人不服地方各级人民法院尚未生效的第一审裁判向上一级人民法院提起上诉，上一级人民法院对案件进行审理和裁判所适用的程序。由于我国民事诉讼法规定实行两审终审制，第二审程序又称为终审程序；同时，第二审程序是基于当事人的上诉而发动的，又可称为上诉审程序。

设置第二审程序，当事人可以通过行使上诉权表达对第一审裁判的不同意见和自己的主张，要求对案件进行进一步的审理，以维护自己的合法权益。设置第二审程序也可以督促第一审人民法院的法官认真履行职责，正确作出裁判。同时，在第二审程序中，上级人民法院可以发现下级人民法院在审判中出现的错误，予以及时纠正，从而有利于维护裁判的公正性和权威性。

二、第二审程序与第一审程序的区别

第二审程序是第一审程序的继续和发展，第一审程序是第二审程序的前提和基础，两者联系密切。但第二审程序与第一审程序毕竟是两个相对独立的诉讼程序，两者之间有着明显的不同，主要表现在几个方面。

（一）程序性质的不同

第一审程序是民事诉讼的最基本程序，是审理任何民事案件的必经程序；第二审程

序不是民事案件的必经程序。

（二）程序适用的人民法院不同

第一审程序是各级人民法院均可适用的初审程序，第二审程序是中级以上人民法院才可能适用的终审程序。

（三）程序的发生原因不同

第一审程序是基于原告向有管辖权的人民法院起诉而产生的，第二审程序是基于当事人对第一审人民法院的裁判不服依法行使上诉权而启动的。

（四）程序的功能不同

第一审程序的功能主要是审判，是确认民事权利义务关系，解决民事纷争，制裁民事违法行为。第二审程序的功能是审判和监督，第二审人民法院除了依法完成上诉案件的审判任务之外，还担负有对下级人民法院工作的监督职责。

（五）程序适用的具体程序和制度不同

第一审普通程序中，允许人民陪审员参加合议庭；对于基层人民法院及其派出法庭审理第一审简单民事案件，还可以适用简易程序，由审判员一人独任审理。第二审人民法院审理上诉案件则不得适用简易程序，必须由审判员组成合议庭对案件进行审理和判决。适用第一审程序审理案件，人民法院必须开庭审理；适用第二审程序审理上诉案件，可以开庭审理，也可以不经开庭审理，径行判决。

（六）程序作出的裁判效力不同

地方各级人民法院所作出的第一审裁判送达当事人后，在上诉期内不发生法律效力；第二审人民法院作出的裁判，　经送达，立即发生法律效力，即为终审裁判。

（七）程序的审理期限不同

第一审普通程序的审理期限一般为 6 个月，第一审简易程序的期限为 3 个月。适用第二审程序审理案件，且对判决不服的，审限为 3 个月；对裁定不服的，审限为 30 日。第二审程序的审限与第一审程序的审限相比，明显更短。

第二节　第二审程序的启动

一、上诉的概念

上诉是指当事人不服第一审人民法院作出的尚未生效的裁判，在法定期间内，请求上一级人民法院予以撤销或者变更的诉讼行为。

由于各种原因，当事人可能对地方各级人民法院作出的第一审裁判不服，为了给当事人提供救济，法律赋予当事人对第一审裁判表示不服而要求进一步审判的权利，这种权利就是上诉权。

上诉权是当事人享有的一项重要的诉讼权利，它不仅使当事人寻求权利的进一步救济成为可能，而且为上一级人民法院审查下一级人民法院的审判工作开辟了道路。因此，应当特别重视保护当事人的上诉权。首先，第一审人民法院作出裁判后，当事人是否上诉，应当由其自行决定，任何组织或者个人不得强迫和压制。其次，只要当事人提起上诉，人民法院就应当受理并启动第二审程序，在上诉人上诉的范围内对案件进行审理，人民法院不能以裁判没有错误为由拒绝受理当事人依法提起的上诉。

二、提起上诉的条件

上诉与起诉一样，必须符合法定的条件，不符合法定条件的上诉，不能引起第二审程序的发生。当事人提起上诉必须同时符合四个条件。

（一）上诉必须针对依法可以上诉的裁判提出

根据《民事诉讼法》第147条规定，对于地方人民法院第一审判决和第一审裁定，当事人不服的，可以在法定期间内提出上诉。当事人可以提起上诉的判决和裁定具体包括：第一，地方各级人民法院依照第一审普通程序、简易程序审理民事案件后作出的判决；第二，地方各级人民法院作出的不予受理案件的裁定、管辖异议的裁定和驳回起诉裁定。对最高人民法院的判决、裁定以及依法不准上诉或者超过上诉期没有上诉的判决、裁定，当事人不能提出上诉。

（二）上诉必须有合格的上诉人与被上诉人

当事人提起上诉必须具有合格的主体，即具有合格的上诉人与被上诉人。上诉人是指提起上诉的一方当事人，被上诉人是指与上诉人的上诉请求有直接利害关系的对方当事人。

上诉人与被上诉人必须是第一审程序中的当事人、当事人的继承人或者诉讼承担人，具体包括第一审程序中的原告、被告、共同诉讼人、诉讼代表人、有独立请求权的第三人、判决承担民事责任的无独立请求权的第三人以及上述当事人的继承人或者诉讼承担人。

上诉人与被上诉人必须与上诉请求有直接利害关系，即经过第二审程序的审理可能变更或者影响其在第一审裁判中确定的实体权利义务。因此，上诉人是请求撤销或者变更第一审裁判的当事人，被上诉人是被提起上诉的对方当事人；双方当事人、第三人都提起上诉的，均为上诉人。

在必要的共同诉讼中，一人或者部分人提起上诉的，上诉人和被上诉人的确定依下列情况处理：

（1）该上诉是对与对方当事人之间权利义务分担有意见，不涉及其他共同诉讼人利益的，对方当事人为被上诉人，未上诉的同一方当事人依原审诉讼地位列明；

（2）该上诉仅对共同诉讼人之间权利义务分担有意见，不涉及对方当事人利益的，未上诉的同一方当事人为被上诉人，对方当事人依原审诉讼地位列明；

（3）该上诉对双方当事人之间以及共同诉讼人之间权利义务承担有意见的，未提出上诉的其他当事人均为被上诉人。

（三）上诉必须在法定期间内提出

上诉必须在法律规定的期间内提出，否则不能引起第二审程序的发生。对裁定不服的上诉期间为 10 日，对判决不服的上诉期间为 15 日，从判决书、裁定书送达之日起计算。在上诉期间内，当事人因不可抗拒的事由或者有其他正当理由耽误上诉期间的，在障碍清除后 10 日内，可以申请顺延期间，是否准许由人民法院决定。

（四）上诉必须递交上诉状

上诉状是当事人不服第一审人民法院作出的尚未生效的裁判，请求第二审人民法院撤销或者变更原裁判的书面意思表示。当事人提起上诉，应当递交上诉状。上诉状应当记明下列事项：当事人的姓名、法人或者其他组织的名称及其法定代表人或者主要负责人的姓名及职务；原审人民法院的名称、案件的编号和案由；上诉的请求和理由。第一审宣判时或者判决书、裁定书送达时，当事人口头表示上诉的，人民法院应当告知其必须在法定上诉期间内提出上诉状，未在法定上诉期间内递交上诉状的，视为未提出上诉。

三、提起上诉的程序

上诉人提起上诉应当向原审人民法院递交上诉状，并按对方当事人或者代表人的人数提出副本，上诉于原审人民法院的上一级人民法院。当事人直接向第二审人民法院递交上诉状的，第二审人民法院应当在 5 日内将上诉状移交原审人民法院。

根据《民事诉讼法》第 149 条规定，上诉人原则上应当通过原审人民法院提出上诉状，便于当事人行使上诉权，也便于人民法院对上诉状进行审查并及时向当事人送达相关书状，为第二审程序做好准备。但为了消除当事人的疑虑，法律也不禁止当事人直接向第二审人民法院提出上诉状，以保障当事人行使上诉权。

当事人只能向原审人民法院的上一级人民法院提出上诉，不得越级上诉。同时，当事人向原审人民法院递交上诉状时，应当预交上诉费，双方当事人都提起上诉的，各方当事人应当分别预交上诉费。

四、上诉的审查与受理

上诉的审查和受理是指第二审人民法院依法对当事人提起的上诉进行审查，对符合上诉条件的案件决定立案审理的诉讼行为。第一审程序中的当事人递交上诉状，还不能说第二审程序已经启动，只有第二审人民法院决定受理上诉，第二审程序才正式启动。

原审人民法院受到当事人的上诉后，应当在5日内将上诉状副本送达对方当事人，对方当事人在收到上诉状副本之日起15日内提出答辩状，人民法院在收到答辩状之日起5日内将答辩状副本送达上诉人。原审人民法院应当自收到上诉状、答辩状之日起5日内连同全部案卷和证据，报送第二审人民法院。第二审人民法院收到上诉状、答辩状之后，应当对上诉人的上诉进行审查，以判断上诉人的上诉是否符合法律规定。经审查，认为上诉符合法定条件的，应当决定立案审理；认为不符合法定条件的，应当裁定不予受理。

尽管法律规定上诉人应当向原审人民法院递交上诉状，并且由原审人民法院向当事人送达上诉状副本和答辩状副本，但是，第二审案件的受理权并不在第一审人民法院，而是在第二审人民法院。

五、上诉的撤回

上诉的撤回是指上诉人提起上诉后，第二审人民法院宣判前，请求撤回上诉请求的诉讼行为。从实质上看，撤回上诉是上诉人对其实体权利和程序权利的处分。在第二审人民法院对其上诉请求进行审理的过程中，如果上诉人不愿继续进行诉讼，或者愿意接受第一审人民法院作出的裁判，可以申请撤回上诉，使第一审人民法院的裁判发生法律效力。上诉人撤回上诉应当向第二审人民法院提出申请，该申请既可以用书面的方式，也可以用口头的方式，口头申请撤回上诉的，人民法院应当记入笔录。

对于上诉人撤回上诉的申请，第二审人民法院应当进行审查并作出是否准许的裁定。尽管撤回上诉是上诉人处分自己权利的行为，但这一行为能否引起终结第二审程序的法律后果，要由人民法院裁定。如果第一审人民法院的判决确有错误的，或者双方当事人串通损害国家、集体、社会公共利益或者其他人的合法权益的，人民法院将不准许撤回上诉。

准许或者不准许撤回上诉的裁定，既可以用书面形式，也可以用口头形式。一般来说，准许撤回上诉应制作裁定书。第二审人民法院一旦作出准许撤回上诉的裁定，第二审程序就终结，第一审裁判发生法律效力。如果不制作裁定书，当事人就可能对第一审裁判的效力产生疑问或者不能确定，影响当事人实体权利的实现。不准许撤回上诉的裁定不一定要用书面形式作出，因为此后第二审程序仍将继续进行，口头形式的裁定不会对当事人的实体权利义务关系产生实质影响。

第二审人民法院一旦作出准许撤回上诉的裁定，第二审程序宣告终结，原审裁判生效，当事人不得再行上诉。

第三节　第二审案件的审判

一、上诉案件的审理范围

我国《民事诉讼法》第151条规定："第二审人民法院应当对上诉请求的有关事实和适用法律进行审查。"这表明我国上诉案件的审理范围包括案件事实和法律适用两个方面的内容。也就是说，第二审人民法院既要对案件事实进行审理，又要对法律适用进行审理，并且是对与上诉请求有关的案件事实与法律适用进行审理，对于上诉人没有提出上诉的第一审裁判认定的事实与适用的法律，第二审人民法院原则上不予审理。其中，就审理的事实来说，既包括上诉人在第一审程序中已经提出但不服第一审裁判认定的事实，也包括上诉人在上诉请求中提出的新事实；就审理的法律适用来说，既包括第一审裁判适用的实体法和程序法，也包括上诉人在上诉中要求第二审人民法院适用的实体法和程序法。

当然，第二审人民法院对上诉人上诉请求的有关事实和适用法律进行审查时，如果发现在上诉请求以外原判决确有错误的，或者发现上诉请求以外的第一审判决、裁定违反法律禁止性规定、侵害社会公共利益或者他人利益的，也应当予以纠正。被上诉人在答辩中要求变更或者补充第一审判决内容的，第二审人民法院可以不予审查。

二、上诉案件的审理方式

根据《民事诉讼法》第152条规定，第二审人民法院审理上诉案件有开庭审理和径行裁判两种方式。在具体适用上，应当以开庭审理为主，以径行裁判为辅。

（一）开庭审理

开庭审理是上诉案件审理的基本方式，并与第一审程序的开庭审理要求相同，要求同时传唤各方当事人，通知其他诉讼参与人到庭，经过法庭调查、法庭辩论、合议庭评议、宣判等环节，对第一审裁判认定的事实、适用的法律以及当事人提出的新事实进行审查和辩论，由合议庭评议后作出新的裁判。开庭审理是实现直接言词原则、辩论原则的基本要求，能够有效地维护当事人的诉讼权利，有利于增强当事人对裁判结果的信服感和确保司法公正。

（二）径行裁判

径行裁判也称为不开庭审理，就是不同时传唤当事人，不通知其他诉讼参与人到庭进行法庭调查和辩论，由合议庭经过阅卷和调查、询问当事人，核查案件事实和法律适用后，直接对案件作出裁判。这同西方的"书面审理"是不相同的。书面审理是指不开庭、不调查，不询问当事人、证人，只通过审查第一审案卷材料即作出裁判的审理方式。[①]

根据最高人民法院《民事诉讼法适用意见》第 188 条规定，下列案件可以径行裁判：①第一审人民法院就不予受理、驳回起诉和管辖权异议作出裁定的案件；②当事人提出的上诉请求明显不能成立的案件；③原审裁判认定事实清楚，但适用法律错误的案件；④原判决违反法定程序，可能影响案件正确判决，需要发回重审的案件。

三、上诉案件的审理地点

根据《民事诉讼法》第 152 条第 2 款规定，第二审人民法院审理上诉案件，可以在本院进行，也可以到案件发生地或者原审人民法院所在地进行。诉讼实践中，第二审人民法院审理上诉案件，径行裁判的，一般都在本院进行；开庭审理的，有一部分到案件发生地或者原审人民法院所在地进行。

四、上诉案件的调解

调解原则是我国民事诉讼法的一项基本原则，它贯穿民事诉讼程序的始终。《民事诉讼法》第 155 条规定，第二审人民法院审理上诉案件，可以进行调解。

（一）上诉案件调解的范围

为了尊重当事人对自己的实体权利和程序权利的处分权，上诉案件的调解应当遵循自愿、合法的原则。也就是说，在第二审程序中是否进行调解，是仅上诉请求的事项进行调解还是就原审全部诉请事项进行调解，是否作出让步以及作出怎样的让步都应当由当事人自主决定。

上诉案件调解的范围不受上诉请求范围的限制，也不受第一审诉讼请求范围的限制。第二审人民法院可以对当事人在第一审程序中的全部诉讼请求以及在第二审程序中提出的新请求一并进行调解。根据最高人民法院《民事诉讼法适用意见》第 184 条规定，在第二审程序中，原审原告增加独立的诉讼请求或者原审被告提出反诉的，第二审人民法院可以根据当事人自愿的原则就新增加的诉讼请求或者反诉进行调解，调解不成的，告知当事人另行起诉。这一规定尊重了当事人的处分权，提高了诉讼效率，强化了程序的纠纷解决功能。但是，我们认为，该规定在尊重当事人处分权方面仍然显得不够彻底。较为合理的规定应当是在第二审程序中，原审被告同意原审原告增加独立的诉讼请求，或者原审原告同意原审被告提起反诉的，第二审人民法院既可以根据自愿的原则进行调解，也可以依法作出裁判；一方当事人不同意对方当事人增加诉讼请求或者反诉的，第二审人民法院可以根据自愿的原则进行调解，调解不成的，告知当事人另行起诉。也就是说，应当允许双方当事人同意舍弃审级利益，更为彻底地尊重当事人的处分权。

上诉案件的调解可以不受第一审裁判是否正确的影响。案件进入第二审程序之后，

① 江伟. 民事诉讼法学. 上海：复旦大学出版社，2003. 399

第一审裁判是未生效的裁判，即使第一审裁判存在错误，当事人在第二审程序中能够达成调解的，第二审人民法院也可以进行调解。根据最高人民法院《适用民事诉讼法意见》规定，在下列三种情况下，第二审人民法院可以根据自愿的原则进行调解，调解不成的，发回重审：①对当事人在第一审程序中已经提出的诉讼请求，原审人民法院未作审理、判决的；②必须参加诉讼的当事人在第一审中未参加诉讼的；③ 对第一审判决不准离婚的案件，上诉后第二审人民法院认为应当判决离婚的。

（二）上诉案件的调解书

《民事诉讼法》第 155 条规定，第二审人民法院审理上诉案件时经调解达成协议的，应当制作调解书，由审判人员、书记员署名，加盖人民法院印章。调解书送达后，原审人民法院的判决即视为撤销。可见，关于上诉案件的调解书有两点值得注意：①与第一审案件调解不同的是，在第二审程序中经调解达成协议的，人民法院应当毫无例外地制作调解书。上诉案件经调解达成协议的，第一审判决不能发生法律效力，此时，调解书是说明第一审判决没有生效的重要形式。②上诉案件的调解书送达各方当事人后，原审人民法院的判决即视为撤销。因此，第二审人民法院没有必要另行裁定撤销原判决，也没有必要在调解书中明确撤销原判决。

五、上诉案件的裁判

上诉案件的裁判应当符合作出裁判的一般准则，同时还应当符合特殊的规则即不利益变更禁止原则，该原则是指第二审人民法院对只有当事人一方上诉，对方当事人没有上诉的，第二审人民法院原则上不得作出与第一审人民法院的裁判相比对上诉人更不利的裁判。[①] 第二审人民法院根据案件审理的不同情况，分别作出裁判。

（一）对第一审判决提起上诉案件的裁判

1. 驳回上诉，维持原判

第二审人民法院经过审理，认为原判决对上诉请求的有关事实认定清楚，适用法律正确的，判决驳回上诉，维持原判。

2. 依法改判

第二审人民法院经过审理，认为原判决对上诉请求的有关事实认定清楚，但适用法律错误的，第二审人民法院在确认第一审判决认定的事实的同时，依法改判，以纠正原判决在适用法律上的错误。同时，原审判决认定事实错误，认定事实不清或者证据不足的，第二审人民法院也可以在查清事实后依法改判。基于当事人上诉请求的不同，依法改判可能变更原判决的一部分，也可能变更原判决的全部。

3. 发回重审

第二审人民法院经过审理，认为原判决违反民事诉讼法规定的程序，可能影响案件

① 江伟. 民事诉讼法. 北京：中国人民大学出版社，2007. 393

正确判决的，可以裁定撤销原判，发回原审人民法院重审。例如，应当组成合议庭审理，但第一审人民法院采取独任审理的；承办案件的审判人员应当回避而未回避的；未经开庭审理而作出判决的；必须到庭的当事人未经传唤到庭即缺席判决的；当事人不合格却未进行更换的，等等，都应发回原审人民法院重审。

第二审人民法院经过审理，认为原审人民法院的判决认定事实错误，或者认定事实不清或者证据不足的，原则上发回重审，也可以在查清事实后依法改判。发回原审人民法院重审的案件，原审人民法院仍应按第一审程序审理，审理后作出的裁判为一审裁判，当事人不服的，仍然可以上诉。

（二）对第一审裁定提起上诉案件的裁定

当事人对案件不予受理的裁定、对管辖权有异议的裁定和驳回起诉的裁定，可以依法上诉。第二审人民法院对不服第一审人民法院裁定的上诉案件的处理，也一律使用裁定。对于原裁定认定事实清楚、证据充分、适用法律正确的，裁定驳回上诉，维护原裁定；原裁定认定事实不清或者证据不足，适用法律错误的，裁定撤销原裁定，作出正确的裁定。

由于上诉的三个裁定涉及的是纯程序问题，并未涉及实体权利义务的认定，所以不存在发回原审人民法院重新裁定的问题。

（三）第二审裁判的法律效力

我国实行两审终审制，第二审人民法院即为终审人民法院，第二审人民法院的裁判为终审裁判。第二审裁判一经送达，立即发生法律效力，当事人不得对裁判再行上诉，也不得就同一诉讼标的以同一诉讼理由重新起诉。第二审裁判具有给付内容，负有给付义务的当事人必须履行义务，逾期不履行的，对方当事人可以申请人民法院强制执行，人民法院也可视情况依职权强制执行，以保证当事人权利的实现。

案例分析

【案情】

某离婚案件的当事人甲与乙系一对年轻夫妻，两人因一时斗气，甲提出离婚。某区人民法院第一审判决准予双方离婚后，乙不服提起上诉。在市中级人民法院审理过程中，甲乙双方经人民法院调解，表示愿意和好。甲与乙两人来到市中级人民法院申请撤回起诉和上诉。

【问题】

市中级人民法院可否同意他们的撤诉申请?

【解析】

本案涉及两个问题：一是撤诉的时间问题，二是第二审撤诉必须考虑已经存在的第一审判决的效力问题。关于撤诉的时间，撤回起诉应当在第一审判决宣告前，撤回上诉应当在第二审宣判前。因此，对原告撤回起诉，人民法院不能同意。第一审判决的效力因当事人提起上诉而被阻断。如果当事人撤回上诉，那么第一审判决便会发生法律效力，甲与乙的离婚就成为事实，这不符合甲和乙的意愿。所以，为了甲、乙和好的愿望，人民法院可以根据他们达成和好的协议，制作调解书，送达甲、乙后即发生法律效力，第一审判决视为撤销。

第十三章　民事裁判

在民事诉讼范畴内，人民法院行使审判权的主要表现是人民法院及其授权的司法人员所实施的各种诉讼行为。其中，人民法院的裁判行为对于案件的争议问题或者某些事实问题的确定具有实质性意义。民事裁判泛指审判机关依法处理实体争议和程序性事项以及其他特殊事项的结论性判定。在民事诉讼中，由于人民法院通过行使裁判权加以处理的诉讼事项各不相同，人民法院的裁判便有了不同的表现形式，主要包括民事判决、民事裁定和决定。

第一节　民事判决

一、民事判决的概念与分类

民事判决是指人民法院通过诉讼和非讼案件的审理，依据案件事实和法律规定，对双方当事人之间的实体争议或者一方当事人提出的实体权利的主张所作出的具有法律约束力的权威性决断。

据不同的划分标准，可以将民事判决分为不同的种类，最常用的分类主要有四种。

（一）根据民事案件的性质，民事判决可以分为诉讼判决和非讼判决

诉讼判决是人民法院对当事人的民事实体权益争议作出的判决；非讼判决是人民法院对某种法律事实是否存在作出的判决。

（二）根据民事判决的内容和性质，民事判决可以分为给付判决、确认判决和变更判决

给付判决即具有给付内容的判决。给付判决一旦发生法律效力，负有给付义务的一方当事人必须按期自动履行给付义务；逾期拒不自动履行给付义务，对方当事人有权依法向人民法院申请强制执行，必要时也可以由审判人员依职权主动移送执行人员强制执行。确认判决是指人民法院确认双方当事人之间存在或者不存在某种民事法律关系的判决。确认判决通过确认双方当事人之间存在或者不存在某种民事法律关系，以达到明确民事权利义务关系并在此基础上解决民事纠纷的目的。变更判决是指人民法院作出变更

或者消灭当事人在之前原有的民事法律关系的判决，如判决解除婚姻关系、变更合同等。

（三）根据当事人是否出庭的情况，民事判决可以分为对席判决和缺席判决

对席判决是指人民法院在双方当事人均出席法庭的情形下作出的判决。缺席判决是指人民法院在一方当事人未到庭诉讼或者未经法庭许可而中途退庭的情况下作出的判决。缺席判决尽管在判决形式上与对席判决有所差异，但是二者具有完全相同的法律效力。

（四）根据民事判决是否已发生法律效力，民事判决可以分为生效判决和未生效判决

生效判决是指人民法院作出的已经发生法律效力的判决，包括当事人没有在法定上诉期限内提起上诉的第一审判决、适用第二审程序作出的判决和最高人民法院作出的判决。未生效判决是指人民法院已经作出的尚未发生法律效力的判决，通常指第一审人民法院作出的依法可以上诉的判决。

二、民事判决书的内容

人民法院对民事案件的判决必须采用书面形式，即制作判决书。根据《民事诉讼法》第138条规定，判决书应当写明案由、诉讼请求、争议的事实和理由，判决认定的事实、理由和适用的法律依据；判决结果和诉讼费用的负担；上诉期间和上诉的人民法院。民事判决书由首部、主文、判决结果和尾部组成。

（一）首部

首部内容包括：①标题、作出判决的人民法院名称、案件编号；②当事人和诉讼代理人基本情况；③案由；④审判组织和审判方式。

（二）主文部分

主文部分包括：①当事人的诉讼请求和理由；②当事人争议的事实和理由；③判决认定的事实和理由；④判决结果和法律依据。

当事人的诉讼请求和理由是指一方当事人通过人民法院向对方当事人提出的实体权利的主张和依据的法律规定，它不仅决定人民法院对民事案件的审理范围，而且决定人民法院的判决对象。在制作判决书时，必须准确、完整地记载当事人在诉状中提出的诉讼请求。当事人提出数项诉讼请求的情况时，应当在判决书上逐项载明。

当事人争议的事实和理由是指双方当事人在提交的起诉状、答辩状（或者口头答辩）和其他相关诉讼材料中所直接反映的争议事实，以及双方当事人为了维护自己的诉讼主张所分别持有的具体理由。

判决认定的事实和理由是指经过开庭审理阶段的法庭调查、法庭辩论以及双方当事人的当庭质证，由人民法院核实并在判决书中予以载明的案件事实以及据以认定案件事

实的诉讼证据。

（三）判决结果

判决结果是人民法院根据案件审理查明的案件事实，对实体问题作出的处理决定。判决结果的表述应当明确、具体、完整。适用的法律依据是指判决书中用来作为判决依据的法律规定。

（四）尾部

尾部内容包括诉讼费用的负担、当事人的上诉期间、上诉的人民法院以及合议庭成员、书记员署名和判决日期等。

诉讼费用的负担是判决书中必须写明的内容。在制作判决书时，人民法院应确定诉讼费用是一方负担还是双方分担；确定双方分担的，还应同时载明分担的比例和具体数额。

为了切实保障当事人依法行使上诉权，地方各级人民法院应在制作的第一审判决书中具体载明上诉期间和上诉的人民法院。其中，对于上诉期间的起算问题，必须作出合乎法律规定的准确表述。如果是中级人民法院和高级人民法院制作第二审判决书，或者是最高人民法院制作判决书，均应在判决书中载明该项判决为发生法律效力的判决。

判决书应由审判人员、书记员署名，并加盖人民法院的印章。最后，还应当载明作出本项判决的具体时间，即年、月、日。

三、民事判决生效的时间

民事判决生效的时间分为以下两种情况：一是上诉期届满、当事人未上诉的判决。地方各级人民法院作出的、法律允许上诉的一审判决，在上诉期内当事人没有上诉的，上诉期届满，判决即发生法律效力。二是不能上诉的判决。这类判决包括中级以上人民法院所作的二审判决，最高人民法院作出的一审判决，地方各级人民法院作出的不准上诉的一审判决（如适用特别程序作出的判决和适用公示催告程序作出的除权判决）。上述判决一经送达，立即发生法律效力。

四、民事判决的效力

民事判决生效后，产生三个方面的法律后果。

（一）拘束力

无论是一审判决还是上诉审判决，在宣告或者送达后，就发生一定的形式效力。即作出该判决的人民法院自判决成立后，要受其拘束，以后在同一审级内不得自行撤销或者变更该判决，即使当事人同意撤销或者变更也不允许。判决对人民法院的拘束力是判决的内在属性。为此，各国民事诉讼法都认为判决成立之后就产生拘束力。

（二）既判力

既判力又称实质上的确定力，是指确定的终局判决所裁判的诉讼标的对当事人和人民法院的强制性适用力。生效民事判决所具有的这种强制性通用力就称为既判力。①

（三）执行力

执行力是指给付判决可以作为执行根据，判决中的权利人在义务人不履行生效判决确定的义务时，有权请求人民法院予以强制执行。

第二节　民事裁定

一、民事裁定的概念

民事裁定是指人民法院在审理民事案件过程中，对所发生的程序上应当解决的事项作出的权威性判定。

民事判决和裁定都是人民法院制作的法律文书，具有同等的权威性和非依法不可更改性。但是，判决和裁定是两种不同的诉讼法律文书，两者的区别主要表现在四个方面。

1. 判决和裁定的作用不同

判决主要是解决民事实体问题，裁定主要是解决民事案件的程序问题。即使有些程序问题涉及实体权利和义务，人民法院也不能用裁定对实体权利义务问题作出判定。

2. 判决和裁定的适用阶段不同

判决通常只能在案件审理终结时作出，裁定既可以在案件审理终结时作出，也可以在案件审理过程中作出，还可以在案件审理前作出。案件审理终结后，可以用裁定改正判决书中的失误。

3. 判决和裁定的表现形式不同

判决只能用书面形式表现，并且有严格的格式；裁定既可以用书面形式，也可以用口头形式。

4. 判决和裁定的上诉期间不同

依法准许上诉的民事判决的上诉期为 15 日，依法准许上诉的民事裁定的上诉期为 10 日。

二、民事裁定的适用范围

裁定的适用范围是指哪些程序上的问题需要适用裁定的方式解决。根据《民事诉讼

---

① ［日］兼子一，竹下守夫. 民事诉讼法（新版）. 白绿铉译. 北京：法律出版社，1995. 156

法》第 140 条规定，裁定适用几种诉讼事项。

(一) 不予受理

当事人不享有民事诉讼程序上的诉权，或者人民法院对案件无管辖权的，人民法院应当裁定不予受理。具体来说，有三种不予受理的情形：①原告不符合起诉条件，又无法补正或者未在一定期限内按时补正；②法律规定在一定期限内不得起诉，但原告在此期限内起诉；③原告起诉的事项不属于人民法院主管范围，或者虽属人民法院主管范围，但不属于受诉人民法院管辖。对上述情形，人民法院裁定不予受理。原告对不予受理的裁定不服，有权在接到裁定书之日起 10 日内提起上诉，要求上一级人民法院撤销不予受理的裁定，并要求其指定下级人民法院立案受理。

(二) 管辖权异议

一方当事人向人民法院起诉，受诉人民法院予以受理后，另一方当事人认为受诉人民法院对该案无管辖权的，可以在收到起诉状副本之日起 15 日内向受诉人民法院提出管辖异议。对此，人民法院应当进行审查，经过审查认为异议不成立的，裁定驳回异议；认为异议成立的，裁定将案件移送有管辖权的人民法院。当事人对裁定不服，有权向上一级人民法院提起上诉。

(三) 驳回起诉

原告向人民法院起诉，人民法院予以受理后，在审理过程中发现当事人没有实体意义上的诉权或者程序意义上的诉权，即无权起诉或者起诉不符合起诉条件，人民法院裁定驳回起诉。当事人不服的，可以提起上诉。

(四) 财产保全和先予执行

财产保全和先予执行是民事诉讼程序中两种必要的应急措施。财产保全和先予执行要涉及实体问题，如财产保全措施中要查封、扣押财产。先予执行要责令一方当事人预先履行一定义务。但是对财产的保全并非决定财产的归属，先予执行也只是基于某些案件原告的特殊需要，责令被告预先履行一定的义务，而不是最终确定当事人的实体权利义务问题。所以，财产保全和先予执行的目的是为了保证诉讼的顺利进行，与程序问题紧密相关。因此，人民法院采用裁定方式来决定财产保全和先予执行的诉讼保全措施。

对于财产保全和先予执行的裁定，当事人不能上诉，但可以向作出裁定的人民法院申请复议一次。复议期间不停止对裁定的执行。

(五) 准许或者不准许撤诉

撤诉是当事人行使处分权的表现形式，当事人撤诉只要符合法律规定，人民法院就应当以裁定方式允许撤诉。如果当事人的撤诉违背法律或者损害国家、集体和他人的合法权益，人民法院应当作出裁定不允许其撤诉。

（六）中止诉讼或者终结诉讼

中止诉讼是由于出现了特殊情况，诉讼程序中途停止。终结诉讼是由于出现了特殊情况，使正在进行的诉讼既无必要也无可能继续进行下去，因而最终结束诉讼程序。在诉讼过程中，遇有需要中止诉讼或者终结诉讼的情况，由人民法院裁定。

（七）补正判决书的笔误

补正判决书的笔误是对判决书中的错误进行补充或者更正。人民法院补正判决书中的笔误，应作出裁定。

（八）中止或者终结执行

中止执行是由于出现了特殊情况，执行程序中途停止。终结执行是由于出现了特殊情况，使正在进行的执行程序失去继续进行下去的可能性和必要性，最终结束执行程序。在诉讼过程中，遇有中止执行或者终结执行的法定事由出现，人民法院应当作出裁定中止执行或者终结执行。

（九）不予执行仲裁裁决或者公证机关赋予强制执行效力的债权文书

仲裁机构的裁决发生法律效力后，一方当事人不履行的，对方当事人可以向有管辖权的人民法院申请执行。如果被申请人提出证据证明仲裁裁决存在不予执行的情节，人民法院经审查属实后，应当裁定不予执行仲裁裁决。

公证机关依法赋予强制执行效力的债权文书，一方当事人不履行的，对方当事人可以向有管辖权的人民法院申请强制执行。受申请的人民法院确认债权文书确有错误的，也可以裁定不予执行。

（十）其他需要裁定解决的事项

根据审判实践的需要，法律作出了这一项弹性规定，以保证审判实践中新情况、新问题得以顺利解决。其他需要裁定解决的事项有：①由简易程序审理的案件，改用普通程序进行审理；②第二审人民法院撤销第一审人民法院判决，发回原审人民法院重审；③按审判监督程序决定再审，中止原判决的执行；④督促程序中，申请人申请不成立的，驳回申请；⑤经公示催告，利害关系人申报后，终结公示催告程序；⑥宣告进入破产还债程序；⑦承认和执行外国的判决、裁定，等等。

上述民事裁定中，当事人除了对前三种裁定可以上诉，以及对财产保全和先予执行的裁定可以申请复议外，对其他裁定不服的，既不能上诉，也不能申请复议。

第三节　民事决定

一、民事决定的概念

民事决定指人民法院对民事诉讼中的特殊事项依法作出的权威性判定。民事决定的特殊事项是指在诉讼中具有相当的紧迫性和重要性的特定事项。为保证人民法院公正地审理民事案件，维护正常的诉讼秩序，正确处理人民法院内部的工作关系，常常使用民事决定。

人民法院适用民事决定处置特殊事项时，可以视情况选用口头形式或者书面形式。如果口头作出民事决定，应当由书记员记入笔录；如果使用书面形式时，应当写明人民法院的全称、决定书种类和案号、该决定所依据的事实与理由以及该决定的内容，最后还应注明该决定是否准予申请复议。同时，应当有作出决定的组织、人员署名以及作出决定的日期，并加盖人民法院印章。

二、民事决定的适用范围

根据民事诉讼法规定，人民法院对一些诉讼事项可以采用决定。

（一）回避

当事人有权申请回避，但是，是否构成回避应当依据法定条件而定。人民法院认为符合法定条件适用回避规定的，作出回避决定。

（二）对妨害民事诉讼的行为采取强制措施

对妨害民事诉讼的行为采取强制措施必须由人民法院决定。其中，拘传、罚款、拘留等措施必须由人民法院院长批准，并作出决定书。

（三）诉讼费用的减、免、缓

在审判实践中，有些当事人交纳诉讼费用有一定的困难。依据民事诉讼法的救济原则，在一定条件下，当事人可以向人民法院申请减交、免交或者缓交诉讼费用，是否准许由人民法院审查决定。

（四）顺延期限

当事人因不可抗拒的事由或者其他正当理由耽误期限的，在障碍消除后的 10 日内，可以申请顺延期限，是否准许由人民法院决定。

（五）再审

各级人民法院院长对本院已经发生法律效力的判决、裁定发现确有错误，认为需要再审的，应当提交审判委员会讨论决定是否再审。

（六）暂缓执行

在执行程序中，被申请执行人向人民法院提供担保，并经申请执行人同意，人民法院可以决定暂缓执行及暂缓执行的期限。

三、民事决定的效力

民事决定是人民法院对特定事项作出的结论性判定，为及时解决问题，法律对其何时生效，一般不作限制性的规定。通常情况下，民事决定一经作出或者送达，不论其是否可以依法申请复议，立即发生法律效力。

由于民事决定的制作有其紧迫性，为保护当事人合法权益，根据民事诉讼法规定，对某些决定，可以申请复议。如对是否回避决定、拘留、罚款决定等可以申请复议一次，复议期间不停止原决定的执行。

案例分析

【案情】

某市水果公司与该市某供销社于 2001 年 5 月签订蜜橘供销合同，同年 10 月，市水果公司按约定将蜜橘运至某市供销社，某市供销社以蜜橘与合同中规定的质量不符为由拒绝付款，某市水果公司以某市供销社为被告向人民法院提起诉讼。由于无人管理，蜜橘开始腐烂，某市水果公司请求人民法院采取措施。人民法院依法裁定采取财产保全措施，将这批蜜橘变卖，获得款项 75 000 元。人民法院经审理，认定蜜橘符合质量要求，判决某市供销社支付某市水果公司蜜橘款 10 万元，变卖的蜜橘款归某市供销社所有。

【问题】

本案中人民法院的判决与裁定有什么不同的特点？

【解析】

民事裁定是为了解决诉讼程序上的问题而作出的权威性判定，当事人除了对于人民法院作出的不予受理的裁定、管辖权异议的裁定和驳回起诉的裁定可以上诉外，对其他裁定不能上诉。本案中人民法院对蜜橘采取保全措施而进行变卖，这是为了解决该诉讼程序中的特定问题而采取的应急措施，其目的是为了保证民事诉讼的顺利进行，避免一方当事人的损失进一步扩大。本案中，当事人对人民法院变卖蜜橘的保全措施不能上诉，但可以向作出裁定的人民法院申请复议一次。复议期间不停止对裁定的执行。如某市供销社认为人民法院变卖蜜橘价格过低，或者认为不应变卖，应该由某市水果公司自己处理，只能向人民法院提出复议。

民事判决是人民法院通过对民事案件的审理，根据查明和认定的案件事实正确适用法律，对案件的实体问题作出的权威性判定。民事判决的实质是将人民法院确认的当事人之间的权利义务关系，用依法判定的形式确定下来。对于人民法院作出的第一审判决，当事人可以依法提起上诉。本案中，人民法院判决某市供销社向市水果公司支付蜜橘款，也就确定了某市供销社和市水果公司之间的实体权利义务关系。对于人民法院的这一判决，某市供销社和市水果公司都可以依法提起上诉。

第十四章　特别程序

特别程序是人民法院解决某些非民事权益争议案件所适用的特殊审判程序。根据民事诉讼法规定，适用特别程序审理的案件包括选民资格案件、宣告公民失踪案件、宣告公民死亡案件、认定公民无民事行为能力或者限制民事行为能力案件以及认定财产无主案件。其中，选民资格案件是人民法院确认某公民有无选民资格的案件，其他五种案件在性质上都属于非讼案件。这六种案件与一般民事案件不同，它们均非民事权益争议，往往带有一定的公益性，每种案件的审理程序都与通常诉讼程序存在明显差别。

第一节　特别程序概述

一、特别程序的概念

特别程序是我国民事诉讼法规定的独立的特殊审判程序，是指人民法院解决某些非民事权益争议案件所适用的特殊审理程序。非民事权益争议案件主要是指基于民事法律关系所产生的非讼案件。这些非讼案件的突出特点是公民民事权益虽未发生争执但具有潜在的不稳定因素，这些潜在不稳定因素的持续存在会导致民事权利人的损失，影响甚至阻滞社会经济的正常流转秩序。为避免将来可能发生的民事权利争议，疏通社会经济流转的管道，超前维护有关利害关系人的合法利益，我国民事诉讼法专门规定了特别程序对这类案件予以处理。正是由于所处理案件的特殊性，特别程序与审判一般案件的普通程序和简易程序在基本原则、基本制度和具体规则方面必然存在各种差异。人民法院审理法定的特殊类型案件所采用的这些基本原则、基本制度和具体规则构成了特别程序的内容。尽管特别程序具有自己的特殊性和独立性，但它仍然属于我国民事诉讼法规定的审判程序的有机组成部分。特别程序没有规定的，适用《民事诉讼法》其他各章和其他法律的规定。

二、特别程序的特点

特别程序与普通程序、简易程序等通常诉讼程序相比较，具有一些特点。

（一）审理的案件性质特殊

适用特别程序审理的案件是一些特殊性质的案件，申请人或者起诉人起诉是要求人民法院确认某种法律事实是否存在，确认某种权利资格的实际情况，并不存在具体的民事权益争议。人民法院在依照特别程序审理案件的过程中，发现案件属于民事权益争议的，应当裁定终结特别程序，告知利害关系人可以另行起诉。适用普通程序、简易程序审理的案件存在民事权益争议，人民法院审理案件的目的就是为了解决当事人之间的民事权益争议。

（二）没有原告和被告

特别程序中只有起诉人或者申请人、被申请人，没有原告或者被告。适用特别程序审理的案件并不存在利害关系相对立的双方当事人，程序的启动来自起诉人或者申请人的行为，起诉人或者申请人不一定与本案存在利害关系。多数案件中没有被申请人，或者有被申请人而不必要出庭，在案件解决过程中，始终只出现起诉人或者申请人一方。在普通程序或者简易程序中，利害关系相对立的原告和被告是程序启动的必要条件。

（三）审判机关和审判组织特殊

适用特别程序的审判机关是基层人民法院，中级以上人民法院不适用特别程序。人民法院适用特别程序审理案件一般只需对已经存在的事实予以确认，不需要进行复杂的民事权利义务关系的认定。因此，审判组织原则上主要是采用独任制，除了选民资格案件和重大疑难的非讼案件由审判员组成合议庭进行审理，其他适用特别程序审理的案件都由审判员一人独任审理。适用普通程序、简易程序审理民事案件，则分别采用合议庭和独任审理的方式，合议庭可以由审判员组成，也可以由审判员和陪审员共同组成。

（四）实行一审终审

根据《民事诉讼法》第161条规定，对依特别程序审理的案件实行一审终审，判决一经送达立即发生法律效力，起诉人或者申请人不服，不得提起上诉请求变更或者撤销该判决。适用普通程序和简易程序审理的案件，除最高人民法院审理的第一审民事案件外，都实行两审终审。

（五）不适用再审程序

人民法院适用特别程序审理案件是为了确认某种法律事实或者法律资格是否存在，判决依据的是当时存在的事实。在判决发生法律效力后，如果发现判决在认定事实或者适用法律方面有错误，或者出现了新情况、新事实，原人民法院依据相关人员的申请查证属实后，撤销原判决，作出新判决，无须启动再审程序。适用普通程序和简易程序审理的案件如果出现生效判决存在错误，人民法院、人民检察院和当事人都有权启动再审程序予以纠正，非经再审程序任何机关或者个人都不得变更或者撤销生效判决。

（六）案件的审结期限较短

根据《民事诉讼法》第 163 条规定，人民法院适用特别程序审理的案件应当在立案之日起 30 日内或者公告期满后 30 日内审结。有特殊情况需要延长的由本院院长批准。另外，如果是选民资格案件，要求在选举日之前审结。适用通常程序审理案件审结期限较长，其中，适用普通程序审理案件，一般要求在 6 个月内审结；适用简易程序审理案件，应当在 3 个月内审结。

（七）诉讼费用制度特殊

依照特别程序审理的案件，不交纳案件受理费，审理过程中出现的公告费由起诉人或者申请人负担。在普通程序和简易程序中，一般均应交纳案件受理费，并实行败诉方负担的原则。此外，适用特别程序审理案件还应遵循职权原则，进行书面审理和不公开审理。

第二节 选民资格案件

一、选民资格案件的概述

选民资格案件是公民本人或者其他相关公民对选举委员会公布的选民名单有异议，向选举委员会申诉后，不服选举委员会的处理决定，依法向选区所在地的基层人民法院提起诉讼的案件。

公民对选民名单有异议是指公民认为选举委员会公布的选民名单有错误，如应当列入选民名单的人没有列入，不应列入选民名单的人却列入了选民名单。选举权和被选举权是公民享有的一项重要的政治权利，凡年满 18 周岁的公民除被剥夺政治权利外，都享有该项权利。为了准确地确定公民的选举权和被选举权，我国《选举法》规定，在选举前，应当按照选区进行登记，并在选举日前 20 日公布选民资格名单，发给选民证。公民认为公布的选民名单有漏登、错登等错误的，可以向选举委员会申诉，请求更正。公民对选举委员会的处理不服的，可以向人民法院起诉，要求人民法院适用特别程序予以解决。

二、选民资格案件的审判程序

（一）起诉与受理

公民就选民资格问题向人民法院起诉，应当具备几个条件。

1. 起诉人必须是有民事诉讼行为能力的公民

与通常诉讼程序的原告不同，选民资格案件中的起诉人只能是公民，不包括法人和其他组织。提起诉讼的公民不称为原告，称为起诉人，选举委员会也不是选民资格案件的被告。起诉人可以是具有民事诉讼行为能力的任何公民，不限于与选民名单有直接利害关系的公民本人，只要是对选举委员会公布的选民名单有异议，均可成为起诉人。

2. 起诉前必须进行申诉

公民在向人民法院起诉前，应先就选民名单问题向选举委员会提出申诉，选举委员会应当在 3 日内对申诉作出处理决定。申诉人对选举委员会的处理不服的，才可以向人民法院起诉。

3. 必须在法定期间起诉

为了使人民法院有必要的审理时间及时确认公民有无选举权和被选举权，起诉人应在选举日的 5 日前向人民法院起诉，这一期间属于法定的不变期间，如果距离选举日已不足 5 日，人民法院将不再受理。

4. 必须向选区所在地的基层人民法院起诉

选民资格案件由选区所在地的基层人民法院管辖。这样规定既便于公民及时进行诉讼和选举委员会参加审理，也便于人民法院进行调查并作出正确的判决。

人民法院对于公民关于选民资格问题的起诉应当及时审查，对符合条件的起诉应当及时受理。

（二）审理和判决

1. 组成合议庭

人民法院审理选民资格案件由审判员组成合议庭进行。选民资格案件关系到公民的选举权和被选举权这一重要的政治权利，处理起来要特别慎重，根据《民事诉讼法》第 161 条规定，不仅要采取合议庭的形式，而且要由审判员组成合议庭。

2. 在选举日前审结

人民法院受理选民资格案件后必须在选举日前审理结案，确认有关公民是否享有选举权和被选举权，使有选举权和被选举权的公民能够参加选举，保障公民政治权利的实现。等到选举日已过，案件审判也就失去了实际意义。人民法院对选民资格案件进行审理时，起诉人、选举委员会的代表和有关公民必须参加。有关公民是指案件涉及选民资格的公民，该公民虽不是起诉人，但参加审理是该公民的权利，人民法院必须通知其参加审理活动。人民法院在审理中应当充分听取起诉人、选举委员会的代表和有关公民的意见，必要时可以让各方进行辩论。人民法院查明事实后进行评议和判决，判决书应当在选举日前送达选举委员会和起诉人并通知有关公民。选民资格案件实行一审终审，人民法院的判决是对选民资格的最终认定，判决书一经送达，立即发生法律效力。

第三节 宣告公民失踪案件

一、宣告公民失踪案件概述

宣告公民失踪案件是指公民离开自己的住所而下落不明达到一定期限，人民法院根据利害关系人的申请判决宣告该公民为失踪人的案件。

现实生活中，有些公民离开自己的住所后，长期下落不明，其财产无人管理，与其相关的各种民事法律关系处于不稳定的状态，这种状况不利于社会生活的稳定和发展。民事诉讼法设定宣告公民失踪案件的审判程序，一方面有利于保护失踪人的财产，使其财产得到财产代管人的妥善保管，避免造成损失、流失或者被他人侵犯；另一方面有利于保护与失踪人有利害关系的第三人的合法权益，财产代管人有义务用代管财产替失踪人清偿债务，如从失踪人的财产中支付其所欠的欠款或者抚养费、赡养费等费用，避免因该公民失踪而对有关利害关系人的合法权益造成损害。

二、宣告公民失踪案件的审判程序

（一）申请与受理

利害关系人向人民法院申请宣告公民失踪必须具备几个条件。

1. 必须有公民下落不明满两年的事实

公民离开自己的住所地或者经常居住地，去向不明，与申请人等利害关系人无任何联络，事实上处于失踪的状态，这是申请宣告其失踪的基本事实条件。认定公民下落不明的期间应从公民离开自己的最后住所地或者经常居住地之日起，连续计算满两年，中间不能有间断；战争期间下落不明的从战争结束之日起算；因意外事故下落不明的从事故发生之日起算。

2. 必须由利害关系人提出申请

利害关系人是与下落不明的人有人身关系或者其他民事权利义务关系的人。申请宣告失踪的利害关系人包括：被申请人的配偶、父母、子女、兄弟姐妹、祖父母、外祖父母、孙子女、外孙子女以及其他与被申请人有民事权利义务关系的人。宣告公民失踪必须由利害关系人提出申请，人民法院不得依职权宣告公民失踪。有权申请公民为失踪人的利害关系人没有先后顺序的限制，只要其中有人提出申请，人民法院就应当受理。

3. 必须向有管辖权的人民法院提出申请

申请人申请宣告公民为失踪人必须向下落不明人住所地基层人民法院提出申请。下落不明人住所地基层人民法院管辖宣告公民失踪案件，便于人民法院就近调查被申请人下落不明的事实，作出正确的判决。

4. 必须以书面形式提出申请

利害关系人必须采用书面形式向人民法院提出申请，申请书应当写明失踪的事实、时间和请求，并附有公安机关或者其他有关机关关于该公民下落不明的书面证明。

人民法院收到利害关系人的书面申请，经审查认为符合以上条件的，应当及时受理。利害关系人的申请不符合条件，但能够补充完善的，人民法院可令其补充完善，逾期未补充完善的可驳回申请。人民法院受理申请后，可以根据申请人的请求清理下落不明人的财产，指定诉讼期间的临时财产管理人，判决时再确定正式的财产代管人。

（二）公告

人民法院受理宣告失踪案件后，应当发出公告寻找失踪人，公告期为 3 个月，公告是人民法院审理宣告公民失踪案件的必经程序。公告期间是寻找该失踪人、等待其出现的期间。公告应当载明申请人的姓名、住所，下落不明人的姓名、年龄、职业、体貌特征，知情人或者被申请人在公告期间与受理人民法院联系等内容。宣告失踪制度本质上属于一种法律推定，这一推定对于失踪公民和相关的利害关系人的民事权益都会产生重大的影响，因此人民法院必须发出公告，尽最大努力寻找失踪人，使失踪判决建立在慎重、准确的基础上。

（三）判决

公告期间届满，人民法院应当根据被宣告失踪的事实是否得到了确认，作出宣告失踪的判决或者驳回申请的判决。宣告失踪的判决和驳回申请的判决一经送达，立即发生法律效力。

三、宣告失踪的法律后果

人民法院判决宣告公民失踪的法律后果主要体现在以下两个方面：

（1）指定失踪人的财产代管人。人民法院判决宣告公民失踪的，应当同时指定失踪人的财产代管人。财产代管人的职责是管理、保护好失踪人的全部财产，并有权行使失踪人的债权，有义务清偿失踪人的债务。

（2）失踪人的民事权利能力不因此而消灭，与失踪人人身有关的民事法律关系也不发生变化。公民被宣告失踪后，具有民事行为能力的公民在被宣告失踪期间实施的民事法律行为有效，与失踪人有关的婚姻关系、收养关系等人身关系不发生变化。

四、宣告失踪判决的撤销

人民法院判决宣告公民为失踪人，只是依据法定的条件和程序所作的法律上的推定，可能与事实并不一致，被宣告为失踪的公民有可能重新出现。被宣告失踪的公民重新出现，经本人或者利害关系人申请，人民法院应当作出新判决，撤销原判决，以恢复该公民失踪前的事实和法律状态。宣告失踪判决被撤销后，财产代管人的职责终止，无权继续代管财产，并应对原代管的财产进行清理，返还给该公民。财产代管人为管理和保护财产所支出的必要费用，有权要求该公民偿付。

第四节　宣告公民死亡案件

一、宣告公民死亡案件概述

宣告公民死亡案件是指公民离开自己的住所，下落不明达到法定的期限，人民法院根据利害关系人的申请依法宣告该公民死亡的案件。

宣告公民死亡是一种法律推定，与公民的自然死亡相对。宣告死亡和自然死亡的法律后果基本相同，对该公民的民事权利能力及其参与的各种民事法律关系都具有十分重要的影响。宣告失踪制度只能通过指定财产代管人管理和保护失踪人的财产，不能从根本上解决因该公民长期下落不明导致的与其相关的民事权利义务关系不稳定的问题。通过宣告公民死亡，结束因该公民长期下落不明而使某些法律关系处于不稳定的状态，从而保护该公民及其利害关系人的合法权益，维护正常的社会秩序和法律秩序。

二、宣告公民死亡案件的审判程序

（一）申请与受理

利害关系人向人民法院申请宣告公民死亡必须符合一些条件。

1. 必须有公民下落不明、生死未卜的事实存在

公民离开自己的住所地或者经常居住地后，下落不明、杳无音讯、生死未卜。如果确知公民已经死亡，不能再宣告该公民死亡。如果公民尚在人世，不论其在国外，还是在我国台湾地区，即使无法正常通讯联系，也不得以下落不明为由宣告该公民死亡。被宣告死亡的公民既可以是已被人民法院宣告失踪的公民，也可以是未经宣告失踪的失踪人，宣告失踪不是宣告死亡的必经程序。

2. 下落不明、生死未卜的状态必须达到法定期限

宣告死亡的期限包括三种情况：一是在通常情况下，公民下落不明满 4 年。期间的计算从该公民最后离开自己的住所地或者经常居所地之日起，连续 4 年。二是公民因意外事故下落不明满 2 年。意外事故包括交通事故和自然灾害等，如海难、空难、地震、山洪暴发。下落不明期间从意外事故发生之日起算，持续满 2 年。三是公民因意外事故下落不明，经有关机关证明该公民不可能生存的，公民死亡的可能性大，申请宣告死亡不受 4 年或者 2 年的限制。

3. 必须由利害关系人提出书面申请

宣告公民死亡必须由下落不明人的利害关系人向人民法院提出书面申请，人民法院不得主动宣告公民死亡。申请宣告公民死亡的利害关系人顺序是：配偶，父母、子女，

兄弟姐妹、祖父母、外祖父母、孙子女、外孙子女，其他有民事权利关系的人。其他有民事权利义务关系的人通常包括受遗赠人、债权人、债务人、人寿保险合同的受益人等。同一顺序的利害关系人有的申请宣告死亡，有的不同意宣告死亡，人民法院应当依法按照宣告死亡案件审理。

4. 必须向有管辖权的人民法院提出申请

申请人申请宣告公民死亡必须向下落不明人住所地基层人民法院提出申请。

人民法院收到利害关系人的书面申请，经审查认为符合以上条件的，应当及时受理。认为不具备条件且无法补充完善的，驳回申请。人民法院判决公民失踪后，利害关系人又向人民法院申请宣告失踪人死亡的，从失踪的次日起满 4 年的，人民法院应当受理。

（二）公告

人民法院受理宣告公民死亡的申请后，必须发出寻找失踪人的公告，公告期间为 1 年。因意外事故下落不明，并经有关机关证明该公民不可能生存的，公告期为 3 个月。公告期间是等待下落不明人出现的期间，也是宣告公民死亡的必经程序，人民法院不得缩短或者延长。人民法院已经判决宣告公民失踪，其利害关系人又申请宣告该公民死亡的，人民法院在审理中仍应按照上述规定进行公告。

（三）判决

在公告期间被申请人出现或者确知其下落的，人民法院应当作出驳回申请的判决。公告期间届满仍不能确定该公民尚生存的，应作出宣告死亡的判决。宣告死亡的判决书除应送达申请人外，还应当在被宣告死亡公民的住所地和人民法院所在地公告。判决一经宣告即发生法律效力，判决宣告的日期即为被宣告死亡公民的死亡日期。

三、宣告死亡的法律后果

宣告死亡与自然死亡的法律效力基本相同，被宣告死亡人丧失民事主体资格，民事权利能力和民事行为能力终止，原先参加的民事法律关系归于消灭，婚姻关系自然解除，个人合法财产开始继承。

宣告死亡和自然死亡也有不同之处，宣告死亡只是法律上推定的死亡，事实上该公民的生命不一定终结。如果该公民在异地生存，仍享有民事权利能力，其实施的民事法律行为仍然有效。被宣告死亡与自然死亡的日期不一致的，被宣告死亡所引起的法律后果仍然有效，但自然死亡前实施的民事法律行为与被宣告死亡引起的法律后果相抵触的，则以实施的民事法律行为为准。

四、死亡宣告的撤销

人民法院判决宣告公民死亡后，被宣告死亡的公民重新出现或者有人确知其下落的，经本人或者利害关系人申请，人民法院应当作出新判决，撤销原判决。撤销死亡宣告的判决，产生如下法律后果：

（1）被宣告死亡人的原配偶未再婚的，夫妻关系从撤销死亡宣告之日起自行恢复。原配偶再婚的，应保护现行婚姻关系；原配偶再婚后又离婚，或者再婚后其配偶又死亡的，不能自行恢复婚姻关系。

（2）被宣告死亡人在被宣告死亡期间，其子女被他人依法收养的，撤销死亡宣告后，仅以未经本人同意而主张收养关系无效的，一般不应准许，但收养人和被收养人同意的除外。

（3）被撤销死亡宣告的公民可以请求返还财产，但原物已经由第三人合法取得的，第三人可不予退还。因继承或者无人继承而取得财产的自然人或者组织，应当返还原物或者给予适当补偿。

利害关系人隐瞒真实情况导致他人被宣告死亡而取得财产的，除应返还原物和孳息外，还应对给他人造成的损失予以赔偿。

第五节　认定公民无民事行为能力、限制民事行为能力案件

一、认定公民无民事行为能力、限制民事行为能力案件的概述

认定公民无民事行为能力、限制民事行为能力案件是指人民法院根据利害关系人的申请，对不能正确辨认自己行为或者不能完全辨认自己行为的人，按照法定程序，认定并宣告该公民无民事行为能力或者限制民事行为能力的案件。

民事行为能力是民事主体通过自己的行为行使民事权利、履行民事义务的能力。18周岁以上的公民是成年人，具有完全民事行为能力，可以独立进行民事活动。16周岁以上但不满18周岁的公民，以自己的劳动收入为主要生活来源，视为具有完全行为能力。如果公民为精神病人，不能辨认或者不能完全辨认自己的行为，即使已经成年，也不具有民事行为能力，或者只具有限制民事行为能力。判断精神病患者是否能够辨认自己的行为必须依照法定程序进行。民事诉讼法规定认定公民无民事行为能力、限制民事行为能力案件的审判程序，其意义在于保护精神病患者的合法权益，保护与精神病患者有民事权利义务关系的人的合法权益，保障民事活动正常进行，维护社会正常的经济秩序。

二、认定公民无民事行为能力、限制民事行为能力案件的审判程序

（一）申请和受理

向人民法院申请认定公民无民事行为能力、限制民事行为能力必须具备一些条件。

1. 必须由利害关系人提出申请

利害关系人指该公民的近亲属和其他的利害关系人，包括其配偶、父母、子女、兄

弟姐妹、祖父母、外祖父母、孙子女、外孙子女以及其他监护人。没有上述人员，该公民的所在单位或者住所地的居民委员会、村民委员会或者民政部门担任监护人的，也可向人民法院提出申请。认定公民无民事行为能力、限制民事行为能力，应当尊重利害关系人的意愿，只有当利害关系人提出申请时，人民法院才能启动认定程序。未经利害关系人申请，人民法院不得依职权作出认定。

2. 申请必须采用书面形式

利害关系人应当向人民法院递交书面申请，申请书中除了申请人姓名、性别、年龄、住所与被申请人的姓名、性别、年龄、住所等内容外，还应当写明该公民无民事行为能力或者限制民事行为能力的事实和依据。如果有医院出具的诊断证明或者鉴定结论，也应一并提交人民法院。

3. 必须向有管辖权的人民法院提出申请

利害关系人申请认定公民无民事行为能力、限制民事行为能力，必须向公民住所地的基层人民法院提出申请。这样便于人民法院就近调查该公民的日常表现，收集该公民健康状况的有关证据，作出正确的判决，保护该公民的合法权益。

人民法院经过审查，认为申请符合规定条件的，应当及时受理；对于不符合法定条件且无法补充完善的申请，应当裁定不予受理。

根据最高人民法院《适用民事诉讼法意见》第 193 条规定，在普通诉讼程序中，当事人的利害关系人提出当事人患有精神病，要求宣告该当事人无民事行为能力、限制民事行为能力的，应由利害关系人向人民法院提出申请，由受诉人民法院按照特别程序立案审理，原诉讼中止。

（二）鉴定

根据《民事诉讼法》第 171 条规定，人民法院受理申请后，必要时应当对被请求认定为无民事行为能力或者限制民事行为能力的公民进行鉴定。申请人已提供鉴定结论的，应当对鉴定结论进行审查。对于申请人提供的鉴定结论有怀疑的，可以重新鉴定。人民法院判断公民是否患有精神病，应当依据司法精神病学鉴定或者参照医院的诊断、鉴定予以确认。对被认为有精神病的公民进行专业鉴定，并不是审理此类案件的必经程序，在不具备诊断、鉴定条件的情况下，也可以参照群众公认的该公民的精神状态进行认定，但是，必须以利害关系人没有异议为限。利害关系人对群众公认的该公民的精神状态有异议的，人民法院不能进行认定，必须依照鉴定或者辅以其他证据事实认定。

（三）审理

人民法院审理认定公民无民事行为能力、限制民事行为能力的案件，应当由该公民的近亲属为代理人，但申请人除外。近亲属互相推诿的，由人民法院指定其中一人为代理人。该公民健康状况许可的，还应当询问本人意见。本人不能到庭的，审判人员应当就地询问，把申请书的内容告知本人，征询本人意见。这样规定便于人民法院查明被申请人的精神状态，作出正确判决，维护公民的合法权益。

（四）判决

人民法院经审理认为申请有事实依据的，应判决认定该公民为无民事行为能力或者限制民事行为能力人；认为申请没有事实依据的，应当判决予以驳回。

（五）确定监护人

认定公民无民事行为能力或者限制民事行为能力，应当指定有民事行为能力的人为该公民的监护人。精神病人的监护人由精神病人近亲属担任。只要精神病人的近亲属具有民事行为能力，就不应借故推诿。当担任监护人有争议时，由精神病人的所在单位或者住所地的居民委员会、村民委员会从近亲属中指定。被指定的监护人不服指定的，应当在接到通知的次日起 30 日内向人民法院起诉。经人民法院审理，认为指定并无不当的，裁定驳回起诉；人民法院认为指定不当的，判决撤销指定，同时另外指定监护人。判决书应送达起诉人、原指定单位及判决指定的监护人。

三、认定公民无民事行为能力、限制民事行为能力判决的撤销

公民被人民法院判决认定为无民事行为能力或者限制民事行为能力后，如果经过治疗，精神恢复正常，能够正确判断自己行为的性质和后果，该公民或者他的监护人可以向人民法院请求撤销原认定。人民法院经过审查，证实认定该公民无民事行为能力或者限制民事行为能力的原因已经消除的，应当作出新判决，撤销原判决，在法律上恢复该公民的民事行为能力，监护人的监护权也随着原判决的撤销而消灭。

第六节　认定财产无主案件

一、认定财产无主案件概述

认定财产无主案件是指人民法院根据公民、法人或者其他组织的申请，依照法定程序认定某项归属不明财产为无主财产，并将该项财产收归国家或者集体所有的案件。

社会上可能存在某些所有权不明的财产，财产归属不明就会处于无人管理的状态，无法发挥财产的经济效益，还可能引起权属争议，给社会增加不稳定因素。由人民法院依据法定条件和程序查明财产的权利主体是否存在，解决财产的归属问题，将确认为无主的财产收归国家和集体所有，使物尽其用，减少社会财富的损失，既有利于对社会财富的保护和利用，又有利于维护稳定的经济秩序。

二、认定财产无主案件的审判程序

（一）申请与受理

向人民法院申请认定财产无主必须具备一些条件。

1. 必须有公民、法人或者其他组织提出申请

向人民法院申请认定财产无主的申请人，民事诉讼法没有作具体限制，凡是知道财产无主情况的公民、法人和其他组织都可以向人民法院提出申请。

2. 必须向有管辖权的人民法院提出申请

认定财产无主案件由财产所在地基层人民法院管辖。由财产所在地基层人民法院管辖便于人民法院就近展开调查，了解该财产的具体情况，寻找财产所有人，及时作出判决。

3. 申请的理由是财产的权利主体不明

有证据证明财产的权利主体不明是向人民法院申请认定财产无主的前提条件。如果一项财产的权利主体很明确，任何人都必须尊重这种权利归属的事实，不得向人民法院申请认定为无主财产。即使财产的所有权人已经失踪，这种财产也不属于无主财产。现实生活中常见的无主财产主要有以下几类：①所有人不明的埋藏物、隐藏物；②无人认领的遗失物、漂流物、失散的饲养动物；③无人认领的赃款、赃物；④无人继承的财产。

4. 必须以书面形式提出申请

公民、法人和其他组织向人民法院提出认定财产无主的申请必须采取书面形式，不得采用口头形式。向人民法院提交的申请书应当写明财产的种类、数量以及要求认定财产无主的根据。

对于符合条件的申请，人民法院应当受理；对于不符合法定条件，且不能补充完善的申请，人民法院应当裁定不予受理。

（二）公告

人民法院受理申请后，经审查核实认为该财产不属于无主财产的，应当判决驳回申请；认为该财产在形式上属于无主财产的，应当发出为期 1 年的财产认领公告，在一定的范围内进行公示，寻找该财产的所有权人，防止作出错误的判决，以维护财产所有权人的合法权益。

（三）判决

公告期间如果财产所有人出现，人民法院应当驳回申请，并通知财产所有人认领财产；公告期间届满仍然无人认领的，人民法院应当判决认定该财产无主，并收归国家或者集体所有。判决书送达后立即发生法律效力，并交付执行。财产由他人非法占有的，执行机关有权责令其交出该财产，拒绝交出的，强制执行。

认定财产无主案件的公告期间有人对财产提出请求的，人民法院应裁定终结特别程

序，告知申请人另行起诉，适用普通程序审理。这里的“有人提出请求”应当是指有人提出请求并形成争议的情形。如果有人出现而对公告财产提出请求，认定财产无主案件的申请人对其主张不存在异议的，也就是没有形成争议，无需人民法院来解决，财产所有人的状况就已经得到确定，当然不必适用普通程序。如果有人对公告财产提出主张权利，认定财产无主案件的申请人与主张权利人之间发生争议，或者两个以上的主张权利人之间发生争议，并要求人民法院解决的，人民法院应当裁定终结认定财产无主案件的审理程序，告知其另行起诉，适用通常程序审理，解决争议。

三、认定财产无主判决的撤销

人民法院审理认定财产无主只是从法律上推定该财产没有所有权人，这种推定可能与事实不符。人民法院判决认定财产无主后，原财产所有人或者继承人出现，在诉讼时效期间对财产提出请求的，人民法院审查属实后应当作出新判决，撤销原判决。原判决撤销后，已被国家或者集体取得的财产存在的，应返还原财产。原财产无法返还的，可以返还同类财产，或者按原财产的实际金额返还。

案例分析

【案情】

凌某于1998年2月外出打工，从此杳无音讯。2004年，其妻陈某向当地人民法院申请宣告凌某为死亡人。人民法院经过审理，判决宣告凌某死亡。考虑到自己身体有病，家中经济条件不好，六岁的女儿无人照顾，陈某将女儿送给邻村的张某夫妇收养，并办理了相关手续。2006年8月，失踪多年的凌某突然回来，人民法院随即应其申请撤销了原判决。凌某要求与陈某恢复夫妻关系，并以女儿被收养未经其同意为由，要求解除收养关系。

【问题】

凌某与陈某的夫妻关系能否恢复？收养关系应否解除？

【解析】

凌某与陈某的夫妻关系自行恢复。根据民事诉讼法的规定，公民被宣告死亡后，原配偶未再婚的，夫妻关系从撤销死亡宣告之日起自行恢复。本案中凌某被宣告死亡后，其妻陈某一直没有再婚，因此自人民法院撤销死亡宣告之日起，凌某与陈某的夫妻关系自行恢复。

公民被宣告死亡期间，其子女被他人依法收养的，宣告死亡判决被撤销后，该公民不得单方面解除收养关系，但收养人与被收养人同意解除收养关系的除外。因此，收养关系不应解除。

第十五章 再审程序

再审程序是为了纠正已经发生法律效力的裁判中的错误而对案件再次审理所适用的程序。我国民事诉讼法实行两审终审，案件经过两级人民法院审判后即告终结。但是基于“实事求是，有错必纠”的指导思想和追求裁判公正的价值取向，对于生效裁判中存在的重大错误应当通过再审程序进行纠正。根据我国民事诉讼法规定，人民法院有权决定再审，人民检察院有权提起抗诉引起再审程序，当事人可以申请再审。再审案件的审理分别适用第一审普通程序和第二审程序。在再审案件的审理过程中人民法院可以主持调解。再审程序的启动主体一直是学术界讨论的热点问题，多数观点主张取消人民法院决定再审制度，限制人民检察院抗诉引起再审，完善当事人申请再审制度。

第一节 再审程序概述

一、再审程序的概念和意义

再审程序是人民法院为了纠正已经发生法律效力的裁判、调解协议中的错误而对案件再次审理所适用的程序。

再审程序不是案件审理的必经程序，也不是诉讼的独立审级，它是为了纠正已经发生法律效力的裁判、调解书中的错误而专门设立的补救程序。多数情况下都是因为人民法院已经发生法律效力的裁判发生错误而适用再审程序，调解协议出现错误的情况较为少见。人民法院处理民事案件的裁判一旦生效，就具有法律上的约束力，必须维护其稳定性和权威性，当事人不得再对裁判确认的实体法律关系进行争议，人民法院也不得随意撤销或者变更。但是，由于主客观原因，有的民事案件虽然经过了第一审、第二审人民法院的反复审理，仍有可能存在错误，这就应当通过法定程序予以变更或者撤销，以保障当事人的合法权益。作为复审程序的再审程序，其目的与第二审程序一样，都是为了保证人民法院裁判的正确性，纠正原裁判的错误。但是，再审程序具有更深层的法律意义，它是裁判已经发生法律效力后所适用的程序，它所针对的是已经发生法律效力的裁判中的严重瑕疵，是对两审终审制度的必要补充，是对合法民事权益更进一步的补救和保护。

我国民事再审程序立法贯彻“实事求是，有错必纠”的指导思想，并设计了人民法院决定再审、人民检察院抗诉引起再审和当事人申请再审三种进入再审程序的途径，由于部分具体制度存在缺陷，诉讼实践中“申请再审难”、“申诉难”的问题一直得不到有效解决，少数存在重大错误的发生法律效力的裁判无法顺利通过再审程序得到纠正，损害了当事人的合法权益，也危害到国家司法的权威和公正性。2007 年 10 月修改后的《民事诉讼法》通过细化再审事由、调整申请再审案件管辖的人民法院和申请期限以及设定再审申请的审查程序等，有效保障当事人申请再审权利的实现。2008 年 12 月 1 日起施行的最高人民法院《关于适用〈中华人民共和国民事诉讼法〉审判监督程序若干问题的解释》（以下简称《审判监督程序解释》），为贯彻落实民事诉讼法有关审判监督程序的新规定提供了具体依据。

二、再审程序与第二审程序的关系

再审程序与第二审程序都是为了保证人民法院裁判的正确性，纠正原裁判中的错误，但两者之间的差别是明显的。

（一）程序的性质不同

第二审程序是两审终审制内的通常诉讼程序；再审程序是两审终审制外的程序，具有事后补救性。

（二）提起的主体不同

有权提起第二审程序的主体只能是第一审程序的当事人，即原告、被告、共同诉讼人、诉讼代表人、有独立请求权的第三人和人民法院判决承担民事责任的无独立请求权的第三人；有权提起再审程序的主体除了当事人外，还包括人民法院和人民检察院。

（三）审理对象不同

第二审程序的审理对象是地方各级人民法院尚未发生法律效力的第一审裁判；再审程序的审理对象包括各级人民法院已经生效的第一审、第二审裁判和调解协议。

（四）提起期限不同

法律规定对第一审判决提起上诉的期限是 15 日，对第一审裁定提起上诉的期限是 10 日；当事人申请再审的期限为裁判发生法律效力后的两年。如果两年后据以作出原裁判的法律文书被撤销或者变更，或者发现审判人员在审理该案件时有贪污受贿、徇私舞弊、枉法裁判行为的，申请再审的期限为知道或者应当知道之日起的 3 个月；人民法院决定再审和人民检察院提起再审不受时间限制。

（五）审理的人民法院不同

第二审程序审理的人民法院只能是第一审人民法院的上一级人民法院；再审程序审理的人民法院则包括原审人民法院和所有上级人民法院。

（六）提起的理由不同

第二审程序的提起理由是当事人不服地方人民法院的第一审裁判，不以第一审裁判确有错误为前提，民事诉讼法对当事人的上诉没有规定具体的理由和条件；再审程序的提起除了人民法院决定再审的理由为发现原裁判确有错误外，当事人申请再审和人民检察院提起抗诉都必须符合法定的再审事由。

第二节 再审程序的启动

一、人民法院决定再审

人民法院决定再审是人民法院内部对自己的审判工作行使监督权的重要途径。作出发生法律效力的裁判的原审人民法院及其上级人民法院和最高人民法院发现发生法律效力的裁判确有错误的，都有权提起再审程序纠正错误。

（一）人民法院决定再审的条件

人民法院决定再审必须具备两个条件。

1. 判决、裁定已经发生法律效力

人民法院只能对已经发生法律效力的判决、裁判进行再审，如果判决、裁定尚未生效，人民法院不能提起再审程序。

2. 判决、裁定确有错误

发现发生法律效力的判决、裁定确有错误是人民法院决定再审的法定理由。

（二）人民法院提起再审的程序

1. 原审人民法院提起再审的程序

各级人民法院院长发现本院已经发生法律效力的判决、裁定确有错误，认为需要再审的，应当提交审判委员会讨论决定。可见，各级人民法院对本院生效裁判启动再审程序的主体是院长和审判委员会，他们对本院的审判工作享有监督权。当院长发现本院所作的已经发生法律效力的裁判确有错误，应当提交审判委员会讨论，决定是否再审。

2. 最高人民法院和上级人民法院提起再审的程序

最高人民法院发现地方各级人民法院已经发生法律效力的判决、裁定与上级人民法院对下级人民法院已经发生法律效力的判决、裁定确有错误的，有权提审或者指令下级人民法院再审。提审是指最高人民法院、上级人民法院对下级人民法院已经发生法律效力的判决、裁定，发现确有错误时，依法将案件提至本院进行再审。指令再审是指最高人民法院、上级人民法院对下级人民法院已经发生法律效力的判决、裁定发现确有错误时，依法指令下级人民法院进行再审。上级提审和指令再审是选择性的两种方式，具体采用何种方式，由最高人民法院和上级人民法院根据案件的具体情况酌定。

二、当事人申请再审

（一）当事人申请再审的概念

当事人申请再审是指当事人对已经发生法律效力的判决、裁定、调解书认为有错误，向原审人民法院或者上一级人民法院申请再行审理的行为。申请再审是当事人享有的一项重要诉讼权利，有利于维护当事人的合法权益。

申请再审与刑事诉讼中的申诉不同。申诉是对发生法律效力的刑事裁判提出的不服意见，在《刑事诉讼法》中有明确规定，民事诉讼法没有关于申诉的规定。申诉与申请再审的区别主要体现为：①性质不同。申诉是宪法和刑事诉讼法赋予公民的一项民主权利；申请再审是民事诉讼法赋予当事人的一项诉讼权利。②提起的主体不同。申诉的主体既可以是案件的当事人，也可以是当事人以外的其他公民；申请再审的主体仅限于案件当事人。③提起的时间不同。申诉没有法定期限的限制；申请再审一般应当在裁判生效后两年内提起。④提交的机关不同。申诉既可以向人民法院提出，也可以向人民检察院提出；申请再审只能向原审人民法院的上一级人民法院提出。⑤法律后果不同。申诉与再审没有必然的联系，申诉只是人民法院、人民检察院发现生效裁判错误的一种渠道；申请再审只要符合法定条件，即可引起再审程序的发生。

（二）当事人申请再审的条件

当事人认为已经发生法律效力的判决、裁定有错误，可以向人民法院申请再审。当事人申请再审应当同时符合一些条件。

1. 申请再审的对象必须是已经发生法律效力且准予提出再审申请的判决、裁定和调解书

这一条件包括两层含义：一是当事人申请再审只能针对已经发生法律效力的判决、裁定和调解书，如果判决、裁定和调解书尚未发生法律效力，只能通过其他途径解决；二是当事人申请再审只能针对法律准予申请再审的已经发生法律效力的判决、裁定和调解书，如果法律明确规定不得再审的判裁定和调解书，当事人也不得申请再审。例如，人民法院依照特别程序、督促程序、公示催告程序审理的案件，当事人不得申请再审；修改后的《民事诉讼法》第183条规定，当事人对已经发生法律效力的解除婚姻关系的判决不得申请再审。

2. 当事人认为判决、裁定、调解书有错误申请再审的，必须在判决、裁定、调解书发生法律效力后的两年之内提出

当事人申请再审的，在判决、裁定、调解书发生法律效力后的两年之内提出。申请

再审期间不适用中止、中断和延长的规定。如果两年后据以作出原判决、裁定的法律文书被撤销或者变更，以及发现审判人员在审理该案件时有贪污受贿、徇私舞弊、枉法裁判行为的，当事人自知道或者应当知道之日起3个月内可以向人民法院提出再审申请。这是修改后的《民事诉讼法》对申请再审期间的修正规定。在诉讼实践中确实存在两年后才发现再审事由的情形，立法针对以上两种特殊情形适当延长了申请再审的期限，有利于保护当事人的合法权利。另外，案外人对原判决、裁定、调解书确定的执行标的物主张权利，且无法提起新的诉讼解决争议的，可以在判决、裁定、调解书发生法律效力后两年内，或者自知道或应当知道利益被损害之日起3个月内，向作出原判决、裁定、调解书的人民法院的上一级人民法院申请再审。在执行过程中，案外人对执行标的提出书面异议的，按照《民事诉讼法》第204条规定处理。

3. 当事人申请再审应当向原审人民法院的上一级人民法院提出

2007年10月修改前的《民事诉讼法》规定，申请再审可以向原审人民法院或者上一级人民法院提出，这样就造成当事人多头申诉、反复申诉，人民法院反复审查造成人力、物力的严重浪费。修改后的《民事诉讼法》规定，申请再审案件由上一级人民法院管辖，这样既可以避免多头申诉、重复申诉，又可以避免由原审人民法院自己纠错的困难，保障人民法院审理再审案件的公正性。

4. 当事人申请再审应当提交再审申请书等材料

当事人申请再审的应当提交再审申请书等材料。根据《审判监督程序解释》第3条规定，当事人申请再审应当向人民法院提交再审申请书，并按照对方当事人人数提出副本。人民法院应当审查再审申请书是否载明下列事项：申请再审人与对方当事人的姓名、住所及有效联系方式等基本情况；法人或者其他组织的名称、住所和法定代表人或者主要负责人的姓名、职务及有效联系方式等基本情况；原审人民法院的名称与原判决、裁定、调解文书案号；申请再审的法定情形及具体事实、理由；具体的再审请求。当事人申请再审还应当向人民法院提交已经发生法律效力的判决书、裁定书、调解书与身份证明及相关证据材料。申请再审人提交的再审申请书或者其他材料不符合以上要求，或者有人身攻击等内容，可能引起矛盾激化的，人民法院应当要求申请再审人补充或改正。

（三）人民法院对再审申请的审查与处理

人民法院应当自收到符合条件的再审申请书等材料后5日内完成向申请再审人发送受理通知书等受理登记手续，并向对方当事人发送受理通知书及再审申请书副本。对方当事人应当自收到再审申请书副本之日起15日内提交书面意见；不提交书面意见的，不影响人民法院审查。人民法院可以要求申请人和对方当事人补充有关材料，询问有关事项。人民法院应当自收到再审申请书之日起3个月内审查，符合再审的法定情形的，裁定再审；不符合再审的法定情形的，裁定驳回申请。有特殊情况需要延长的，由本院院长批准。人民法院对再审申请的审查以合议庭的形式进行。经审查再审申请书等材料，认为申请再审事由成立的，应当径行裁定再审。当事人申请再审超过法律规定的期限或者超出《民事诉讼法》第179条所列明的再审事由范围的，人民法院应当裁定驳回再审申请。人民法院认为仅审查再审申请书等材料难以作出裁定的，应当调阅原审卷宗予以审查。人民法院可以根据案情需要决定是否询问当事人。以有新的证据足以推翻原判决、裁定为由申请再审的，人民法院应当询问当事人。

人民法院对当事人的再审申请决定再审的法定情形，有以下十三种：

（1）有新的证据，足以推翻原判决、裁定的。

根据《审判监督程序解释》第 10 条规定，“新的证据”包括：原审庭审结束前已客观存在，庭审结束后新发现的证据；原审庭审结束前已经发现，但因客观原因无法取得或在规定的期限内不能提供的证据；原审庭审结束后原作出鉴定结论、勘验笔录者重新鉴定、勘验，推翻原结论的证据。当事人在原审中提供的主要证据，原审未予质证、认证，但足以推翻原判决、裁定的，应当视为新的证据。

（2）原判决、裁定认定的基本事实缺乏证据证明的。

根据《审判监督程序解释》第 11 条规定，“基本事实”是指对原判决、裁定的结果有实质影响、用以确定当事人主体资格、案件性质、具体权利义务和民事责任等主要内容所依据的事实。

（3）原判决、裁定认定事实的主要证据是伪造的。

（4）原判决、裁定认定事实的主要证据未经质证的。

（5）对审理案件需要的证据，当事人因客观原因不能自行收集，书面申请人民法院调查收集，人民法院未调查收集的。

根据《审判监督程序解释》第 12 条规定，“对审理案件需要的证据”是指人民法院认定案件基本事实所必需的证据。

（6）原判决、裁定适用法律确有错误的。

根据《审判监督程序解释》第 13 条规定，“适用法律确有错误”的情形有：适用的法律与案件性质明显不符的；确定民事责任明显违背当事人约定或者法律规定的；适用已经失效或尚未施行的法律的；违反法律溯及力规定的；违反法律适用规则的；明显违背立法本意的。

（7）违反法律规定，管辖错误的。

“管辖错误”是指违反专属管辖、专门管辖规定以及其他严重违法行使管辖权的情形。

（8）审判组织的组成不合法或者依法应当回避的审判人员没有回避的。

（9）无诉讼行为能力人未经法定代理人代为诉讼，或者应当参加诉讼的当事人因不能归责于本人或者其诉讼代理人的事由而未参加诉讼的。

（10）违反法律规定，剥夺当事人辩论权利的。

“剥夺当事人辩论权利”表现为原审开庭过程中审判人员不允许当事人行使辩论权利，或者以不送达起诉状副本或上诉状副本等其他方式，致使当事人无法行使辩论权利的，但依法缺席审理，依法径行判决、裁定的除外。

（11）未经传票传唤，缺席判决的。

（12）原判决、裁定遗漏或者超出诉讼请求的。

（13）据以作出原判决、裁定的法律文书被撤销或者变更的。这是指原判决、裁定对基本事实和案件性质的认定系根据其他法律文书作出，而上述其他法律文书被撤销或变更的情形。

此外，对违反法定程序可能影响案件正确判决、裁定的情形，或者审判人员在审理该案件时有贪污受贿、徇私舞弊、枉法裁判行为的，人民法院应当再审。“违反法定程序可能影响案件正确判决、裁定的情形”是指除《民事诉讼法》第 179 条规定的再审事由中第 4 项以及第 7 项至第 12 项之外的其他违反法定程序，可能导致案件裁判结果错误的情形。“审判人员在审理该案件时有贪污受贿、徇私舞弊、枉法裁判行为”是指该行为已经相关刑事法律文书或者纪律处分决定确认的情形。

2007 年 10 月修改前的《民事诉讼法》第 179 条第 1 款只规定了人民法院决定再审的五种情形，传统教科书一般将这五种情形作为当事人申请再审的条件限制，实际上这些情形是人民法院对当事人的再审申请决定再审的法定事由。修改后的《民事诉讼法》第 179 条第 1 款扩充为十三种情形，这些情形也是人民法院对当事人的再审申请决定再审的法定理由。

在审查再审申请过程中，对方当事人也申请再审的，人民法院应当将其列为申请再审人，对其提出的再审申请一并审查。人民法院审查再审申请期间，人民检察院对该案提出抗诉的，人民法院应依照民事诉讼法的规定裁定再审。申请再审人提出的具体再审请求应纳入审理范围。申请再审人在案件审查期间申请撤回再审申请的，是否准许由人民法院裁定。申请再审人经传票传唤无正当理由拒不接受询问，可以裁定按撤回再审申请处理。

人民法院经审查认为申请再审事由不成立的，应当裁定驳回再审申请。驳回再审申请的裁定一经送达，即发生法律效力。

有下列情形之一的，人民法院可以裁定终结审查：

（1）申请再审人死亡或者终止，无权利义务承受人或者权利义务承受人声明放弃再审申请的。

（2）在给付之诉中，负有给付义务的被申请人死亡或者终止，无可供执行的财产，也没有应当承担义务的人的。

（3）当事人达成执行和解协议且已履行完毕的，但当事人在执行和解协议中声明不放弃申请再审权利的除外。

（4）当事人之间的争议可以另案解决的。

因当事人申请再审而裁定再审的案件，由中级人民法院以上的人民法院审理。上一级人民法院经审查认为申请再审事由成立的，一般由本院提审。最高人民法院、高级人民法院也可以指定与原审人民法院同级的其他人民法院再审，或者指令原审人民法院再审。上一级人民法院可以根据案件的影响程度以及案件参与人等情况，决定是否指定再审。需要指定再审的，应当考虑便利当事人行使诉讼权利以及便利人民法院审理等因素。接受指定再审的人民法院应当按照民事诉讼法规定的程序审理。有下列情形之一的，不得指令原审人民法院再审：

（1）原审人民法院对该案无管辖权的。

（2）审判人员在审理该案件时有贪污受贿、徇私舞弊、枉法裁判行为的。

（3）原判决、裁定系经原审人民法院审判委员会讨论作出的。

（4）其他不宜指令原审人民法院再审的。

三、人民检察院抗诉提起再审

民事抗诉是指人民检察院对人民法院发生法律效力的判决、裁定发现有提起抗诉的法定情形，提请人民法院对案件重新审理的诉讼行为。人民检察院对发生法律效力的判决、裁定提起抗诉是人民检察院行使民事诉讼监督权的具体体现，人民法院对人民检察院的抗诉应当再审。

（一）人民检察院提起抗诉的条件

1. 人民法院的判决、裁定已经生效

判决、裁定发生法律效力是发动再审程序的共性条件。民事抗诉属于事后监督，人民检察院抗诉的对象仅限于已经发生法律效力的判决、裁定。

2. 发生法律效力的判决、裁定存在法定的抗诉情形

最高人民检察院对各级人民法院已经发生法律效力的判决、裁定与上级人民检察院对下级人民法院已经发生法律效力的判决、裁定发现有民事诉讼法规定的抗诉情形的，应当提出抗诉。人民检察院提起抗诉的情形也就是人民法院对当事人的再审申请决定再审的十三种情形。

（二）人民检察院提起抗诉的程序

最高人民检察院对各级人民法院已经发生法律效力的判决、裁定与上级人民检察院对下级人民法院已经发生法律效力的判决、裁定发现有法定抗诉情形的，应当提出抗诉。地方各级人民检察院对同级人民法院已经发生法律效力的判决、裁定发现有法定抗诉情形的，应当提请上级人民检察院向同级人民法院提出抗诉。

可见，民事诉讼中的抗诉一般是指上级人民检察院对下级人民法院的监督，人民检察院对同级人民法院发生效力的判决、裁定无权提出抗诉。这种自上而下的监督是人民检察院对发生法律效力的判决、裁定进行检察监督的普遍方式，但是，最高人民检察院可以对最高人民法院发生法律效力的判决、裁定提出抗诉，是自上而下检察监督的例外。

人民检察院决定对人民法院的判决、裁定提出抗诉的，应当制作抗诉书；接受抗诉的人民法院应当自收到抗诉书之日起 30 日内作出再审的裁定，不存在驳回的问题。如果有上述十三种决定再审的情形中的第一、二、三、四、五种情形的，可以交下一级人民法院再审。

对人民检察院提出抗诉的案件，人民法院再审时应当通知人民检察院派员出席法庭。检察人员在法庭上宣读抗诉书，说明抗诉的根据和理由，参加法庭调查，并对法庭审判活动是否合法进行监督。

当事人未申请再审、人民检察院未抗诉的案件，人民法院发现原判决、裁定、调解协议有损害国家利益、社会公共利益等确有错误情形的，应当依法提起再审。

第三节　再审案件的审判

一、裁定中止原判决的执行

按照审判监督程序决定再审的案件首先裁定中止原判决的执行。裁定由院长署名，加盖人民法院印章。应当注意的是，对于按照审判监督程序决定再审的案件只是“中止原判决的执行”，而不能“撤销原判”。虽然决定再审时认为原判决有错误，但是否撤销原判决（部分撤销还是全部撤销并予以改判）只有经过再审程序审理后才能决定。

二、另行组成合议庭

人民法院审理再审案件应当另行组成合议庭。另行组成合议庭包括两个方面的含义：第一，对再审案件进行审理，无论原审是第一审还是第二审，也无论是当事人申请再审、人民法院决定再审或者人民检察院抗诉引起的再审，都应当采用合议制，不允许采用独任制；第二，应另行组成合议庭，原合议庭成员或者独任审判员不得参加新组成的合议庭，以保证对案件的公正审判。

三、分别适用第一审程序、第二审程序进行审理

民事诉讼法没有专门规定再审案件的审理程序，再审案件的审理程序主要取决于作出原判决、裁定的人民法院的审级。人民法院按照审判监督程序审理的案件与发生法律效力的判决、裁定是由第一审人民法院作出的，按照第一审程序审理，审理后所作的判决、裁定，当事人可以上诉；发生法律效力的判决、裁定是由第二审人民法院作出的，按照第二审程序审理，审理后所作的判决、裁定是发生法律效力的判决、裁定。案件如果由上级人民法院按照审判监督程序提审，则按照第二审程序审理，审理后所作的判决、裁定是发生法律效力的判决、裁定。

四、《审判监督程序解释》对再审案件审判的具体规定

人民法院审理再审案件应当开庭审理，但按照第二审程序审理的，双方当事人经其他方式充分表达意见，且书面同意不开庭审理的除外。人民法院开庭审理再审案件应分不同情形进行：

（1）因当事人申请裁定再审的，先由申请再审人陈述再审请求及理由，后由被申请人答辩及其他原审当事人发表意见。

（2）因人民检察院抗诉裁定再审的，先由抗诉机关宣读抗诉书，再由申请抗诉的当

事人陈述，后由被申请人答辩及其他原审当事人发表意见。

（3）人民法院依职权裁定再审的，当事人按照其在原审中的诉讼地位依次发表意见。

人民法院应当在具体的再审请求范围内或者在抗诉支持当事人请求的范围内审理再审案件。当事人超出原审范围增加、变更诉讼请求的，不属于再审审理范围。但涉及国家利益、社会公共利益或者当事人在原审诉讼中已经依法要求增加、变更诉讼请求，原审人民法院未予审理且客观上不能形成其他诉讼的除外。经再审裁定撤销原判决，发回重审后，当事人增加诉讼请求的，人民法院依照《民事诉讼法》第 126 条规定可以与再审案件合并审理。

申请再审人在再审期间撤回再审申请的，是否准许由人民法院裁定。裁定准许的，应终结再审程序。申请再审人经传票传唤无正当理由拒不到庭的，或者未经法庭许可中途退庭的，可以裁定按自动撤回再审申请处理。对人民检察院抗诉再审的案件与申请抗诉的当事人有以上情形且不损害国家利益、社会公共利益或第三人利益的，人民法院应当裁定终结再审程序；人民检察院撤回抗诉的，应当准予。终结再审程序的，恢复原判决的执行。按照第一审程序审理再审案件时，一审原告申请撤回起诉的，是否准许由人民法院裁定。裁定准许的，应当同时裁定撤销原判决、裁定、调解书。

人民法院经再审审理认为原判决、裁定认定事实清楚、适用法律正确的，应予以维持；原判决、裁定在认定事实、适用法律、阐述理由方面虽有瑕疵，但裁判结果正确的，人民法院应在再审判决、裁定中纠正上述瑕疵后予以维持。新的证据证明原判决、裁定确有错误的，人民法院应予改判。申请再审人或者申请抗诉的当事人提出新的证据致使再审改判，被申请人等当事人因申请再审人或者申请抗诉的当事人的过错未能在原审程序中及时举证，请求补偿其增加的差旅、误工等诉讼费用的，人民法院应当支持；请求赔偿其由此扩大的直接损失，可以另行提起诉讼解决。人民法院按照第二审程序审理再审案件，发现原判决认定事实错误或者认定事实不清的，应当在查清事实后改判。但原审人民法院便于查清事实、化解纠纷的，可以裁定撤销原判决，发回重审；原审程序遗漏必须参加诉讼的当事人且无法达成调解协议，以及其他违反法定程序不宜在再审程序中直接作出实体处理的，应当裁定撤销原判决，发回重审。认为不符合民事诉讼法规定的受理条件的，裁定撤销第一审、第二审判决，驳回起诉。

人民法院以调解方式审结的案件裁定再审后，经审理发现申请再审人提出的调解违反自愿原则的事由不成立，且调解协议的内容不违反法律强制性规定的，应当裁定驳回再审申请，并恢复原调解书的执行。

在审理过程中，原审案件当事人死亡或者终止的，其权利义务承受人可以申请再审并参加再审诉讼。

因案外人申请人民法院裁定再审的，人民法院经审理认为案外人应为必要的共同诉讼当事人，在按第一审程序再审时，应追加其为当事人，作出新的判决；在按第二审程序再审时，经调解不能达成协议的，应撤销原判，发回重审，重审时应追加案外人为当事人。案外人不是必要的共同诉讼当事人的，仅审理其对原判决提出异议部分的合法性，并应根据审理情况作出撤销原判决相关判项或者驳回再审请求的判决；撤销原判决相关判项的，应当告知案外人以及原审当事人可以提起新的诉讼解决相关争议。

五、再审案件的调解

人民法院对再审案件进行审理时，可以根据自愿原则进行调解。调解时仍遵照第一审、第二审程序有关调解的规定进行。当事人在再审审理中经调解达成协议的，人民法院应当制作调解书。调解书经各方当事人签收后，即具有法律效力，原判决、裁定视为被撤销。

案例分析

【案情】

刘南与王妮于1997年1月结婚，双方因性格各异，常为生活琐事发生矛盾，致使夫妻关系紧张。1999年4月8日，刘南以双方无共同语言、无法继续共同生活为理由，向当地人民法院起诉，要求与王妮离婚。1999年6月10日，第一审人民法院判决准予离婚，并对子女抚养、财产分割等问题进行了判决。双方当事人均没有上诉。2001年6月11日，王妮认为人民法院判决他们的共有房屋归刘南所有是错误的，因此申请再审。另外，她与刘南结婚时父亲曾送给她一件祖传瓷器，这件瓷器一直由刘南保管，在第一审程序中双方当事人均未提及此事，要求刘南归还，她希望人民法院再审时一并处理。

【问题】

本案如何处理?

【解析】

本案当事人王妮在第一审判决发生法律效力后向人民法院提出两个要求，一是对第一审判决将共有房屋判归刘南所有的问题申请再审，二是要求人民法院再审时判令刘南归还祖传瓷器。瓷器的归属问题，当事人在原审程序中并未主张，不属于原判决存在的问题，因此，不属于人民法院在再审程序中的审理范围，应告知当事人另行起诉。当事人对已经发生法律效力的判决、裁定认为有错误的，可以向人民法院申请再审。本案当事人王妮认为他们的共有房屋不应归刘南所有，只要申请符合法定条件，人民法院就应当立案再审。

第十六章　督促程序

督促程序是民事诉讼法中规定的一种特殊审判程序，是简便、快捷的督促还债程序。债权人请求债务人给付金钱或者有价证券，如果债权人在同一法律关系中没有对待给付义务，并且支付令能够送达债务人的，债权人可以向有管辖权的基层人民法院申请支付令，债务人应当自收到支付令之日起15日内清偿债务，或者向人民法院提出书面异议。债务人在法定期间既不提出异议又不履行支付令的，支付令即发生与生效判决同等的法律效力，债权人可以据此向人民法院申请执行。本章主要介绍督促程序的启动、适用督促程序的条件、步骤以及支付令的法律效力等问题。

第一节　督促程序概述

一、督促程序的概念

督促程序又称支付令程序，是指人民法院基于债权人给付金钱或者有价证券的申请，不经过开庭审理直接向债务人发出支付令，如果债务人在法定期间内未履行义务又未提出书面异议，债权人可以根据支付令向人民法院申请强制执行的程序。

在现实生活中，经常会出现一些债务纠纷案件，双方当事人对他们之间的债权债务关系本身并无异议，仅因债务人不具备还债能力，或者故意拖延履行义务，使债权人的权利得不到实现。对这样的案件完全没有必要按照通常诉讼程序审判。适用督促程序处理债权人和债务人之间无争议的民事案件，无论是人民法院或者当事人，所需花费的时间、精力和金钱都远远少于通常诉讼程序。督促程序的设置有利于维护正常的经济秩序，节约司法资源，尽快实现债权人的合法权益。

应当明确的是，对于请求给付金钱或者有价证券的无争议的债权债务关系案件，督促程序与通常诉讼程序都是可以适用的，具体适用哪种程序，由债权人选择决定，法律并未进行强制规定。选择通常诉讼程序的，当事人就不能再申请启动督促程序。选择督促程序的，如因债务人提出支付令异议导致程序终结的，债权人还可以向有管辖权的人民法院提起诉讼。

二、督促程序的特点

督促程序是债权人追索债务的简便、快捷的程序，属于非讼程序的一种。与通常诉讼程序相比，督促程序具有一些特点。

（一）适用范围特定

督促程序仅适用于具有给付内容的案件，并且请求给付的标的仅限于金钱或者有价证券。以金钱或者有价证券作为请求给付的标的，便于进行债权债务的计算，而且这种债务一般只会发生债的迟延履行而不会发生债的履行不能或者不可抗力的免责问题，便于人民法院审理和执行，能够体现督促程序的简便性和快捷性。

（二）程序的开始和终结特殊

督促程序因债权人的申请开始，债权人称为申请人，债务人称为被申请人。债务人针对支付令提出书面异议是督促程序终结的主要原因。人民法院向债务人送达支付令后，债务人有权对支付令提出异议，只要异议符合法定的形式要件，人民法院不进行实质审查，裁定终结督促程序。

（三）审理程序特殊

人民法院按照督促程序审理案件，仅对债权人提出的请求和事实、证据进行书面审查，并不传唤债务人到人民法院，也不开庭审理。审判组织采用独任制的形式，独任审判员认为债权债务关系明确、合法的，就可以直接发出支付令，要求债务人履行债务。

（四）一审终结

对适用督促程序审理的案件实行一审终审，当事人对相关裁判不服的，不能提起上诉或者申请再审，在从审级制度上保证程序的简捷和方便。

三、适用督促程序的条件

债权人申请人民法院适用督促程序实现自己的债权必须符合法律规定的条件，这些条件涉及申请事项的性质、特征、申请的管辖、债务人的情况以及申请的方式等内容。

（一）债权人请求给付的范围仅限于金钱或者有价证券

债权人请求给付的范围仅限于金钱或者有价证券。这一范围限定符合督促程序简易并迅速解决无争议债权债务关系的立法宗旨。其他标的物的给付请求比较复杂，不易量化和操作，应当适用通常诉讼程序调查取证、开庭审理，分清是非责任。督促程序仅适用于债权人就金钱或者有价证券提出的具有给付内容的请求，债权人请求确认或者变更其与债务人之间的债权债务关系的，不得适用督促程序。

（二）请求给付的金钱或者有价证券已经到期且数额确定

首先，债权人请求给付的金钱或者有价证券必须已经到期。一般情况下，债务都有一定的履行期限，债务人因此享有期限利益，未到履行期限的债务，债权人不得提出给付请求。其次，请求给付的数额必须是确定的。只有债权数额确定，人民法院才能向债务人发出要求支付的命令，否则人民法院不能签发支付令。

（三）债权人与债务人没有其他债务纠纷

债权人与债务人没有其他债务纠纷，也就是债权人没有对待给付义务。没有对待给付义务是指在同一的债权债务关系中，债权人不负担相应的给付义务，或者虽有相应的义务，但已经作了履行。这就意味着债权人与债务人之间的债务关系是单向的且不附任何条件，如果是附条件的给付请求，不能适用督促程序。只要债权人不负对待给付义务，即使他与债务人之间基于另外的法律关系存在其他的债务纠纷，也不妨碍督促程序的适用。

（四）债权人应当向有管辖权的人民法院提出书面申请

债权人申请支付令应当向债务人住所地的基层人民法院提出申请。最高人民法院《关于适用督促程序若干问题的规定》（2001 年 1 月 21 日起施行）规定，基层人民法院受理债权人依法申请支付令的案件，不受争议金额的限制。共同债务人住所地、经常居住地不在同一基层人民法院辖区，各有关人民法院都有管辖权的，债权人可以向其中一个基层人民法院申请支付令；债权人向两个以上有管辖权的人民法院申请支付令的，由最先立案的人民法院管辖。另外，债权人向人民法院申请支付令必须采用书面形式，应当提交申请书。

（五）支付令能够送达债务人

《民事诉讼法》第 191 条明确要求，支付令能够送达债务人的，人民法院应予受理。支付令是债权人向人民法院申请的督促债务人履行债务的法律文书，若支付令无法送达债务人，债务人就无从了解人民法院所发支付令的内容，无法按照支付令的要求履行债务或者依法对支付令提出书面异议，债权人与债务人的合法权益都得不到及时、有效的保障。债务人不在我国境内，或者虽在我国境内但下落不明的，不适用督促程序。

第二节　适用督促程序的步骤

一、申请和受理

债权人应当以书面方式，向债务人住所地基层人民法院提出申请。申请书应当载明的事项主要有：申请人的姓名或者名称、住所等基本情况；债务人的姓名或者名称、住所等基本情况；请求给付的金钱或者有价证券的数量和所根据的事实、证据；表明请求人民法院发出支付令的意思；申明债权人与债务人无其他债务纠纷。

根据《民事诉讼法》第192条规定，人民法院对于债权人的申请，应当及时进行审查。经审查认为债权人的申请符合法定条件的，人民法院应予受理，并在收到申请后5日内通知债权人；认为申请不符合要求的，人民法院可以通知债权人限期补充完善，补充完善期间不计入5日期限；认为债权人的申请不符合法定条件且无法补充完善的，应当于收到申请后5日内通知不予受理。

二、审理

人民法院受理申请后，由审判员1人进行审查。通过对债权人提供的事实、证据进行审查，认为债权债务关系明确、合法的，准备向债务人发出支付令；认为债权人所主张的债权不明确或者不合法，应当在受理之日起15日内裁定驳回申请，债权人对该裁定不得上诉。

最高人民法院《关于适用督促程序若干问题的规定》第5条规定，人民法院受理债权人的支付令申请后，经审理有下列情况之一的，应当裁定驳回申请：①当事人不适格；②给付金钱或者汇票、本票、支票以及股票、债券、国库券、可转让的存款单等有价证券的证明文件没有约定逾期给付利息或者违约金、赔偿金，债权人坚持要求给付利息或者违约金、赔偿金；③债权人要求给付的金钱或者汇票、本票、支票以及股票、债券、国库券、可转让的存款单等有价证券属于违法所得；④债权人申请支付令之前已向人民法院申请诉前保全，或者申请支付令同时又要求诉前保全。

三、向债务人发出支付令

人民法院认为债权债务关系明确、合法的，应当在受理之日起15日内向债务人发出支付令。支付令是督促程序中最重要的法律文书，又称支付命令、督促决定，是债权人向人民法院申请发出的要求债务人履行债务的法律文书。支付令应记明以下事项：债权人、债务人姓名或者名称等基本情况；债务人应当给付的金钱、有价证券的种类、数量；清偿债务或者提出异议的期限；债务人在法定期间不提出异议的法律后果。支付令由审判员、书记员署名，加盖人民法院印章。人民法院向债务人本人送达支付令，债务人拒绝接收的，人民法院可以留置送达。

支付令由人民法院依法送达后即产生法律效力，支付令的法律效力主要表现在两个方面：一是督促债务人在法定期间内清偿债务的效力。债务人应当自收到支付令之日起15日内清偿债务，或者向人民法院提出书面异议。督促程序的价值在于对双方无实质争议的债务纠纷快速地予以解决，作为督促手段的支付令的基本法律效力就是督促债务人在规定的期间内清偿债务。二是与发生法律效力的判决具有同等的法律效力。债务人自收到支付令之日起15日内不提出异议又不履行支付令的，债权人可以向人民法院申请执行。申请执行的期限为两年。此时，支付令具有强制执行效力，人民法院不得随意变更或者撤销支付令的内容。当事人之间的债权债务关系因支付令发生法律效力而得以确定，债务人对支付令不服也不得提起上诉，人民法院不得受理当事人就同一债权债务关系提起的诉讼，也不得在以后的诉讼中作出与支付令内容相矛盾的事实认定。

四、债务人提出支付令异议

支付令异议是债务人对人民法院在支付令中所确定的给付义务声明不服的意思表示。督促程序的设置以债权人与债务人对他们之间的债权债务关系无争议为假定前提，因此，人民法院仅对债权人提交的申请书等材料进行书面审查后就发出支付令，无需听取债务人的主张和理由。如果债务人对支付令载明的债权债务关系有不同认识，法律必须赋予债务人陈述主张和抗辩的权利和机会，这样才能够贯彻民事诉讼主体法律地位平等的基本原则，并能够及时、有效地保障债务人的合法权益。

（一）支付令异议的形式条件

支付令异议的成立必须具备四个条件。

1. 提出异议的主体是债务人

只有债务人及其法定代理人或者经过特别授权的委托代理人才有权提出支付令异议，其他任何组织和个人都无权提出支付令异议。

2. 提出异议的期间为债务人收到支付令之日起 15 日内

债务人对支付令有异议，必须在收到支付令之日起 15 内提出，逾期提出的异议不能发生终结程序的效力。如果债务人因不可抗力等客观因素耽误了期限，可依法向人民法院申请顺延期限。

3. 提出异议的形式为书面形式

债务人对支付令不服的，应当以书面形式提出异议，债务人的口头异议无效。债务人不在法定期限内提出书面异议，而向其他人民法院起诉的，不影响支付令的效力。

4. 异议应当针对债权债务关系本身提出

债务人所提异议的内容应当是不同意债权人关于清偿债务的主张。如果债务人对债权债务关系没有异议，但对清偿能力、清偿期限、清偿方式等提出不同意见的，不影响支付令的效力。

（二）人民法院对支付令异议的审查

债务人在法定期间提出书面异议的，人民法院无须审查异议是否有理由，只要异议符合形式条件，应当直接裁定终结督促程序。也就是说，人民法院对债务人提出的支付令异议仅进行形式审查，只要该异议在形式上符合法律规定的条件，人民法院就应裁定终结程序，无须审查异议内容是否真实和是否有理由。

（三）支付令异议的撤回

债务人提出支付令异议后，可否要求撤回？学理上对此有不同的观点。“肯定说”认为，民事审判程序应当以尊重当事人的处分权为基础，要尊重当事人的处分权，就应当允许债务人撤回对支付令的异议，使已经失效的支付令重新恢复其效力。“否定说”认为，异议一旦提出，支付令失效，不得因异议之撤回而恢复其效力。[①]最高人民法院《关于适用督促程序若干问题的规定》规定，人民法院作出终结督促程序裁定前，债务人请求撤回异议的，应当准许。该规定未完全采纳“肯定说”或者“否定说”的观点，而是两种观点的折中。

（四）支付令异议的效力

根据《民事诉讼法》第194条规定，支付令异议的效力体现在三个方面。

1. 终结督促程序

债务人提出支付令异议，表明当事人之间关于债权债务关系出现了实质性争议，不能继续适用非讼性质的督促程序解决问题，人民法院应当裁定终结督促程序。

2. 支付令自行失效

债务人提出的异议成立的，支付令失效，不能发生确定债权债务关系、强制执行等法律效力。

3. 债权人可以向人民法院起诉

支付令失效后，债权人的给付请求未能得到满足，如要实现权利，债权人可以向有管辖权的人民法院提起民事诉讼，请求人民法院判令债务人履行债务。

债权人基于同一债权债务关系，向债务人提出多项支付请求，债务人仅就其中一项或者几项请求提出异议的，不影响其他各项请求的效力。债权人基于同一债权债务关系可分别向多个债务人提出支付请求，多个债务人中的一人或者几人提出异议的，不影响其他请求的效力。

对设有担保的债务案件的主债务人发出的支付令对担保人没有拘束力。支付令发出后，债权人就担保关系单独提起诉讼的，支付令自行失效。

五、督促程序的终止

在督促程序进行中，出现下列情况之一的，督促程序终止。

（一）债务人在法定期间清偿了债务

债务人在收到支付令之日起15日内清偿了债务，与债权人之间的债权债务关系已经消灭，督促程序终止。

① 江伟. 民事诉讼法. 北京：高等教育出版社，2007. 411~412

(二) 债务人在法定期间不提出异议又不履行支付令

债务人收到支付令后 15 日内既不提出异议，又不履行支付令的，督促程序终止。督促程序终止后，随即进入执行程序，债权人可以向人民法院申请执行，以实现其合法权益。

(三) 债务人在法定期间提出书面异议

债务人依法提出书面异议的，人民法院应当裁定终结督促程序。

(四) 债权人撤回支付令申请

人民法院受理支付令申请后发出支付令前，申请人可以撤回申请。申请人撤回申请的，人民法院应当裁定终结督促程序。

(五) 债权人就同一债权关系又提起诉讼

人民法院受理支付令申请后，债权人就同一债权关系又提起诉讼的，应当裁定终结督促程序。

(六) 支付令无法送达债务人

人民法院发出支付令之日起 30 日内无法送达债务人的，应当裁定终结督促程序。

六、支付令的撤销

人民法院院长对本院已发生法律效力的支付令发现确有错误，认为需要撤销的，应当提交审判委员会讨论决定后，裁定撤销支付令，驳回债权人的申请。

案例分析

【案情】

2007 年 10 月 18 日，申请人某电信公司向某区人民法院提交书面申请，请求被申请人该区居民张某给付 2007 年 5 月至 7 月的电话费 1 233 元。某区人民法院经审查后受理了申请，于同日向被申请人发出了支付令。在送达时，被申请人拒绝接收支付令，人民法院依法进行了留置送达。

【问题】

本案可否适用督促程序处理？支付令能否进行留置送达？

【解析】

申请人请求被申请人给付电话费 1 233 元，属于已经到期且数额确定的金钱债权，申请人在该法律关系中没有对待给付义务，该区人民法院为被申请人住所地人民法院，支付令能够送达被申请人。因此申请人的支付令申请符合法律规定的条件，可以适用督促程序。

被申请人如果对支付令所确定的给付义务不服，可以依法向人民法院提出支付令异议来保护自己的合法权益，不得拒绝接受人民法院依法送达的支付令。根据最高人民法院《适用民事诉讼法意见》第220条规定，向被申请人本人送达支付令，被申请人拒绝接收的，人民法院可以留置送达。

第十七章　公示催告程序

在现实生活中，经常发生支票、本票、汇票等票据、提单、记名股票等有价证券被盗、遗失现象。为了保护暂时丧失票据和有价证券权利的人的合法利益，避免被盗、遗失的票据和有价证券的权利被非法行使，及时宣告被盗、遗失票据和有价证券以及法律规定的其他事项的失效或者无效，民事诉讼法专门设置了公示催告制度。本章通过阐述公示催告程序的概念、特点和适用范围，公示催告案件的审理以及除权判决的作出等问题，展现了我国公示催告制度的基本构成内容和鲜明特色。

第一节　公示催告程序概述

一、公示催告程序的概念

公示催告程序是指人民法院根据申请人的申请，以公示的方法，告知并催促不明确的利害关系人在一定期限内申报权利，逾期无人申报权利的，依法作出除权判决的一种审判程序。

通过公示催告程序，能够简便快捷地确定票据或者其他特定事项的有效或者无效，及时维护失票人的合法权益，对利害关系人的合法权益进行救济，有效地遏止非法持票人获取不当得利的机会，规范并维护票据流转的法律秩序，确保票据流通的安全。

二、公示催告程序的特点

根据民事诉讼法关于公示催告程序的规定内容，公示催告程序具有三个特点。

1. 专门性

公示催告程序是与特定的实体法（如票据法等）配套使用的。这种程序不仅特指票据的公示催告程序，而且是特定的票据在特定的情形下适用的程序。

2. 非讼性

公示催告程序属于非诉讼程序，不同于普通诉讼程序。首先，公示催告程序受理的申请事项无民事权益争议，通常只确定失票人应有的权利。申请人因失去票据导致票据权利难以实现。失票人申请启动本程序是为了确定并恢复其票据权利，并不是为了与他人争夺票据权利。人民法院进行公示催告是为了确定可否恢复申请人的票据权利，不是为了解决申请人与他人之间的争议。如果属于票据权利的纠纷，不能适用本程序，应当依照诉讼程序的规定另行起诉。其次，无明确的对方当事人，只有一方申请人。公示催告所催告的利害关系人是不明确的。该利害关系人是否存在无人知晓。人民法院进行公示催告是为了排除其他利害关系人存在的可能性。如果申请人在申请之时已经知晓其相对利害关系人是谁，则不能申请公示催告。如果该案件存在其他的利害关系人，应当终结本程序，依照诉讼程序另行起诉。

3. 简捷性

公示催告程序简便快捷地保护票据持有人合法权益的立法目的及其专门性、非讼性的特征，决定其在程序设计上必须体现简捷性。公示催告程序没有通常诉讼程序所必须具有的开庭前准备、开庭审理等步骤和阶段。公示催告程序只分为两大阶段，即公示催告阶段和除权判决阶段。人民法院适用公示催告程序的审理方式主要就是书面审查和公示方式。适用公示催告程序审理案件实行一审终审，对于除权判决不得提起上诉。适用通常诉讼程序审理案件实行两审终审，并可以适用再审程序。

三、公示催告程序的适用范围

公示催告程序的适用范围在各国有所不同。目前大多数国家的民事诉讼法都规定公示催告程序适用于宣告证券无效的事项，我国民事诉讼法规定的公示催告程序适用于宣告票据无效或者其他特定事项无效。

我国《民事诉讼法》第 195 条第 1 款规定："按照规定可以背书转让的票据持有人，因票据被盗、遗失或者灭失，可以向票据支付地的基层人民法院申请公示催告。依照法律规定可以申请公示催告的其他事项，适用本章规定。"根据这一规定，适用公示催告程序的案件范围有两类。

（一）按照规定可以背书转让的票据案件

按照规定可以背书转让的票据案件是适用公示催告程序案件的主要类型。票据是指支付人向持票人支付（通常为无条件支付）一定金额的凭证。根据《票据法》的规定，票据分为汇票、支票、本票三种。这三种票据可以分为可以背书转让的票据和不能背书转让的票据两种。背书转让是票据转让的一种形式，是指持票人以背书的方式将票据权利转让给他人的单方的要式行为。能够申请公示催告的票据只限于可以背书转让的票据。

（二）依照法律规定可以申请公示催告程序的其他事项

依照法律规定可以申请公示催告的其他事项属于民事诉讼法规定的预置性弹性条款。其他事项丧失，持有人或者占有人能否申请公示催告以相关法律有无规定为准。我国现行法律中规定可以申请公示催告的其他事项有三种。

1. 记名股票

根据《公司法》第 144 条规定，记名股票被盗、遗失或者灭失，股东可以依照民事诉讼法规定的公示催告程序，请求人民法院宣告该股票失效。人民法院宣告该股票失效后，股东可以向公司申请补发股票。

2. 提单

根据《海事诉讼特别程序法》第 100 条规定，提单等提货凭证持有人因提货凭证失控或者灭失，可以向货物所在地海事法院申请公示催告。

3. 船舶优先权

根据《海事诉讼特别程序法》第 120 条规定，船舶转让时，受让人可以向海事法院申请船舶优先权催告，催促船舶优先权人及时主张权利，消灭该船舶附有的船舶优先权。

当前我国公示催告程序适用范围还比较狭窄，但是，随着相关实体法的逐步制定和颁布，其他可以背书转让的证券、单证、特种文书等需要宣告无效的事项，将来有望适用公示催告程序。

第二节　公示催告程序的启动

一、申请公示催告

申请公示催告是指申请人因其持有的票据被盗、遗失、灭失或者因其他特定事项，请求人民法院以公示方式催告不明确的利害关系人申报权利的行为。申请公示催告没有相对应的被申请人，其实质是通过公示方式寻找申请人的相对利害关系人，由此使申请公示催告与票据纠纷起诉相区别。申请公示催告是申请人对人民法院的行为，旨在引起公示催告程序的开始，因而与票据持有人的挂失行为和票据遗失的声明行为具有本质的不同。公示催告程序的启动必须依照申请人的申请而开始，人民法院不得依职权主动提起。

申请人申请公示催告，必须同时具备一些条件。

（一）合格的申请人

公示催告的申请人只能是所丧失票据或者其他凭证及其权利的最后合法持有人或者法律规定可以申请公示催告的其他事项的拥有人。

（二）特定的申请对象

申请公示催告的对象是指依法可以申请公示催告的有关事项，包括可以背书转让的票据和可以申请公示催告程序的其他事项。

（三）特定的申请事由

申请公示催告的事由是指可以申请公示催告的有关法定事实，应当包括以下两个方面的法定事实：①可以背书转让的票据因被盗、遗失或者灭失，致使申请人无法实现其票据权利；法律规定其他事项申请公示催告的有关事实，包括记名股票、提单被盗、灭失的事实和船舶转让的优先权催告事实。②无明确的利害关系人，即申请公示催告前，无任何人就公示催告的票据或者其他事项与申请人发生争议，利害关系人（相对人）处于不明确的状态。如果利害关系人已经出现，比如失票人知道是谁拾得票据，就属于票据纠纷，应按照诉讼程序解决。

（四）书面申请的方式

申请人必须以书面方式向人民法院提交申请书。申请人申请票据公示催告的，应当在申请书中写明下列事项：申请人的基本情况；票据名称、票面金额、出票人、背书人、持票人、付款人等票据主要内容；申请的理由、事实，包括申请人合法占有票据的事实，票据被盗、遗失、灭失的事实，法律规定可以申请公示催告的其他事项的有关情况，相对利害关系人不明确的情况等。

（五）必须向有管辖权的人民法院提出申请

对公示催告案件有管辖权的人民法院是票据支付地的基层人民法院。票据支付地是指票据上载明的付款地，票据上未载明支付地的，以票据付款人的住所地或者主要营业地为票据付款地。

二、公示催告申请的审查与受理

人民法院收到公示催告的申请后，应当立即审查并决定是否受理。审查的内容主要包括：申请人是否为票据的最后持有人；接受申请的人民法院是否为票据支付地的基层人民法院；申请公示催告的票据种类是否是可以背书转让的票据；其他事项是否是法律规定可以申请公示催告的特定事项。经审查，人民法院认为符合受理条件的，通知予以受理，并同时通知支付人停止支付；认为不符合受理条件的，7日内裁定驳回申请。申请人对驳回申请的裁定不得上诉，但具备条件后可再行申请公示催告。在人民法院已经受理但尚未发出公示催告之前，申请人找回票据或者已得知实际票据持有人信息的，可以向受理的人民法院撤回申请，人民法院经审查属实的，可以裁定终结公示催告程序。

第三节　公示催告案件的审理

一、公示催告案件的审判组织

根据最高人民法院《适用民事诉讼法意见》第234条规定，适用公示催告程序审理案件，可由审判员一人独任审理；判决宣告票据无效的，应当组成合议庭审理。公示催告程序分为审理阶段和无效判决作出阶段。在审理阶段可由审判员独任审理；判决宣告票据无效的，应当组成合议庭审理。合议庭可以由陪审员和审判员组成，也可以由审判员组成，同时申请人依法享有申请回避的权利。

二、发出止付通知

根据法律规定，人民法院在决定受理公示催告申请的同时，为了防止票据权利被他人非法行使，应当立即向票据的支付人发出停止支付的通知。因为票据具有无因性，持有票据就意味着享有票据权利。票据持有人在丧失票据的情况下，随时面临着票据权利被非法持有人行使的危险。一旦这种情况发生，申请人的申请和人民法院进行的公示催告程序将失去意义，票据持有人的权利将得不到保障。因此，当人民法院决定受理公示催告案件的同时，应当立即向票据的支付人发出停止支付的通知。停止支付可以保证公示催告程序终结前票据的非法持有人不能行使票据权利，这是保证申请人的请求实现的有效措施，属于财产保全性质。人民法院按照公示催告程序通知支付人停止支付，应符合有关财产保全的规定。人民法院在发出支付通知时，根据情况可以责令申请人提供担保，以防止公示催告申请损害票据合法持有人的利益。

人民法院向票据支付人发出的止付通知是具有强制效力的司法文书，支付人必须执行停止支付的通知。支付人拒不协助执行止付通知的，人民法院可以对有关责任人采取相应的强制措施，如果不停止支付造成经济损失，由支付人承担。支付人在接到人民法院的止付通知前已经支付完毕的，应当及时回复人民法院。人民法院则应当终结公示催告程序，并转告申请人以收款人为被告另行提起票据诉讼。

三、发出公告

人民法院受理公示催告的申请后，应当在3日内发出公告，催促可能存在的利害关系人申报权利。

（一）公告方式

公告应张贴于人民法院的公告栏内，并在有关报纸或者其他宣传媒介上刊登；人民法院所在地有证券交易所的，还应当在该交易所公开张贴。

（二）公告内容

人民法院发布公示催告应当写明以下内容：公示催告申请人的姓名或者名称；票据的种类、票面金额、发票人、背书人等；催促利害关系人申报权利及申报权利的期间和接受申报的人民法院；在公示催告期间转让票据权利、利害关系人不申报的法律后果；公告的人民法院及公告发出的日期。

（三）公告期间

公示催告的期间也是人民法院公开告示利害关系人申报权利的期限。公示催告的期间由人民法院决定，但依法不得少于60日。

（四）公告效力

1. 禁止票据权利转让的效力

公示催告期间转让票据权利的行为无效。这一规定旨在防止因票据流通导致失票人和善意第三人（即受让人）的权益受到损害。公告期间转让票据权利的行为属于无效民事行为，不影响原票据权利人在公示催告程序终结后行使票据权利；善意第三人因接受转让而遭受损失的，可以向非法转让人请求偿还。

2. 具有诉讼上的推定效力

在申请公示催告的案件中，是否存在利害关系人与谁是利害关系人通常难以证明。人民法院通过发布公示催告的公告，限令可能存在的利害关系人在一定期限内申报权利，逾期无人申报权利，就可以推定本案所涉及的票据或者其他特定事项没有利害关系人存在。

四、申报权利

申报权利是指自认为与公示催告的票据或者其他特定事项有利害关系的人，在公示催告期间向人民法院主张权利的活动。公告发出后，如果有利害关系人，该人不申报权利，人民法院就可能作出除权判决，排除申请人以外的人的权利。所以，利害关系人要保护自己的权利，就应当在公示催告期间向人民法院申报权利。

权利申报人是与公示催告申请的事项有利害关系的人。对于票据来讲，申请人以外的票据合法持有人可以申报权利；接受非法转让的善意第三人也可以申报权利。利害关系人申报权利，应当在人民法院公告指定的期限内进行。公告期限届满，判决作出之前，利害关系人申报权利的，人民法院也应当予以受理。利害关系人向人民法院申报权利，应当提交票据权利申报书。权利申报书应当写明申报权利的请求、理由和事实，同时应当向人民法院出示票据正本或者法律规定的证据。

人民法院对于申报人的申请应当予以审查。人民法院主要审查申报人所主张的票据权利是否就是本案申请人所申请的票据权利。人民法院应当通知公示催告的申请人在指定的期间内查看申报人出示的票据，以辨认是否为申请的票据。人民法院认为申报符合条件的，应裁定终结公示催告程序，并及时通知申请人和支付人。人民法院终结公示催告程序后，申请人或者申报人可以向人民法院起诉，人民法院适用普通的诉讼程序解决他们之间的票据纠纷。如果没有利害关系人申报权利，或者申报权利的利害关系人出示的票据与公示催告申请人申请公示催告的票据不一致的，人民法院应当裁定驳回申报，作出除权判决。

五、除权判决

除权判决是指人民法院作出的宣告票据无效或者其他特定事项无效的判决。公示催告期间届满，没有利害关系人申报权利或者申报被驳回，人民法院应当根据申请人的申请组成合议庭进行审理并作出判决，宣告已丧失的票据无效或者其他特定事项无效，并恢复申请人的权利。人民法院作出除权判决必须同时符合下列两个条件：①公示催告期间届满后，没有人申报权利，或者利害关系人的申报被人民法院驳回；②公示催告期间届满，申请人依法向人民法院递交申请书，请求人民法院作出判决。

公示催告申请人应当在公示催告期间届满后的 1 个月内，向作出公示催告的人民法院申请作出除权判决。公示催告的申请人逾期未申请人民法院作出除权判决的，人民法院应当裁定终结公示催告程序。

除权判决一经作出立即生效，利害关系人不得上诉。人民法院判决宣告票据无效后，如果该票据还存在，则为废票。持有该无效票据的人不能获得票据权利；如其转让票据，则为无效行为。人民法院在宣告票据无效的判决中应当明确申请人享有票据权利。除权判决最重要的意义在于恢复失票人（即本案申请人）因丧失票据而无法实现的票据权利。人民法院作出除权判决并公告后，公示催告程序终结。此后，利害关系人主张权利的，只能向人民法院起诉，不能以申报权利的方式主张权利，也不能请求通过审判监督程序寻求救济。

六、公示催告程序的非正常终结

除人民法院作出除权判决，公示催告程序正常终结外，有几种情形可以引起公示催告程序的非正常终结。

（一）申请人撤回申请

公示催告申请人撤回申请应当在公示催告之前提出。在公示催告期间申请撤回的，人民法院径行裁定终结本程序。

（二）利害关系人申报权利

利害关系人在法定期间内申报权利并经人民法院审查符合申报条件的，人民法院应当裁定终结公示催告程序。

(三) 申请人逾期未申请判决

公示催告期间届满1个月内，申请人应当再次提出申请，请求人民法院作出判决；申请人逾期未申请判决的，人民法院应当裁定终结公示催告程序。

(四) 公示催告申请的票据已支付

支付人在接到人民法院停止支付的通知前已经对票据进行支付的，人民法院裁定终结公示催告程序。

七、另行起诉

适用公示催告程序的案件经人民法院裁定终结后，认为与本案有利害关系的人可向人民法院另行起诉。根据《民事诉讼法》第200条规定，人民法院已经作出除权判决的公示催告案件，利害关系人有正当的理由未能在除权判决前向人民法院申报权利的，自知道或者应当知道除权判决公告之日起1年内，向作出判决的人民法院起诉。

人民法院裁定终结公示催告程序后，申请人可以依照普通程序另行起诉，也可以向人民法院另行申请冻结票据权利，申请财产保全。申请人未在合理的时间内申请财产保全的，人民法院应当及时通知支付人解除停止支付的措施。

案例分析

【案情】

2007年12月8日，A公司因一张面额10万元的可以背书转让的支票丢失，向票据支付单位所在地的B区人民法院申请公示催告，B区人民法院因其未先挂失而不予受理。该公司到银行办理挂失手续后，又向B区人民法院申请公示催告，B区人民法院接到申请后即刻向银行发出止付通知，然后向申请人发出受理通知书。B区人民法院决定受理后在5日内发出公告，催促利害关系人在30日内向人民法院申报权利。公示催告期间届满，没有人向人民法院申报权利，B区人民法院因此作出了宣告该票据无效的除权判决。

【问题】

此案在适用公示催告程序上存在哪些问题?

【解析】

此案在适用公示催告程序时存在以下5个问题：

（1）申请人因票据丢失向人民法院申请公示催告，不需要申请人首先向银行挂失，B区人民法院以A公司未先挂失而不予受理是错误的。

（2）B区人民法院接到申请后应先审查，决定受理后才能通知支付人停止支付，不能先通知支付人停止支付，再审查立案。

（3）B 区人民法院受理申请后，应在 3 日内发出公告，不能在 5 日后才发出公告。

（4）公示催告的期间不能少于 60 日，B 区人民法院催促利害关系人在 30 日内向人民法院申报权利是错误的。

（5）B 区人民法院只能根据申请人的申请作出除权判决，不能自行作出除权判决。

第十八章　民事执行程序

本章介绍民事执行与民事执行法、执行主体、执行依据、执行管辖、民事执行的申请和移送、执行前的准备、执行措施、执行救济、执行担保与执行和解、参与分配、对妨害民事执行强制措施的特别规定、执行中止和终结。在学习中对于民事执行与民事执行法的概念、民事执行权的性质、民事执行法与民事诉讼法的关系、我国执行机构的现行法律规定、执行当事人变更和追加的情形、民事执行依据的概念和种类、民事执行管辖的具体规定、民事执行管辖的督促和变更、民事执行管辖的指定与提级、民事执行管辖的委托、民事执行受理的条件、被执行人财产的报告、金钱给付、交付财产和完成行为的执行措施、被执行人到期债权的执行、执行异议、案外人异议、执行回转、执行担保的条件和效果、执行和解的条件和效力、参与分配的条件、参与分配的实现、妨害民事执行行为的种类、对妨害民事执行的制裁措施、执行中止和执行终结的法定情形等重点问题应注意把握。对于民事执行与民事诉讼的关系、我国执行机构的设置、执行机构是否有权追加和变更执行当事人、其追加和变更权限的界定、我国在执行依据种类少的情况下是否应当增加执行依据的种类、执行依据效力的完善、督促执行和提级执行的实施、仲裁裁决和公证债权文书不予执行的情形、被执行人财产调查制度的系统构建、执行救济的具体实施、执行和解制度的完善、参与分配制度的完善、对妨害民事执行行为制裁的完善、执行中止和终结制度的完善等难点问题应进行思考和探讨。

第一节　民事执行与民事执行法

一、民事执行概述

（一）民事执行体制

民事执行体制是指民事执行权的配置，具体是指民事执行权行使机构和行使人员的具体配置。它解决的是民事执行权具体由哪个机构行使以及民事执行权在行使机构之间和行使人员之间的具体划分问题。它是界定一个国家民事执行内涵的前提。根据目前所掌握的资料，民事执行体制从具体行使的机构看，大体可分为一元制和多元制两种体例。

一元制也称单元制，是指民事执行权统一由一个执行机构行使。但因其仅是从行使机构视角进行的划分，为此，在一元制中，民事执行权的具体行使人员仍然会存在由不同人员行使的情况。一元制具体分为三种情况：一是民事执行权统一由法院的内部机构行使，如意大利、西班牙、秘鲁、奥地利和我国的台湾地区、澳门地区均属于这种类型。[①]在我国的台湾地区，执行权由执行法院内部的执行法官、执行书记官和执达员分别行使。[②]二是民事执行权由法院外的专门机构行使，采取该体例的有瑞典和瑞士。以瑞典为例，瑞典的执行机构是独立于警察机构和检察机构之外的政府机构。瑞典全国分为 81 个执行区，每一个区设一个执行局。三是民事执行权统一由专门的执行法院行使，据目前的资料显示，只有冰岛实行这种体制。在冰岛，执行权由执行法院（court of execution 或称 sheriff’s court）或者拍卖法院负责（court of auctions）。[③]

多元制是指民事执行权由不同的机关或者组织行使，一般是法院与其他机构或者组织分别行使执行权，法院在其中处于监督、指导地位。在大陆法系国家中，主要有德国、日本、法国采取多元制。德国的执行权由执行吏、执行法院和受诉法院共同行使，为三元制。依照德国《民事诉讼法》第 753 条第 1 款，执行吏承担没有分配给法院的强制执行任务。[④]在日本，最初时仿德国采取三元制，至民事执行法实施时，采用二元制，民事执行权由执行法院和执行官共同行使。[⑤]在英美法系国家中，主要有美国、英国、澳大利亚、加拿大采取多元制，其中以美国为代表。

（二）民事执行的概念

什么是民事执行？有学者归纳为三种学说[⑥]：一是强制义务人履行义务行为说；二是实现债权人已确定的债权行为说；三是折中说。相比较而言，在我国以往的教材和著作中，以民事执行是履行义务的阐释居多，而在近年来的教材和著作中，则以综合论述为主，如江伟主编的 21 世纪法学系列教材《民事诉讼法》（第三版）中认为，民事执行也称民事强制执行，强制执行是指国家机关依债权人的申请并根据执行依据，运用国家强制力、强制债务人履行义务，以实现债权人的民事权利的活动。[⑦]为此，民事执行可归结为是在债务人不履行义务，债权人实现不了已经确定的债权时，执行机构依据证明当事人之间权利义务关系的法律文书，运用国家的民事执行权强迫债务人履行义务，从而使债权人的民事权利得以实现的活动。

---

① 高执办．国外执行机构概览．人民司法，2001(3)

② 杨与龄．强制执行法论．台北：三民书局，2006. 36~37

③ 高执办．国外执行机构概览．人民司法，2001(3)

④ [德] 汉斯·约阿西姆·穆泽拉克．德国民事诉讼法基础教程．周翠译．北京：中国政法大学出版社，2005. 354

⑤ 张登科．强制执行法．台北：三民书局有限公司，1999. 73

⑥ 沈德咏．强制执行法起草与论证．北京：中国法制出版社，2002. 293~295

⑦ 江伟．民事诉讼法．北京：中国人民大学出版社，2007. 457

二、民事执行法

（一）民事执行法的概念

有学者认为，民事执行法是规定执行机关及其运用强制力实施执行行为的程序规范的总和。[①]也有学者认为，民事执行法是指国家制定或认可的，调整和规范民事执行机关行使民事执行权的活动以及由此而产生的法律关系的总和。[②]民事执行法有实质意义和形式意义之分。实质意义的民事执行法不仅仅指民事诉讼法、破产法中的有关民事执行的法律规定或者单独的民事执行法典，还包括其他法律中关于民事执行的法律规定。形式意义的民事执行法仅仅是指《民事诉讼法》、《破产法》中的有关民事执行的法律规定或者单独的民事执行法典。

（二）民事执行法的立法体例

目前，在大陆法系国家，民事执行法主要有三种立法形式。

1. 单独制定民事执行法典

根据目前的资料看，制定单独民事执行法典的国家和地区主要有日本、法国、奥地利、挪威、瑞典、韩国、冰岛和我国的台湾地区等。上述国家和地区的学者认为，民事执行与民事诉讼不同，民事诉讼不能包含民事执行，为此，需要单独制定法律对民事执行进行规范。

2. 在民事诉讼法中规定民事执行问题

对于民事诉讼和民事执行之间的关系，经历了一个发展过程，最初认为民事执行属于民事诉讼范畴，为此，大多数国家在将民事诉讼与民事执行作分别规定前都是将民事执行规定在民事诉讼法中。虽然现在认识到民事诉讼与民事执行的不同，但仍有许多国家保留了在民事诉讼法中规定民事执行问题的立法体例，没有对民事执行问题进行单独立法。目前德国、意大利、西班牙、秘鲁及我国都采用了这种立法体例。

3. 民事执行法与破产法混合的立法模式

据目前的资料显示，有一些国家不是对民事执行问题进行单独立法，也没有将民事执行问题规定在民事诉讼法中，而是将民事执行问题与破产问题作统一规定，如瑞士、土耳其等就是采取了民事执行法与破产法混合的立法体例，在瑞士将之称为《瑞士联邦债务执行与破产法》。

（三）新中国成立以来民事执行法律规范的状况

1956年最高人民法院发布的《关于各级人民法院民事案件审判程序总结》中的执行程序总结是新中国成立以来关于执行程序较为系统的规定。1982年颁布的《民事诉

① 江伟. 民事诉讼法. 北京：中国人民大学出版社，2007. 462；杨与龄. 强制执行法论. 台北：三民书局，2006. 15

② 谭秋桂. 民事执行法学. 北京：北京大学出版社，2005. 19

讼法（试行)》中第 4 编规定的“执行程序”，第一次以法律规范的形式规定民事执行问题。1991 年施行的《民事诉讼法》在第 3 编“执行程序”中，对民事执行问题作了进一步的规定。其第 3 编“执行程序”分为一般规定、执行的申请和移送、执行措施及执行中止和终结等 4 章，法律条文从第 207 条起至 236 条，共计 30 条。同时，在第 9 章“财产保全与先予执行”、第 10 章“妨碍民事诉讼的强制措施”、第 27 章“财产保全”及第 28 章“仲裁”中也涉及了民事执行问题的规定。另外，最高人民法院于 1992 年发布的《关于适用中华人民共和国民事诉讼法若干问题的意见》对于民事诉讼法中的执行规定作了补充性的规定。但民事执行的法律规定仍不完善，为了规范民事执行行为，使生效的法律文书能够得到有效执行，维护当事人的合法权益，最高人民法院于 1998 年 7 月发布了《关于人民法院执行工作若干问题的规定（试行)》(以下简称《执行规定》)，共计 137 条，对有关民事执行问题作了较为详尽的规定。2007 年 10 月修改后的《民事诉讼法》对妨碍民事执行的处罚、民事执行管辖、案外人异议、执行机构、申请执行的期限、执行通知书、被执行人财产报告等作出了更加完善的规定，增加了执行异议、申请督促执行、变更执行法院及执行威慑机制等规定。但民事执行法应是一门独立系统的法律规范，2007 年 10 月的修正远远不能解决民事执行法律规范的诸多缺憾，目前无论在学术界还是在实务界都呼吁尽快制定独立的民事执行法。

第二节　民事执行主体

民事执行主体是指在民事执行法律关系中依照法律规定享有权利和承担义务，并能够引起执行程序发生、变更或者终结的组织和个人。因此，只有执行机构和执行当事人才能作为民事执行主体。

一、执行机构

（一）执行机构概述

为了实现生效法律文书，维护当事人的合法权益，必须设置执行机构负责执行事务。执行机构就是实施强制执行的组织。在国外，既有将执行机构设置于行政性机构内部，也有将执行机构设置于法院系统内部，还有单独设置执行机构的情况。根据我国现行法律规定，我国执行机构设置于人民法院系统内部。

（二）我国执行机构设置的现状

根据 2007 年 10 月修改前的《民事诉讼法》的规定，只有基层人民法院和中级人民法院根据执行工作需要可以设立专门执行机构。事实上，因民事执行工作的实际需要，高级人民法院和最高人民法院都设置了专门的执行机构，为此，2007 年 10 月修订后的《民事诉讼法》第 205 条规定，人民法院根据需要可以设立执行机构，从而使在高级人民法院和最高人民法院设置的民事执行机构得到了法律上的正式确认。

（三）我国执行机构的组成人员

在国外，执行机构的组成人员既有执行法官，也有执行员，有的国家还可以由私人或者私人组织行使执行权利。我国执行机构的组成人员由院长、执行局局长、法官、执行员、书记员和司法警察组成。执行员是执行机构的主要组成人员，其主要职务是办理执行事项。地方各级人民法院都设立了执行员，执行工作由执行员进行。依据我国《法官法》第48条规定，执行员仅为人民法院的其他人员，执行员不属于法官。但目前的执行机构中，也有许多法官担任执行员，虽然2007年10月修订后的《民事诉讼法》规定，执行机构对执行过程中所出现的案外人实体争议问题没有审判权，但是最高人民法院于2008年11月3日发布的《关于适用“中华人民共和国民事诉讼法”执行程序若干问题的解释》（以下简称《执行司法解释》）规定，案外人对执行标的主张所有权或者有其他足以阻止执行标的转让、交付的实体权利的，可以依照《民事诉讼法》第204条的规定，向执行的人民法院提出异议。为此，法官在执行机构也负责处理这些执行异议事项。在民事执行中，有些执行措施的实施，必须经人民法院院长批准，还有一些重要事项也要由人民法院院长作最后决定。执行局长负责办理执行案件外，主持执行重大事项的讨论，监督所属执行人员，处理有关行政事务。书记员对执行过程进行记录，协助执行员处理相关执行事务。因此，人民法院院长、执行局长和书记员均是执行机构的组成人员。执行人员执行公务必要时可由司法警察参加，司法警察受执行员指挥，负责维持实施执行时的秩序，并协助执行工作的进行。

二、执行当事人

（一）执行当事人概述

简单说，执行当事人就是执行依据上所载的权利义务承担者。享有权利的执行当事人有“申请人”、“申请执行人”、“债权人”、“权利人”、“被交付人”等称谓；应当履行义务的执行当事人则称为“被执行人”或者“被申请人”。其中，对执行当事人双方最常见的称谓是“申请人”和“被执行人”。是否为民事执行当事人，原则上依照执行依据上的记载确定。在我国，对于执行当事人的权利能力及行为能力没有作特别规定，适用《民事诉讼法》总则中的有关规定。

（二）执行当事人的变更和追加

一般来说，只有执行依据上所确定的权利人和义务人才能成为民事执行当事人，但是，根据现行法律规定，执行依据所确定的执行当事人以外的民事主体在法律规定的情况下，也被作为民事执行当事人承担执行依据所确定的义务或享受执行依据所确定的权利。

1. 执行债权人的变更

从目前的立法和实践看，执行债权人的变更主要体现为以下两种情况：

（1）当作为债权人的公民死亡时，其继承人可以申请执行而成为执行当事人。但是追索赡养费、抚育费、扶养费的债权人死亡时，其继承人不能成为追索赡养费、抚育费、扶养费案件的民事执行人。

（2）当作为债权人的法人或者其他组织终止、合并、分立时，继受其权利的法人或者其他组织可以申请执行而成为执行当事人。

2. 被执行人的变更或者追加

根据《民事诉讼法》第 209 条、《适用民事诉讼法意见》第 271 条至第 274 条和《执行规定》第 76 条至第 81 条规定，被执行人的变更或者追加主要有以下几种情况：

（1）债务人死亡。作为债务人的公民死亡的，在遗产继承人没有放弃继承时，可以裁定由该继承人在继承遗产的范围内偿还。但是，继承人放弃继承时，只能直接执行债务人的遗产，不得裁定变更被执行人。

（2）法人或者其他组织分立、合并。作为债务人的法人或者其他组织合并、分立的，其义务由变更后的法人或者其他组织承受，人民法院可以裁定变更后的法人或者其他组织为被执行人。

（3）法人或者其他组织被撤销。当作为债务人的法人或者其他组织被撤销时，如果有权利义务承受人时，可以裁定该权利义务承受人为被执行人。

（4）非法人组织不能履行义务。其他组织不能履行义务时，被执行人的变更或者追加的情形为：①当被执行人是无法人资格的私营独资企业，无力履行法律文书确定的义务时，可以裁定执行该私营独资企业业主的其他财产。②当被执行人为个人合伙组织或者合伙型联营企业，无力履行生效法律文书确定的义务时，可以裁定追加该合伙组织的合伙人或者参加该联营企业的法人为被执行人。③当被执行人为企业法人的分支机构，无力清偿债务时，可以裁定企业法人为被执行人。企业法人直接经营管理的财产仍不能清偿债务时，可以裁定执行该企业法人其他分支机构的财产。

（5）开办单位投入的注册资金不实或者抽逃注册资金。被执行人无财产清偿债务，如果其开办单位对其开办时投入的注册资金不实或者抽逃注册资金，可以裁定变更或者追加其开办单位为被执行人，要求其在注册资金不实或者抽逃注册资金的范围内承担责任。如果被执行人被撤销、注销或者歇业后，上级主管部门或者开办单位无偿接受被执行人的财产，致使被执行人无遗留财产清偿债务或者遗留财产不足清偿的，可以裁定由上级主管部门或者开办单位在所接受的财产范围内承担责任。

（6）组织名称变更。在执行中，作为被执行人的法人或者其他组织名称变更的，人民法院可以裁定变更后的法人或者其他组织为被执行人。

2007 年 10 月《民事诉讼法》修改前，对民事执行当事人的变更或追加没有规定任何救济途径，现在可根据修改后增加的执行异议规定进行救济，即根据《民事诉讼法》第 202 条规定：“当事人、利害关系人认为执行行为违反法律规定的，可以向负责执行的人民法院提出书面异议。当事人、利害关系人提出书面异议的，人民法院应当自收到书面异议之日起 15 日内审查，理由成立的，裁定撤销或者改正；理由不成立的，裁定驳回。当事人、利害关系人对裁定不服的，可以自裁定送达之日起 10 日内向上一级人民法院申请复议。”

第三节　执行依据

一、执行依据概述

对于私权的保护，在19世纪纪初，德国普通法是将确定私权的程序与实现私权的程序作连续规定的。[①]但从理论上讲，确定私权的程序要求裁判公正，当事人地位平等，审理慎重，而实现私权的程序则贵在迅速。因此，法国民事诉讼法首次将确定私权程序和实现私权程序分离，此后，大陆法系其他国家也采取了审执分离的制度。债权人必须先取得一种文书以证明其私权的存在及私权的范围，并适合执行（即具有给付内容），这样才能依据此文书申请执行机关实施强制执行，此种文书就是执行依据。我国同大陆法系的其他国家一样，也采取了审执分离的制度，我国对执行依据界定的通行观点是："当事人据以申请执行和人民法院据以采取执行措施的法律文书。"[②]我国通行的观点认为执行依据只能是"公文书"，私文书如和解协议等不能作为执行依据，但在国外能作为执行依据的文书并不只限于判决书、调解书和公证书等公文书，有执行力的债权文书、私人文件、票据、其他信用证券以及法律明确赋予其同样效力的文书等都可以被作为据以强制执行的依据。

二、执行依据的种类

根据执行依据制作机关的不同，执行依据可分为人民法院制作的文书和其他机构制作由人民法院执行的文书两大类。

（一）人民法院制作的执行依据主要包括：

（1）发生法律效力的民事判决、裁定以及民事决定。

（2）发生法律效力的刑事判决、裁定中的有关财产部分。

（3）发生法律效力的行政判决、裁定和行政赔偿调解书。

（4）发生法律效力的民事调解书。

（5）依据督促程序所签发的支付令。

（6）财产保全和先予执行的裁定。

（二）其他机构制作由人民法院执行的执行依据主要包括：

（1）仲裁机构作出的裁决书和调解书。

---

① 林升格．强制执行法理论与实务．台北：五南图书出版公司，1983. 124

② 江伟．民事诉讼法．北京：高等教育出版社、北京大学出版社，2000. 368

（2）公证机关依法赋予强制执行效力的债权文书。

（3）法律规定人民法院有权执行的行政处罚、处理决定。

（4）经承认的外国法院的判决、外国仲裁裁决。

（5）人民法院认为应当执行的其他法律文书。其主要包括：香港特区所作出的仲裁裁决；香港特区区域法院及其以上法院根据双方当事人协议管辖所作出的具有金钱给付内容的商业合约纠纷判决；澳门特区法院所作出的民商事案件、劳动民事案件的判决、裁判、确认和解的裁定与法官的决定或者批示；台湾地区法院的判决、仲裁机构的仲裁裁决。

三、执行依据的法律效力

执行依据的法律效力是指执行依据在什么时间、什么区域及对什么人和什么事发生作用，具体体现为执行依据的时间效力、空间效力、对人效力和对事效力。

（一）时间效力

执行依据的时间效力是指执行依据在什么时间范围内有效。它是债权人申请执行机关采取强制执行的时间期限，即我国民事诉讼法所规定的申请执行的期限。执行依据的时间效力可具体分为三个方面：

一是执行依据从哪一时刻开始可以执行。如判决执行依据不是自其宣告之时就具有执行力，判决仅自其取得既判力之时刻起才具有执行力。

二是执行依据应当在什么期间内执行。此时间效力具有两方面的意义：首先，从胜诉方的角度就是我国现行法律所规定的申请执行的期限；其次，从败诉方的角度可对其加收迟延利息和迟延履行金的期限。根据现行《民事诉讼法》第 229 条规定，被执行人未按判决、裁定和其他法律文书指定的期间履行给付金钱义务的，应当加倍支付迟延履行期间债务的利息。被执行人未按判决、裁定和其他法律文书指定的期间履行其他义务的，应当支付迟延履行金。为此，在判决等执行依据具有执行力后，败诉方就产生了被加收迟延利息和迟延履行金的义务。

三是一日或者一年中的哪一时日可以执行。我国现行法律没有规定执行的法定时间和工作日，在司法实务中，不管是黑夜还是白天，不论是节假日还是禁忌日都可实施强制执行，但从被执行人人权保护出发，我们应对执行的时间和工作日作出规定。如法国规定只能在 6 时与 21 时之间执行。星期日与节假日禁止执行判决，如有紧迫情况并且经法官特别准许，则为例外。[①]

（二）对人的效力

执行依据的效力原则上只能对执行根据所涉及的当事人有效，对当事人以外的其他人不发生约束力。但在特殊情况下，执行依据的效力也能及于当事人之外的特定人，这

① ［法］让·文森，塞尔日·金沙尔. 法国民事诉讼法要义（下）. 罗结珍译. 北京：中国法制出版社，2005. 1127

在理论上被称为执行力的扩张。

在我国，根据民事诉讼法和有关司法解释规定，执行依据对人的效力扩张主要涉及下列人：①执行当事人是自然人的，该当事人死亡后，继承其权利义务的继承人；②执行当事人是法人或者其他组织的，该法人或者其他组织发生合并、分立、撤销、注销、歇业等事由时，其权利义务的承受人；③为了他人的利益而成为当事人的其他人，即为了他人的权利而以自己的名义进行诉讼的真正权利人，如代表人诉讼中的被代表人；失踪人的财产代管人为了失踪人的利益，以自己的名义进行诉讼案件时所代表的失踪人等。④占有执行依据中指定的执行特定物的人。我国民事诉讼法规定，有关公民或者单位持有法律文书交付的财物或者票证的，人民法院可以通知其交出，拒不交出的，强制执行。

（三）空间效力

执行依据的空间效力是指执行依据发生法律效力的地域范围，包括域内效力和域外效力。我国的执行依据在我国的领域及延伸范围内有效。至于执行依据的域外效力，从世界各国和各地区的立法实践看，均对本国执行依据的域外效力不作规定，而对外国执行依据在本国的效力进行明确限制，我国也是如此。

（四）对事的效力

执行依据对事的效力是指执行依据所确定的，为执行机构所实施强制执行的事项，具体可分为金钱、财物和行为（包括作为和不作为）。

第四节　执行管辖

民事执行管辖是执行机构之间处理民事执行事件的分工和权限。执行管辖与诉讼管辖不同，诉讼管辖主要包括级别管辖、地域管辖、共同管辖与选择管辖、协议管辖、裁定管辖及管辖权的异议问题；而执行管辖是按照执行依据的不同确定不同的管辖法院，级别管辖与地域管辖不像诉讼管辖那样泾渭分明，现行法律没有规定当事人有协议执行管辖的权利，但规定了诉讼管辖所没有的委托管辖和变更管辖。《民事诉讼法》和《适用民事诉讼法意见》对执行管辖的规定比较简单，主要限于法院裁判文书的执行管辖规定，对法院生效文书以外的公证债权文书、仲裁裁决书等方面的执行规定则不完善。《执行规定》在《民事诉讼法》和《适用民事诉讼法意见》的明确规定之外，明确了仲裁裁决、公证债权文书、专利非诉行政文书等的执行管辖，并比照民事诉讼法的有关规定，确定了管辖竞合、管辖争议的处理及报请上级法院执行制度。最高人民法院《执行司法解释》进一步明确了被执行人财产管辖、共同管辖、财产保全的执行与终局判决的执行、执行管辖异议及因执行监督而产生的变更执行问题。

一、执行管辖的具体规定

（1）法院裁判文书的执行管辖。根据《民事诉讼法》第201条规定，发生法律效力的民事判决、裁定以及刑事判决、裁定中的财产部分，由第一审人民法院或者与第一审人民法院同级的被执行的财产所在地人民法院执行。根据《执行司法解释》规定，申请执行人向被执行的财产所在地人民法院申请执行的，应当提供该人民法院辖区有可供执行财产的证明材料。

（2）财产保全和先予执行裁定的执行管辖。根据《执行规定》第3条规定，人民法院在审理民事、行政案件中作出的财产保全和先予执行裁定，由审理案件的审判庭负责执行。

（3）人民法庭裁判文书的执行管辖。根据《执行规定》第4条规定，人民法庭审结的案件由人民法庭负责执行。其中复杂、疑难或者被执行人不在本法院辖区的案件由执行机构负责执行。

（4）国内仲裁裁决和公证债权文书的执行管辖。根据《执行规定》第10条规定，仲裁机构作出的国内仲裁裁决、公证机关依法赋予强制执行效力的公证债权文书，由被执行人住所地或者被执行的财产所在地人民法院执行。其执行机构的级别参照各地法院受理诉讼案件的级别管辖的规定确定。

（5）国内仲裁中财产保全和证据保全的执行管辖。根据《执行规定》第11条规定，在国内仲裁过程中，当事人申请财产保全并经仲裁机构提交人民法院的，由被申请人住所地或者被申请保全的财产所在地的基层人民法院裁定并执行；申请证据保全的，由证据所在地的基层人民法院裁定并执行。

（6）涉外仲裁裁决的执行管辖。根据《民事诉讼法》第275条规定，经中华人民共和国涉外仲裁机构裁决的，当事人不得向人民法院起诉。一方当事人不履行仲裁裁决的，对方当事人可以向被申请人住所地或者财产所在地的中级人民法院申请执行。

（7）涉外仲裁中财产保全和证据保全的执行管辖。根据《执行规定》第12条规定，在涉外仲裁过程中，当事人申请财产保全并经仲裁机构提交人民法院的，由被申请人住所地或者被申请保全的财产所在地的中级人民法院裁定并执行；申请证据保全的，由证据所在地的中级人民法院裁定并执行。

（8）法律规定由人民法院执行的其他法律文书的执行管辖。根据《民事诉讼法》规定，法律规定由人民法院执行的其他法律文书，由被执行人住所地或者被执行的财产所在地人民法院执行。其中依据执行对于专利管理机关依法作出的处理决定和处罚决定，由被执行人住所地或者财产所在地的省、自治区、直辖市有权受理专利纠纷案件的中级人民法院执行；国务院各部门与各省、自治区、直辖市人民政府和海关依照法律、法规作出的处理决定和处罚决定，由被执行人住所地或者财产所在地的中级人民法院执行。

二、共同管辖和选择管辖

根据《执行规定》第 15 条规定，两个以上人民法院都有管辖权的，当事人可以向其中一个人民法院申请执行；当事人向两个以上人民法院申请执行的，由最先立案的人民法院管辖。《执行司法解释》第 2 条进一步作出了禁止重复立案的规定，即两个以上人民法院都有管辖权的执行案件，人民法院在立案前发现其他有管辖权的人民法院已经立案的，不得重复立案。立案后发现其他有管辖权的人民法院已经立案的，应当撤销案件；已经采取执行措施的，应当将控制的财产移交给先立案的人民法院。

根据《执行司法解释》第 4 条规定，人民法院已经采取财产保全措施的案件中，申请执行人向采取保全措施的人民法院以外的其他有管辖权的人民法院申请执行的，采取保全措施的人民法院应当将保全的财产交执行的人民法院处理。

三、指定执行和提级执行

1. 指定执行

根据《执行规定》第 16 条规定，人民法院之间因执行管辖权发生争议的，由双方协商解决；协商不成的，报请双方共同的上级人民法院指定管辖；根据最高人民法院《统一管理执行工作规定》第 8 条规定，高级人民法院对本院及下级人民法院的执行案件认为需要指定执行的，可以裁定指定执行。高级人民法院对最高人民法院函示指定执行的案件应当裁定指定执行。

2. 提级执行

根据《执行规定》和《统一管理执行工作规定》，提级执行主要有以下几种情形：

（1）基层人民法院和中级人民法院管辖的执行案件因特殊情况需要由上级人民法院执行的，可以报请上级人民法院执行，上级人民法院认为应当提级执行的，可以裁定提级执行；

（2）高级人民法院指令下级人民法院限期执结而逾期未执结需要提级执行的案件，高级人民法院可以裁定提级执行；

（3）下级人民法院报请高级人民法院提级执行，高级人民法院认为应当提级执行的案件，可以裁定提级执行；

（4）高级人民法院对疑难、重大和复杂的案件认为应当提级执行的，可以裁定提级执行；

（5）高级人民法院对最高人民法院函示提级执行的案件应当裁定提级执行。

四、委托执行

根据《民事诉讼法》第 206 条规定，被执行人或者被执行的财产在外地的可以委托当地人民法院代为执行。受委托的人民法院收到委托函件后必须在 15 日内开始执行，不得拒绝。执行完毕后，应当将执行结果及时复函委托的人民法院；在30内如果还未执行完毕，也应当将执行情况函告委托的人民法院。受委托的人民法院自收到委托函件之日起15日内不执行的，委托的人民法院可以请求受委托的人民法院的上级人民法院指令受委托的人民法院执行。根据2000年3月施行的最高人民法院《关于加强和改进委托执行工作的若干规定》规定，被执行人或者被执行的财产在本省、自治区、直辖市辖区以外的案件，除少数特殊情况之外，应当委托执行。被执行人或者被执行的财产在本省、自治区、直辖市辖区内，需跨中级人民法院、基层人民法院辖区执行的案件，亦应以委托执行为主。直辖市内人民法院间的跨辖区的执行案件以及设区的市内跨辖区的执行案件是否以委托执行为主，由各高级人民法院根据实际情况自行确定。

五、督促执行和变更执行

督促执行和变更执行是因为人民法院自收到申请执行书之日起，在一定期限内没有合理的原因而未执结，责令原执行的人民法院在一定期限内执行，或者交给其他没有管辖权的人民法院执行的一种制度。大部分案件难以执行是因地方保护和部门保护以及“熟人社会”的原因造成的，虽然采取了提级执行和指定执行措施，但因其没有具体的规定，并且随意性较大，程序不透明，因而未能解决“执行难”的问题。2007年10月修改后的《民事诉讼法》第203条对此作出了明确规定，人民法院自收到申请执行书之日起超过6个月未执行的，申请执行人可以向上一级人民法院申请执行。上一级人民法院经审查，可以责令原人民法院在一定期限内执行，也可以决定由本院执行或者指令其他人民法院执行。《执行司法解释》第11条对督促执行和变更执行进一步规定如下：

（1）有下列情形之一的，申请执行人可以向上一级人民法院申请责令执行的人民法院限期执行或者变更执行的人民法院：①债权人在申请执行时提供了可供执行的财产，执行的人民法院自收到申请执行书之日起超过6个月对该财产未执行完结的；②已经发现被执行人财产，执行的人民法院对其自申请查封、扣押、冻结之日起超过6个月未依法采取处分措施或者未依法交付申请执行人清偿债务的；③对法律文书确定的行为义务的执行，执行人民法院自收到申请执行书之日起超过6个月未依法采取相应执行措施的；④其他有财产可供执行超过6个月未执行的。

上述规定中的6个月期间，不包括执行中的公告期间、鉴定评估期间、执行争议协调期间，以及暂缓执行、中止执行等期间。

（2）上一级人民法院依照《民事诉讼法》第203条规定责令执行的人民法院限期执行的，应当向其发出督促执行令，并将有关情况书面通知申请执行人。

上一级人民法院决定由本院执行或者指令其他人民法院执行的，应当作出裁定，并送达当事人和有关人民法院。

（3）上一级人民法院责令执行的人民法院限期执行，执行的人民法院在指定期间内无正当理由仍未执行完结的，上一级人民法院应当裁定由本院执行或者指令本辖区其他人民法院执行。

六、执行管辖争议的处理

执行管辖的争议包括执行机构之间的争议和当事人与执行机构之间的争议两种情况。

1. 执行机构之间管辖争议的处理

（1）两个或者两个以上人民法院在执行相关案件中发生争议的，应当协商解决。协商不成的，逐级报请上级人民法院直至报请共同的上级人民法院协调处理。执行争议经高级人民法院协商不成的，由有关的高级人民法院书面报请最高人民法院协调处理。

（2）执行中发现两地人民法院或者人民法院与仲裁机构就同一法律关系作出不同裁判内容的法律文书，各有关人民法院应当立即停止执行，报请共同的上级人民法院处理。

（3）上级人民法院协调处理有关执行争议案件认为必要时，可以决定将有关款项划到本院指定的账户。

（4）上级人民法院协调下级人民法院之间的执行争议所作出的处理决定，有关人民法院必须执行。

2. 当事人对执行管辖的异议

根据《执行司法解释》第 3 条规定，人民法院受理执行申请后，当事人对执行管辖权有异议的，应当自收到执行通知书之日起 10 日内提出。人民法院对当事人提出的异议应当审查。异议成立的应当撤销执行案件，并告知当事人向有管辖权的人民法院申请执行；异议不成立的裁定驳回。当事人对裁定不服的，可以向上一级人民法院申请复议。执行管辖权异议和复议审查期间不停止执行。

第五节　民事执行的申请和移送

根据民事诉讼法规定，对发生法律效力的民事判决、裁定当事人必须履行。一方拒绝履行的，对方当事人可以向人民法院申请执行，也可以由审判员移送执行员执行。对调解书和其他应当由人民法院执行的法律文书当事人必须履行。一方拒绝履行的，对方当事人可以向人民法院申请执行。《执行规定》第 19 条明确规定，生效法律文书的执行一般应当由当事人依法提出申请。为此，我国民事执行一般因当事人申请而开始，只有在法律有明文规定的情况下，才由人民法院依照职权移送执行机构执行。因当事人提出申请而开始的执行称为申请执行；人民法院依职权移送执行机构而开始的执行称为移送执行。

一、申请执行

（一）申请执行的提出

当事人申请执行时应当向人民法院提交申请书，申请书应当写明申请执行的理由、事项、执行标的以及申请执行人所了解的被执行人的财产状况。申请执行人书写申请执行书确有困难的，可以口头提出申请，人民法院接待人员对口头申请应当制作笔录，由申请执行人签字或者盖章。外国一方当事人申请执行的，应当提交中文申请执行书。当事人所在国与我国缔结或者共同参加的司法协助条约有特别规定的，按照条约规定办理。当事人申请执行根据申请执行的不同情况，需要提交下列证明材料：

1. 申请执行人的身份证明

公民个人申请的，应当出示居民身份证；法人申请的，应当提交法人营业执照副本和法定代表人身份证明；其他组织申请的，应当提交营业执照副本和主要负责人身份证明。继承人或者权利承受人申请执行的，应当提交继承或者承受权利的证明文件。

2. 申请执行的生效法律文书副本

申请执行发生法律效力的法律文书，应提交法律文书副本，申请执行仲裁机构的仲裁裁决，应当向人民法院提交有仲裁条款的合同书或者仲裁协议书。申请执行国外仲裁机构的仲裁裁决的，应当提交经我国驻外使、领馆认证或者我国公证机关公证的仲裁裁决书中文本。

3. 委托申请执行的授权委托书

申请执行人委托代理人代为申请执行的，应当向人民法院提交经委托人签字或者盖章的授权委托书，写明委托事项和代理人的权限。委托代理人代为放弃、变更民事权利，或者代为进行执行和解与收取执行款项的，应当有委托人的特别授权。

4. 其他应当提交的文件或者证件

（二）申请执行的时效

1. 申请执行的期间

2007 年 10 月修订后的《民事诉讼法》对当事人申请执行的期间作了修改，不论被执行人为公民还是法人，申请执行的期间统一规定为 2 年，从法律文书规定履行期间的最后 1 日起计算；法律文书规定分期履行的，从规定的每次履行期间的最后 1 日起计算；法律文书未规定履行期间的，从法律文书生效之日起计算。根据《执行司法解释》第 29 条规定，生效法律文书规定债务人负有不作为义务的，申请执行时效期间从债务人违反不作为义务之日起计算。

2. 申请执行时效中止和中断

在申请执行时效期间的最后 6 个月内，因不可抗力或者其他障碍不能行使请求权的，申请执行时效中止。中止时效的原因消除之日起，申请执行时效期间继续计算。申请执行时效因申请执行、当事人双方达成和解协议、当事人一方提出履行要求或者同意履行义务而中断。从中断时起，申请执行时效期间重新计算。

二、移送执行

根据《民事诉讼法》和《执行规定》规定，不需要当事人提出申请而由人民法院审判庭移送执行机构执行的情形有：

（1）发生法律效力的具有给付赡养费、扶养费、抚育费内容的法律文书。

（2）民事制裁决定书。

（3）刑事附带民事判决、裁定、调解书。

三、民事执行受理的条件

根据《执行规定》第 18 条规定，人民法院受理执行案件应当符合下列条件：

（1）申请或者移送执行的法律文书已经生效。

（2）申请执行人是生效法律文书确定的权利人或者其继承人、权利承受人。

（3）申请执行人在法定期限内提出申请。

（4）申请执行的法律文书有给付内容，且执行标的和被执行人明确。

（5）义务人在生效法律文书确定的期限内未履行义务。

（6）属于受申请执行的人民法院管辖。

人民法院对符合上述条件的申请应当在 7 日内予以立案；不符合上述条件之一的，应当在 7 日内裁定不予受理。

第六节　民事执行前的准备

一、执行通知书的发放

（一）执行通知书发放的两种情形

1. 先发放执行通知书后实施执行措施

根据《民事诉讼法》第 216 条规定，执行员接到申请执行书或者移交执行书应当向被执行人发出执行通知，责令其在指定的期间履行，逾期不履行的，强制执行。为此，对于受理执行的案件并不是立即实施强制执行，而应先向被执行人发出执行通知书，并按照案件和被执行人的具体情况再指定一个履行期限，促使被执行人自动履行。如果被执行人自动履行，则执行程序终结。如果被执行人未按执行通知书指定的期间履行生效法律文书确定的义务，或者在执行通知书指定的期限内被执行人转移、隐匿、变卖、毁损财产的，应当立即采取执行措施。人民法院采取执行措施前，应当制作裁定书并送达被执行人。

2. 在采取执行措施的同时或者事后发放执行通知书

对执行通知书有人戏称为“逃债通知书”，因为在执行通知书中指定的履行义务期间内，执行机构不能采取执行措施，为此，许多被执行人趁机转移、隐匿财产。为了使债权人的权利不受到损害，2007 年 10 月修订后的《民事诉讼法》在原来规定的基础上增加了一款规定，“被执行人不履行法律文书确定的义务，并有可能隐匿、转移财产的，执行员可以立即采取强制执行措施”。《执行司法解释》进一步明确，执行员立即采取强制执行措施的，可以同时或者事后 3 日内发送执行通知书。

（二）执行通知书的发放时间及内容

根据《执行规定》第 24 条规定，人民法院决定受理执行案件后，一般情况下应当在 3 日内向被执行人发出执行通知书，但在被执行人不履行法律文书确定的义务，并有可能隐匿、转移财产时，执行员可以立即采取强制执行措施，可以在采取强制措施的同时或事后 3 日内发送执行通知书。在执行通知书中载明并责令被执行人在指定的期间内履行生效法律文书确定的义务，并承担迟延履行期间的债务利息或者迟延履行金。

（三）执行通知书的送达

根据《执行规定》第 25 条规定，执行通知书的送达适用民事诉讼法关于送达的规定。

二、被执行人财产状况的调查

被执行人的财产能力是债权人的债权能否有效得以实现的关键。在对被执行人财产实施调查时会涉及四方主体：申请执行人、被执行人、人民法院和案外人。各主体在被执行人财产调查中因地位不同所承担的责任和义务也不尽相同。对于申请执行人而言，要提供可执行的财产或者线索；对于被执行人而言，要报告可供执行的财产；对于人民法院而言，要依当事人申请或者依职权进行调查；对于案外人而言，要尽协助调查的义务。为此，被执行人财产调查制度是一个系统制度，其主要包括申请执行人的举证、被执行人报告、人民法院进行调查和案外人协助等四个方面的内容。

（一）申请执行人在被执行人财产状况调查中的权利义务

在民事诉讼法有关执行的规定中，没有规定申请执行人对被执行人财产状况进行调查的义务或者责任，只是规定了被执行人财产申报的义务。《执行规定》第 28 条规定了申请执行人应当向人民法院提供其所了解的被执行人的财产状况或者线索的义务。既然要求申请执行人承担提供被执行人财产状况或者财产线索的责任，就应当赋予债权人一定的权利，但现行法律对此规定非常欠缺。

（二）被执行人在被执行人财产调查中的义务及法律后果

1. 被执行人的义务

根据《执行规定》，被执行人必须如实向人民法院报告其财产状况。为查明被执行人的财产状况和履行义务的能力，被传唤的被执行人或者被执行人的法定代表人或者负责人必须到人民法院接受询问。根据《民事诉讼法》第217条规定，被执行人未按执行通知履行法律文书确定的义务，应当报告当前以及收到执行通知之日前1年的财产情况。也就是说，被执行人未按执行通知履行法律文书确定的义务，就负有报告财产的义务。根据《执行司法解释》第32条规定，被执行人应当以书面报告下列财产情况，并根据申请执行人的人数提供财产报告的副本：①收入、银行存款、现金、有价证券；②土地使用权、房屋等不动产；③交通运输工具、机器设备、产品、原材料等动产；④债权、股权、投资权益、基金、知识产权等财产权利；⑤收到执行通知之日前1年至当前的财产变动情况；⑥其他应当报告的财产。

执行过程中，被执行人在报告财产后财产状况发生变动的，应当自财产变动之日起10日内向人民法院补充报告。

2. 被执行人不履行义务的法律后果

根据《民事诉讼法》第217条规定，被执行人拒绝报告或者虚假报告的，人民法院可以根据情节轻重对被执行人或者其法定代理人、有关单位的主要负责人或者直接责任人员予以罚款、拘留。

（三）人民法院在被执行人财产调查中的职责

根据《执行规定》的有关规定，执行的人民法院在被执行人财产调查中的职责有四个方面。

1. 传唤、拘传被执行人

为查明被执行人的财产状况和履行义务的能力，可以传唤被执行人或者被执行人的法定代表人或者负责人到人民法院接受询问，对经过合法传唤无正当理由拒到人民法院接受询问的，可以采取拘传措施。

2. 搜查

被执行人拒绝按人民法院的要求提供其有关财产状况的证据材料的，人民法院可以依法进行搜查。搜查包括对被执行人的人身、住所或者财产隐匿地的搜查。人民法院认为被执行人不履行偿债义务并隐匿财产，是搜查实施的条件。

3. 强制开启

在人民法院依法搜查或者查封财产时，对被执行人可能存放隐匿的财物及证据材料的封闭处所、箱柜等，被执行人经责令开启而拒不配合的，可以强制打开封闭的箱柜及门锁。在执行实践中，强制开启往往是搜查或者查封、扣押的一个步骤。

4. 向有关了解案情和掌握有关证据材料的公民或者单位进行调查

在执行中，人民法院有权向被执行人与有关机关、社会团体、企业事业单位或者公民个人调查了解被执行人的财产状况，对调查所需的材料可以进行复制、抄录或者拍照，但应当依法保密。

三、调取卷宗材料

根据《执行规定》第27条规定，人民法院执行非诉讼生效法律文书在必要时可向制作生效法律文书的机构调取卷宗材料。

第七节　民事执行措施

一、执行措施的概念和种类

执行措施是指执行机构迫使债务人履行义务的方法和手段。我国民事诉讼法规定了十种执行措施：①查询、冻结、划拨被执行人的储蓄存款；②扣留、提取被执行人的收入；③查封、扣压、冻结、拍卖、变卖执行人的财产；④搜查被执行人及其住所或者财产隐匿地；⑤强制被执行人交付法律文书指定的财物或者票证；⑥强制被执行人迁出房屋或者强制退出土地；⑦强制被执行人履行法律文书指定的行为；⑧强制被执行人加倍支付迟延履行利息和迟延履行金；⑨执行被执行人的到期债权；⑩对无形财产及其他特定权益的执行。对这些执行措施，现行法律并没有对其进行分门别类。而《执行规定》采用了分类的方法，将执行措施具体分为金钱给付的执行、交付财产和完成行为的执行、被执行人到期债权的执行。这样分类具有一定的条理性和明晰性。

二、金钱给付的执行措施

从执行的标的物来看，民事执行可以分类两大类，即金钱给付的执行和非金钱给付（物和行为）的执行。金钱给付的执行通常分为三个阶段：

第一，查封、扣押、冻结；

第二，拍卖、变卖（换价）；

第三，清偿。

针对不同的执行标的物要采取不同的执行措施。

（一）对被执行人存款的执行

根据《民事诉讼法》第218条规定，被执行人未按执行通知履行法律文书确定的义务，人民法院有权向银行、信用合作社和其他有储蓄业务的单位查询被执行人的存款情况，有权冻结、划拨被执行人的存款，但查询、冻结、划拨存款不得超出被执行人应当履行义务的范围。人民法院决定冻结、划拨存款时，应当作出裁定，向银行、信用合作社和其他有储蓄业务的单位发出协助执行通知书。

被执行人为金融机构的，对其交存在人民银行的存款准备金和备付金不得冻结和扣划，但对其在本机构、其他金融机构的存款及其在人民银行的其他存款可以冻结、划拨，并可对被执行人的其他财产采取执行措施，但不得查封其营业场所。

（二）对被执行人收入的执行

被执行人的收入是指被执行人获得的各种合法报酬，包括工资、奖金及其他各种合法收入。被执行人未按执行通知履行法律文书确定的义务，人民法院有权扣留、提取被执行人应当履行义务部分的收入。但应当保留被执行人及其所扶养家属的生活必需费用。

人民法院扣留、提取被执行人收入时，应当作出裁定，并向保存有被执行人收入的有关单位发出协助通知书，有关单位必须办理。有关单位收到人民法院协助执行被执行人收入的通知后，擅自向被执行人或者其他人支付的，人民法院有权责令其限期追回；逾期未追回的，应当裁定其在支付的数额内向申请执行人承担责任。

（三）对被执行人财产的执行

被执行人未按执行通知履行法律文书确定的义务，人民法院有权查封、扣押、冻结、拍卖、变卖被执行人应当履行义务的部分财产。

根据最高人民法院《关于人民法院在民事执行中查封、扣押、冻结财产的规定》(2005 年 1 月 1 日起施行，以下简称《查封、扣押、冻结财产规定》)，人民法院可以查封、扣押、冻结被执行人以及与被执行人有关的下列财产：

（1）被执行人占有的动产、登记在被执行人名下的不动产、特定动产及其他财产权。

（2）未登记的建筑物和土地使用权（依据土地使用权的审批文件和其他相关证据确定权属）。

（3）第三人书面确认属于被执行人的第三人占有的动产或者登记在第三人名下的不动产、特定动产及其他财产权。

（4）被执行人与其他人共有的财产。

查封、扣押财产的价值应当与被执行人履行债务的价值相当。人民法院对被执行人所有的其他人享有抵押权、质押权或者留置权的财产，可以采取查封、扣押措施。财产拍卖、变卖后所得价款，应当在抵押权人、质押权人或者留置权人优先受偿后，其余额部分用于清偿申请执行人的债权。查封、扣押的效力及于查封、扣押物的从物和天然孳息。查封地上建筑物的效力及于该地上建筑物使用范围内的土地使用权，查封土地使用权的效力及于地上建筑物，但土地使用权与地上建筑物的所有权分属被执行人与他人的除外。查封、扣押、冻结的财产灭失或者毁损的，查封、扣押、冻结的效力及于该财产的替代物、赔偿款。

根据《查封、扣押、冻结财产规定》第 5 条规定，人民法院对被执行人下列的财产不得查封、扣押、冻结：

（1）被执行人及其所扶养家属生活所必需的衣服、家具、炊具、餐具及其他家庭生活必需的物品。

（2）被执行人及其所扶养家属所必需的生活费用。当地有最低生活保障标准的，必需的生活费用依照该标准确定。

（3）被执行人及其所扶养家属完成义务教育所必需的物品。

（4）未公开的发明或者未发表的著作。

（5）被执行人及其所扶养家属用于身体缺陷所必需的辅助工具、医疗物品。

（6）被执行人所得的勋章及其他荣誉表彰的物品。

（7）根据《中华人民共和国缔结条约程序法》，以中华人民共和国、中华人民共和国政府或者中华人民共和国政府部门名义同外国、国际组织缔结的条约、协定和其他具有条约、协定性质的文件中规定免于查封、扣押、冻结的财产。

（8）法律或者司法解释规定的其他不得查封、扣押、冻结的财产。

根据《民事诉讼法》第223条规定，财产被查封、扣押后，执行员应当责令被执行人在指定期间履行法律文书确定的义务。被执行人逾期不履行的，人民法院可以按照规定交有关单位拍卖或者变卖被查封、扣押的财产。国家禁止自由买卖的物品，交有关单位按照国家规定的价格收购。

三、交付财产和完成行为的执行措施

（一）对交付财产的执行

因财产是动产或者不动产，执行措施有所不同。

1. 对于动产的交付执行

法律文书指定交付的财物或者票证，由执行员传唤双方当事人当面交付，或者由执行员转交并由被交付人签收。生效法律文书确定被执行人交付特定标的物的，应当执行原物。原物被隐匿或者非法转移的，人民法院有权责令其交出。原物确已变质、损坏或者灭失的，应当裁定折价赔偿或者按标的物的价值强制执行被执行人的其他财产。

有关单位持有该项财物或者票证的，应当根据人民法院的协助执行通知书转交，并由被交付人签收。有关公民持有该项财物或者票证的，人民法院通知其交出。拒不交出的，强制执行。有关单位或者公民持有法律文书指定交付的财物或者票证，在接到人民法院协助执行通知书后，却协同被执行人转移财物或者票证的，人民法院有权责令其限期追回；逾期未追回的，应当裁定其承担赔偿责任。

2. 对于不动产的交付执行

强制迁出房屋或者强制退出土地由人民法院院长签发公告，责令被执行人在指定期间履行。被执行人逾期不履行的，由执行员强制执行。强制执行时，被执行人是公民的，应当通知被执行人或者他的成年家属到场；被执行人是法人或者其他组织的，应当通知其法定代表人或者主要负责人到场。拒不到场的，不影响执行。被执行人是公民的，其工作单位或者房屋、土地所在地的基层组织应当派人参加。强制迁出房屋时被搬出的财物由人民法院派人运至指定处所，交给被执行人。被执行人是公民的，也可以交给他的成年家属。因拒绝接收而造成的损失由被执行人承担。

(二)对被执行人完成行为的执行

对判决、裁定和其他法律文书指定的行为被执行人未按执行通知履行的，人民法院可以强制执行或者委托有关单位或者其他人完成，费用由被执行人承担。对于只能由被执行人完成的行为，经教育被执行人仍拒不履行的，人民法院应当按照妨害执行的有关规定处理。

四、对被执行人到期债权的执行措施

根据《执行规定》第61条规定，被执行人不能清偿债务，但对本案以外的第三人享有到期债权的，人民法院可以依申请执行人或者被执行人的申请，向第三人发出履行到期债务的通知，第三人应当在收到履行通知后的15日内向申请执行人履行债务。第三人直接向申请执行人履行其对被执行人所负的债务，不得向被执行人清偿。第三人对履行到期债权有异议的，应当在收到履行通知后的15日内向执行的人民法院提出。第三人按照人民法院履行通知向申请执行人履行了债务或者已被强制执行后，人民法院应当出具有关证明。

第八节　民事执行救济

一、执行救济概述

执行救济是指当事人或者利害关系人（案外人）的利益，因执行机构的执行行为违法或者不当而受到侵害时，为了保护当事人和案外人的合法权益所规定的救济方法和制度。执行机构在实施民事执行时，必须按照法律所规定的形式、限度及程序进行，违背法律规定的执行就是违法执行。执行机构的执行行为依照法律的规定虽然不是违法的，但是执行结果却与实体法的权利关系不相符合时就是不当执行。我国现行法律并没有依照我国台湾地区的理论，将执行救济分为程序上的救济方法和实体上的救济方法两种。对于违法执行，我国的救济与我国台湾地区的程序上的救济方法相似，都规定了异议和向上一级执行机构复议的救济；但对于不当执行行为不仅规定了可以提出异议和异议之诉，还规定了按照审判监督程序救济的途径。现行法律根据不同的情况规定了执行异议、案外人异议、案外人异议之诉、申请许可执行之诉、执行回转及按照审判监督程序提起再审等多种救济措施。

二、执行异议

从执行实践看，当事人、利害关系人的合法权益受到侵害的情形有两种：一是因执行方法、措施、具体执行程序等违反法律规定而受到的侵害；另一种是侵害了被执行人或者案外人实体法上的权利。前者属于程序性侵害，后者属于实体性侵害。执行异议是针对程序性侵害而规定的救济。在 2007 年 10 月《民事诉讼法》修改前，针对执行机构违反法律规定，违法或者不当实施执行或者拖延执行、消极执行等现象无任何救济渠道，只能通过申诉渠道进行，导致当事人及有关利害人在受到侵害时，难以及时、充分地得到救济。现行《民事诉讼法》增加了执行异议的规定，其第 202 条规定，当事人、利害关系人认为执行行为违反法律规定的，可以向负责执行的人民法院提出书面异议，从而落实了执行救济问题。

执行异议的主体既包括执行当事人，即申请人、被申请人，也包括与执行行为有关的利害关系人。另外，执行主体可扩张为执行当事人的继承人、遗产管理人等。当事人、利害关系人认为执行行为违反法律规定的，都可以向负责执行的人民法院提出书面异议。

当事人、利害关系人提出书面异议的，人民法院应当自收到书面异议之日起 15 日内审查，理由成立的，裁定撤销或者改正；理由不成立的，裁定驳回。当事人、利害关系人对异议处理的裁定不服的，可以自裁定送达之日起 10 日内向上一级人民法院申请复议。上一级人民法院对当事人、利害关系人的复议申请应当组成合议庭进行审查，并应当自收到复议申请之日起 30 日内审查完毕并作出裁定。有特殊情况需要延长的，由本院院长批准。执行异议和复议审查期间不停止执行。当事人、利害关系人提供确实有效的担保请求对异议、复议的处分行为停止执行的，可以准许；申请执行人提供确实有效的担保请求继续执行的，应当继续执行。

三、案外人异议和案外人异议之诉

根据现行《民事诉讼法》第 204 条规定，案外人对民事执行标的有争议时有三个救济途径：一是向执行机构提出异议；二是原判决、裁定错误时，依照审判监督程序办理；三是与原判决、裁定无关时，可以自裁定送达之日起 15 日内向人民法院提起诉讼。

1. 案外人异议

根据《执行司法解释》第 15 条规定，案外人对执行标的主张所有权或者其他阻止执行标的转让、交付的权利的，可以依照《民事诉讼法》第 204 条规定向执行人民法院提出异议。根据《执行规定》第 70 条规定，案外人异议一般应当以书面形式提出，并提供相应的证据。以书面形式提出确有困难的，可以允许以口头形式提出。但现行法律对此没有作出明文规定。

根据《执行司法解释》第 16 条规定，案外人异议审查期间，人民法院不得对执行标的进行处分。案外人向人民法院提供确实有效的担保请求解除对该标的的查封、扣押、冻结的，可以准许；申请执行人提供确实有效的担保请求继续执行的，应当继续执行。因案外人提供担保解除查封、扣押、冻结有错误的，应当直接执行担保财产；因申请执行人提供担保继续执行有错误，给对方造成损失的，应当予以赔偿。

2. 案外人异议之诉

案外人异议之诉是指案外人在对执行标的提出异议后，对执行机构的处理裁定不服，向审判机构主张权利的诉讼。

根据《执行司法解释》规定，案外人依照《民事诉讼法》第 204 条规定提起诉讼，请求对执行标的停止执行的，应当以申请执行人为被告；被执行人否认案外人对执行标的所主张的实体权利的，应当以被执行人为共同被告。案外人异议之诉，由执行的人民法院管辖，执行的人民法院应当依照诉讼程序审理。经审理理由不成立的，判决驳回其诉讼请求；理由成立的，根据案外人的诉讼请求作出相应的裁判。在案外人提起的诉讼审理期间，不停止执行。案外人提供确实有效的担保请求停止对执行标的进行处分的，可以准许；申请执行人提供确实有效的担保请求继续执行的，应当继续执行。

四、许可执行之诉

许可执行之诉是指申请执行人向人民法院请求许可执行标的的诉讼。依据《执行司法解释》规定，申请执行人请求对执行标的许可执行的，应当以案外人为被告；被执行人否认申请执行人请求的，应当以被执行人为共同被告。许可执行之诉，由执行的人民法院管辖，执行的人民法院应当依照诉讼程序审理。经审理理由不成立的，判决驳回其诉讼请求；理由成立的，根据申请执行人的诉讼请求作出相应的裁判。人民法院依照《民事诉讼法》第 204 条规定裁定对异议标的中止执行后，申请执行人自裁定送达之日起 15 日内未提起诉讼的，人民法院应当裁定撤销或者解除已经采取的执行措施，并将异议标的交还案外人。

五、执行回转

（一）执行回转的概念及适用条件

执行回转是指在执行中或者执行完毕后，据以执行的执行根据被依法撤销或者变更，人民法院依当事人的请求或者依职权责令一方当事人返还已取得的财产以及孳息的活动。

根据现行《民事诉讼法》规定，执行回转只适用于执行完毕后，执行根据被依法撤销或者变更的情形，《执行规定》对其适用条件作了扩大解释。一是在时间上，增加了执行中止也可以适用执行回转的规定；二是在执行根据的内容上，规定了变更执行根据也可以适用执行回转。根据《执行规定》，执行回转的适用条件包括以下几个方面：

（1）执行程序已经开始或者进行完毕。

（2）执行根据被依法撤销或者变更。

（3）由当事人申请或者执行机关依职权决定。

（4）执行机关以裁定的形式作出决定。

（5）执行回转的对象是申请执行人。

（6）执行回转的内容包括原有财产和原有财产的孳息两部分。

（二）执行回转中的赔偿处理

民事执行完毕后，据以执行的执行根据被依法撤销或者变更，虽然当事人通过执行回转的规定要求返还已执行的财产和孳息，但仍有可能对当事人造成损害的问题。如果当事人的损害是由于人民法院的错误或者不当执行造成的，当事人可依据国家赔偿法要求执行的人民法院承担赔偿责任；如果对当事人的损害是由于法律文书的错误造成的，则应分情况作不同的处理：

（1）损害是由于原执行权利人的原因造成的，如提供虚假证据、隐瞒真实情况等，则应由原执行权利人承担赔偿责任。

（2）损害是由于原执行义务人的原因造成的，如对某些特定的诉讼行为理解错误，从而实施了错误的诉讼行为，则应由原执行义务人承担责任。

（3）损害是由于法律文书制作者的原因造成的，如法律文书的制作者违反法定程序、适用法律错误、超越法定权限等，则应由法律文书制作者承担赔偿责任。

第九节　执行担保与执行和解

一、执行担保

（一）执行担保的概念和条件

执行担保是指执行开始后，被执行人向人民法院提供某种履行义务的保证，经申请执行人同意，暂缓执行程序的制度。被执行人向人民法院提供担保，并经申请执行人同意的，人民法院可以决定暂缓执行及暂缓执行的期限。被执行人逾期仍不履行的，人民法院有权执行被执行人的担保财产或者担保人的财产。根据《民事诉讼法》第 208 条规定，执行担保必须符合以下条件：

（1）被执行人必须向人民法院提出执行担保的申请。

（2）提供的担保充分、可靠。

（3）必须经申请执行人同意。

（4）必须经过人民法院准许。

（二）执行担保的种类

执行担保有两种：财产担保和保证人保证。根据《适用民事诉讼法意见》第 269 条规定，债务人提供担保的方式既可以由被执行人向人民法院提供财产作担保，也可以由第三人出面作担保。以财产作担保的，应提交保证书；由第三人担保的，应提交担保书，担保人应具有代为承担赔偿责任的能力。根据《执行规定》第 84 条规定，被执行人或者其担保人以财产向人民法院提供执行担保的，应将担保物移交执行的人民法院，或者依法到有关机关办理登记手续。

（三）执行担保的法律后果

人民法院裁定准许执行担保以后，将产生三方面的法律后果。

1. 暂缓执行

在暂缓期间，人民法院暂不进行执行程序，暂缓的期限可由人民法院决定；如果有担保期限，则与之相同，但是最长不得超过1年。

2. 恢复执行

债务人在人民法院决定的暂缓期限内未履行义务，被执行人或者担保人对担保的财产在暂缓执行期间有转移、隐藏、变卖、毁损等行为的，人民法院可以恢复强制执行。

3. 对担保物或者担保人执行

执行担保期满后，被执行人仍不履行法律文书所确定的义务时，人民法院可以直接执行担保财产，或者裁定执行担保人的财产，但执行担保人的财产以担保人应当履行义务部分的财产为限。

二、执行和解

（一）执行和解的概念与成立要件

执行和解是指在执行过程中，当事人双方就如何履行生效法律文书确定的义务，在自愿协商、互谅互让的基础上达成和解协议，经过人民法院批准以结束执行程序的一种制度。

执行和解是当事人行使处分权的重要形式，同时也是终结执行的一种方式。由于执行和解不仅涉及当事人的实体权利和程序权利，而且还涉及执行程序的进行与否，因而执行和解的成立必须具备法律规定的条件。执行和解的条件主要有：第一，和解协议的达成必须是当事人自愿达成的，不能违背当事人的意志；第二，和解协议的内容必须符合法律，不得损害国家利益、社会公共利益和他人合法权益；第三，和解协议一般应当采取书面形式，执行员应将和解协议的副本附卷。无书面协议的，执行员应当将协议的内容记入笔录，并由当事人双方签名或者盖章。

（二）执行和解的效力

当事人达成的和解协议具有一定的法律效力，主要体现在四个方面。

1. 执行和解的协议能够重新确定当事人双方之间的民事权利关系

和解协议仅对参加和解，并在和解协议上签名或者盖章的当事人有效，和解当事人应当履行和解协议。

2. 执行和解协议不具有撤销原执行根据的效力

当事人之间达成和解协议，终结执行或者中止程序并不是因为执行根据存在错误。执行和解协议是当事人之间的契约，它没有对抗人民法院或者有关机关机构制作的生效法律文书的效力。

3. 执行和解具有终结执行或中止执行的效力

如果和解协议的内容是权利人放弃全部实体权利，和解协议的效力之一即是终结执行。如果执行和解协议的内容是免除义务人的部分义务，或者变更履行义务的时间和方式，人民法院则应当裁定中止执行。如果当事人完全履行了和解协议，人民法院则应作出终结执行的裁定。如果当事人未按和解协议履行义务，人民法院则可以根据一方当事人的申请恢复执行。

4. 当事人达成的和解协议，具有中断申请恢复执行的时效的效力

当事人申请恢复执行原法律文书的，必须在法律规定的时间内提出。在当事人达成执行和解协议的情况下，当事人申请恢复执行的时间自和解协议规定的履行期限的最后一日起开始计算。当事人按照和解协议完全履行了义务的，当事人不能再申请恢复执行，即使当事人提出了恢复执行的申请，人民法院也不予支持。

第十节　参与分配

一、参与分配的概念

参与分配是指在执行程序中，因债务人的财产不足以清偿各债权人的全部债权，申请执行人以外的其他债权人凭有效的执行根据申请加入已开始的执行程序，各债权人从执行标的物的变价中获得公平清偿的制度。

二、参与分配的适用条件

根据《适用民事诉讼意见》和《执行规定》规定，申请执行人以外的债权人参与分配必须符合一些条件。

1. 申请参与分配的债权人必须已经对被执行人取得执行根据

被执行人为公民或者其他组织，无其他财产可供执行或者其他财产不足以清偿全部债务的，在被执行人的财产被执行完毕前，对该被执行人已经取得金钱债权执行依据的其他债权人可以申请对被执行人的财产参与分配。

2. 申请参与分配的债权为金钱债权

能够申请参与分配的债权及申请执行的债权都必须是金钱债权。对于物的交付及关于行为请求权的执行无法实行分配，所以不能够申请参与分配。

3. 必须在被执行人的财产执行完毕前提出

申请参与分配的债权人必须在被执行人的财产执行完毕前提出。这是申请执行人以外的债权人参与分配的时间条件。

4. 必须是被执行人的财产不能清偿所有债权

在执行程序开始后，被执行人的其他债权人发现被执行人的财产不能清偿所有债权的，可以申请参与分配。

三、参与分配的程序

（一）参与分配的申请

申请执行人以外的债权人申请参与分配，申请人应当提交申请书，申请书应当写明参与分配和被执行人不能清偿所有债权的事实和理由，并附有执行根据。

（二）主持分配的人民法院

参与被执行人财产的具体分配应当由首先查封、扣押或者冻结的人民法院主持进行。首先查封、扣押、冻结的人民法院所采取的执行措施如果是执行财产保全裁定，具体分配应当在该人民法院案件审理终结后进行。

（三）参与分配债权的实现

1. 优先权人优先受偿

人民法院对被执行人所有的其他人享有抵押权、质押权或者留置权的财产可以采取查封、扣押措施。财产拍卖、变卖后所得价款应当在抵押权人、质押权人或者留置权人优先受偿后，其余额部分用于清偿申请执行人的债权。

2. 普通债权人比例分配

参与分配案件中可供执行的财产在对享有优先权、担保权的债权人依照法律规定的顺序优先受偿后，按照各个案件普通债权额的比例进行分配。

3. 债权人可以申请继续执行的情形

被执行人的财产被分配给各债权人后，被执行人对其剩余债务应当继续清偿。债权人发现被执行人有其他财产的，人民法院可以根据债权人的申请继续依法执行。

（四）企业法人的财产不足以清偿全部债务的处理

被执行人为企业法人，其财产不足以清偿全部债务的，可以告知当事人（多个债权人）依法申请被执行人破产，通过破产程序实现债权。对于未经清理或者清算而撤销、注销或者歇业，其财产不足以清偿全部债务的，对各债权人的债权应按比例清偿。

四、对分配方案的异议和救济

执行过程中，当事人对分配方案有异议的，应当自收到分配方案之日起 10 日内向执行的人民法院提出书面异议。当事人对分配方案中债权数额错误提出书面异议的，执行的人民法院应当进行核查，对确有错误的应予更正。

当事人对未经生效法律文书确认的债权参与分配提出书面异议的，执行的人民法院应当通知该债权人。该债权人应当于收到通知之日起 15 日内向执行的人民法院提起诉讼，确认其债权是否存在。该债权人在上述期限内不提起诉讼的，该债权不参与分配。在债权人诉讼期间进行分配的，应当对该债权数额内的款项予以提存。

第十一节　对妨害民事执行的强制措施

一、对妨害民事执行的强制措施的概念和意义

所谓对妨害民事执行的强制措施是指人民法院对于妨害民事执行活动的行为人采取的制裁措施，为对妨害民事诉讼的强制措施的一种，目的在于维护执行程序的进行。因此，妨害民事执行的行为人所实施的行为即使没有发生阻止执行的实际效果，也应当承担责任。对妨害民事执行的强制措施主要有拘传、罚款、拘留和限制出境等措施。

二、妨害民事执行行为的种类及适用的强制措施

（一）拒不到场行为及适用的强制措施

对必须到人民法院接受询问的被执行人或者被执行人的法定代表人或者负责人经两次传票传唤，无正当理由拒不到场的，人民法院可以对其进行拘传。

（二）一般妨害执行行为及适用的强制措施

被执行人或者其他人有下列拒不履行生效法律文书或者妨害执行行为之一的，人民法院可以依照《民事诉讼法》第102条规定处理，可以予以罚款、拘留。

（1）隐藏、转移、变卖、毁损向人民法院提供执行担保的财产的。

（2）案外人与被执行人恶意串通转移被执行人财产的。

（3）故意撕毁人民法院执行公告、封条的。

（4）伪造、隐藏、毁灭有关被执行人履行能力的重要证据，妨碍人民法院查明被执行人财产状况的。

（5）指使、贿买、胁迫他人对被执行人的财产状况和履行义务的能力问题作伪证的。

（6）妨碍人民法院依法搜查的。

（7）以暴力、威胁或者其他方法妨碍或者抗拒执行的。

（8）哄闹、冲击执行现场的。

（9）对人民法院执行人员或者协助执行人员进行侮辱、诽谤、诬陷、围攻、威胁、殴打或者打击报复的。

（10）毁损、抢夺执行案件材料、执行公务车辆、其他执行器械、执行人员服装和执行公务证件的。

（三）不予协助民事执行的行为及适用的强制措施

根据《民事诉讼法》第103条规定，不协助执行的行为有以下几种：

（1）有关单位拒绝或者妨碍人民法院调查取证的。

（2）银行、信用合作社和其他有储蓄业务的单位接到人民法院协助执行通知书后，拒不协助查询、冻结或者划拨存款的。

（3）有关单位接到人民法院协助执行通知书后，拒不协助扣留被执行人的收入，办理有关财产权证照转移手续，转交有关票证、证照或者其他财产的。

（4）其他拒绝协助执行的。

对于以上不予协助执行的行为，人民法院可以对负责人或者直接责任人予以罚款、拘留。

（四）非法索债行为及适用的强制措施

对不履行生效法律文书确定的义务的人，只有人民法院有权采取拘留或者强制执行财产的措施，其他任何单位和个人都不能以非法拘禁他人或者非法扣押他人财产的方法追索债务。对于单位和个人采取非法拘禁他人或者非法私自扣押他人财产追索债务，情节严重的应当依法追究刑事责任，情节较轻的可予以罚款、拘留。

三、对妨害民事执行的强制措施的种类及其适用

对于妨害民事执行行为，现行法律规定了制裁方法。

（一）拘传

拘传应当发传票，由司法警察负责进行。

（二）拘留和罚款

2007 年 10 月修订后的《民事诉讼法》对于罚款的数额进行了调整：对个人的罚款为人民币 1 万元以下；对单位的罚款金额为人民币 1 万元以上 30 万元以下。拘留的期限不变，为 15 日以下。被拘留的人由人民法院交公安机关看管。在拘留期间，被拘留人承认并改正错误的，人民法院可以决定提前解除拘留。

（三）限制出境、在征信系统记录、通过媒体公布不履行义务信息以及法律规定的其他措施

司法实践中，某些债务人有履行义务的能力，却谎称无力履行，企图逃避债务。为此，2007 年 10 月修订后的《民事诉讼法》增加了一条规定：对被执行人不履行法律文书确定的义务的，人民法院可以对其采取或者通知有关单位协助采取限制出境，在征信系统记录、通过媒体公布不履行义务信息以及法律规定的其他措施。

根据《执行司法解释》规定，依照《民事诉讼法》第 231 条规定对被执行人限制出境的，一般应由申请执行人向执行的人民法院提出书面申请，必要时执行的人民法院可以依职权决定。被执行人为单位的，可以对其法定代表人、主要负责人或者影响债务履行的直接责任人员采取限制出境措施。被执行人为自然人的，可以对其法定代理人采取限制出境措施。在限制出境期间，被执行人提供确实有效的担保或者经申请执行人同

意的，执行法院可以解除限制出境措施；被执行人履行法律文书确定的全部债务的，应当及时解除限制出境措施。执行的人民法院可以将被执行人不履行法律文书确定义务的信息通过报纸、广播、电视、网络等媒体公布。媒体公布的有关费用由被执行人负担；申请执行人申请在媒体公布的，应当垫付有关费用。当事人、利害关系人认为媒体公布的有关信息不准确的，可以书面形式向执行的人民法院申请核查。执行的人民法院应当将核查结果及时告知当事人、利害关系人，确有错误的，应当及时通知有关媒体予以更正。

第十二节　执行中止和执行终结

一、执行中止

（一）执行中止的概念

执行中止是指执行程序发动后，因出现某种法定的原因，暂时停止执行程序的民事执行制度。执行中止必须由法律严格规定，没有出现法定事由不得中止执行。

（二）适用执行中止的法定情形

根据《民事诉讼法》和《执行规定》第102条规定，适用执行中止的法定情形为：

（1）申请人表示可以延期执行的。

（2）案外人对执行标的提出确有理由的异议的。

（3）作为一方当事人的公民死亡，需要等待继承人继承权利或者承担义务的。

（4）作为一方当事人的法人或者其他组织终止，尚未确定权利义务承担人的。

（5）人民法院按审判监督程序决定再审的。

（6）人民法院已受理以被执行人为债务人的破产申请的。

（7）被执行人确无财产可供执行的。

（8）执行的标的物是其他法院或者仲裁机构正在审理的案件争议标的物，需要等待该案件审理完毕确定权属的。

（9）一方当事人申请执行仲裁裁决，另一方当事人申请撤销仲裁裁决的。

（10）仲裁裁决的被申请执行人请求不予执行，并提供适当担保的。

（三）执行中止的程序

执行中止的原因一旦发生，人民法院应立即依职权作出中止执行的裁定。当事人发现执行中止的原因存在时，应积极地将中止的原因告知人民法院或者向人民法院提出中止执行的申请。执行中止的裁定，一旦送达当事人立即发生法律效力。执行中止的裁定书应当写明执行的理由和法律依据，由执行人员签名或者盖章并加盖人民法院公章。

执行中止是暂时性的，引起执行中止的原因一旦消失，应立即恢复执行程序。恢复执行既可由人民法院依职权进行，也可由执行当事人申请并经人民法院同意后继续进行。恢复执行是原执行机制的继续运行，不是执行程序的重新开始，执行中止前已实施的执行行为仍继续有效。

二、执行终结

（一）执行终结原因

执行终结是指在执行过程中，因某种法定的原因使执行程序无法或者没有必要继续进行，因而结束执行，以后也不再恢复。

执行终结的原因是指引起执行非正常终结的事实或者理由。由于执行终结直接关系到执行当事人实体权益的实现，所以执行终结的原因应由法律作出明确规定，不得随意增减。

根据《民事诉讼法》第233条规定，有下列情形之一的，人民法院裁定终结执行。

1. 申请人撤销申请的

申请人在执行程序中有权处分自己的民事实体权利和民事诉讼权利。申请人提出或者撤销申请都是行使处分权的表现。因此，在执行程序进行过程中，如果申请人明确表示要撤销执行申请的，人民法院自应尊重其权利，准予撤回申请，裁定终结执行。

2. 据以执行的法律文书被撤销的

人民法院执行工作是以有效的法律文书为根据的，如果据以执行的法律文书被撤销，执行就失却了根据，执行程序也就无法继续进行，人民法院即应终结执行程序。

3. 作为被执行人的公民死亡，无遗产可供执行又无义务承担人的

被执行人是负有义务的一方当事人，必须按照生效法律文书确定的内容履行义务。如果执行程序未完毕，被执行人死亡并留有遗产的，人民法院可执行其遗产；如果留有遗产，又有义务承担人的，人民法院或者执行遗产或者责令义务承担人履行义务；如果无遗产，但有义务承担人，则由义务承担人履行义务；如果既无遗产又无义务承担人，事实上已无法执行，则裁定终结执行。

4. 追索赡养费、扶养费、抚育费案件的权利人死亡的

这类案件的权利人所享有的获取赡养费、扶养费和抚育费的权利是一种专有权利，不能继承。一旦权利人死亡，就没有执行的必要，人民法院应裁定终结执行程序。

5. 作为被执行人的公民因生活困难无力偿还借款，且无收入来源又丧失劳动能力的

这种情形终结执行程序必须符合两个条件：第一，被执行人与申请人之间的债权债务关系是因为借贷形成的，不是因其他事由形成的；第二，被执行人无收入来源，并且丧失劳动能力。只要符合这两种情形，即使被执行人靠他人扶养或者受资助而有一定的生活来源，也不能用这种生活来源来履行义务，人民法院应当裁定终结执行。

6. 人民法院认为应当终结执行的其他情形

这一规定赋予了人民法院裁定终结执行的自由裁量权，以处理在实践中可能出现的而又没有为法律所规定的情形。在执行实践中，这些情形主要有：第一，被申请执行人的破产程序终结，未得到清偿的债权不再清偿；第二，当事人依据执行和解协议而履行

完毕或者不再履行的；第三，义务人自动履行义务的；第四，对于执行费用远远大于执行收益的情形，在执行权利人同意不执行的前提下，人民法院可裁定终结执行；第五，在执行中，被执行人被依法宣告破产的。

（二）执行终结的程序

人民法院终结执行和中止执行一样，都必须制作裁定书。裁定书应写明终结执行的原因，执行员和书记员必须署名，加盖人民法院印章。

与执行中止相同，执行终结的裁定一经作出，应立即送达当事人，送达后立即生效，有协助执行人的，也应予以送达或者以一定方式告知。执行终结的裁定既有程序效力，又有实体效力。程序效力是指执行程序不再继续进行；实体效力是指人民法院不再采取强制措施强制义务人履行义务，不再强制性保护权利人的权利。

案例分析

【案情】

申请人交通银行岳阳分行，被执行人岳阳市天平石化有限公司（以下简称天平石化）。申请人于 2005 年 5 月向湖南省岳阳市中级人民法院起诉并申请强制执行，但由于各种原因案件未能得到有效执行。2007 年 10 月，在全市开展金融案件专项执行活动中，依据交通银行岳阳分行申请，岳阳市中级人民法院恢复该案的执行，随后裁定对天平石化的资产进行评估、拍卖，得 2 358 万元价款。

除申请执行人外，天平石化共有 58 家债权人，债务总额 8 627 万元，法定代表人去向不明，公司已没有其他财产可供执行。为此，各债权人参与分配后都以各种理由强调自己要优先分配，法院判决书和仲裁裁决书确认的债权有天平石化员工工资及“三金”等补偿款、深圳西贝尔工程公司的工程款、岳阳市富安电力建设有限公司的电力工程款、湖南省建工集团总公司的建筑工程款、岳阳楼区东湖建安公司的土石方工程款、交通银行岳阳分行抵押贷款本金及利息，上述款项总额达 2 073.95 万元。但一些债权人对于上述执行依据所确定的工资和工程款提出强烈异议，为此，该案执行长、案件承办人和执行员并没有简单采信执行依据，通过核查，共剔除 431.5 万元虚假部分，对上述重新确定的款项，天平石化的员工代表及工程施工队的负责人进行了签名确认。岳阳市中级人民法院执行局将此情况分别向原审法院和仲裁机构进行了通报，在取得共识的情况下将新确认的数额作为分配的依据。在优先分配额度确定后，普通债权如何分配又成为争议的焦点：一是银行普通债权参与分配的基数问题。大部分债权人要求银行的普通债权不参与分配，理由是 4 家银行债权总额本息高达 3 995 万元（其中本金 3 109 万元、利息 886 万元），如果参与分配，基数大，分配比例将会大大降低，且银行作为有经营规模的正式企业，不同于小公司及个人，放贷时没有严格履行手续和职责，对此存在重大过错。但银行认为已经取得了执行依据，因此要求参与分配。二是 10 万元以下的 20 家小额债权人，特别是 13 家 2 万元以下的如何参与分配问题。对此，小额债权人要求全额受偿，不同意按比例分配，且小额债权真实可信，债主大部分是农民和下岗失业者，相对处于弱势。三是另外3家未起诉的债权人能否参与分配问题。这3家债权人是在分配后期才得知被执行人的资产已被拍卖正待分配，其中有2家还是外地的债权人，是闻讯后匆匆赶来的，3家债权的数额都不大，但是债权凭证可信度高，如等待起诉，则影响整个案件的执行进展。四是债权人的利息是否纳入基数分配问题。息随本走，依照法律规定，只要利息合法就应受到保护，对此，债权人之间存在分歧，特别是有的债权人没有约定利息，而有的债权人因借贷时间长利息较高。五是对推进执行做出了积极贡献的4名债权人和岳阳市天平石化有限公司的财务人员以及先行申请采取了查封措施的9名债权人，能否给予适当的奖励？对家庭患有癌症特殊病情的4名债权人能否给予适度的补助？

【问题】

1. 在民事判决生效后所确定的义务人不履行义务时，人民法院是否可以依照职权启动强制执行？

2. 在什么情况下适用参与分配？具体如何分配？

3. 对于本案普通债权分配中所提出的问题该如何处理？

4. 本案执行机构没有通过审判监督程序改变执行依据所确定的债权是否合法？

【解析】

1. 根据《民事诉讼法》规定，发生法律效力的民事判决、裁定，当事人必须履行。一方拒绝履行的，对方当事人可以向人民法院申请执行，也可以由审判员移送执行员执行。在我国，民事执行通常情况下是由当事人申请而开始，只有在法律有明文规定的情况下才由人民法院依照职权进行。根据《民事诉讼法》和《执行规定》的规定，不需要当事人提出申请而是由审判庭移送执行机构执行的情形有：①发生法律效力的具有给付赡养费、扶养费、抚育费内容的法律文书；②民事制裁决定书；③刑事附带民事判决、裁定、调解书。

2. 参与分配是指在执行程序中，因债务人的财产不足以清偿各债权人的全部债权，申请执行人以外的其他债权人凭有效的执行根据也申请加入已开始的执行程序，各债权人从执行标的物的变价中获得公平清偿的制度。根据《执行规定》第90条规定，被执行人为公民或者其他组织，无其他财产可供执行或者其他财产不足清偿全部债务的，在被执行的财产被执行完毕前，对该被执行人已经取得金钱债权执行依据的其他债权人可以申请对被执行人的财产参与分配。参与分配的实现顺序是：首先实现优先债权，在优先债权实现后再实现普通债权。本案岳阳中级人民法院根据我国相关法律将天平石化的工资、4家施工队的工程款、交通银行岳阳分行抵押贷款、留守值班、评估、拍卖、仲裁、诉讼、执行费用作为优先支付的款项。

3. 对于普通债权有两种观点：一是依照《执行规定》第88条，按照对被执行人财产查封措施的先后顺序进行分配，另一种是依照《执行规定》第96条，对各债权人的债权按比例清偿。本案因被执行人法定代表人去向不明，有效资产已被拍卖处置，再无其他财产可供执行。该公司目前状况应当视为歇业，为此适用《执行规定》第96条对普通债权人进行分配，即对各债权人的债权按比例清偿。

4. 本案执行机构虽然没有经过审判监督程序改变执行依据所确定的债权，但是其符合执行和解的规定。对于在普通债权分配中所出现的问题，虽然现行法律没有对推进执行起到积极作用，没有对先行申请采取查封措施时债权人能否给予适当奖励，以及对家庭患有癌症特殊病情的债权人能否给予适度补助等作明文规定，也没有规定执行依据不能申请参与分配和各债权人应依照所确定的债权按比例清偿，但是若按照现行的法律规定处理将会造成不良的社会后果，为此，可通过执行和解实现法律效果和社会效果的双赢，本案就是如此。①

① 案例来源：梁建军，黎昕，许金林. 尊严不能等待——岳阳中院和谐执行的艰难之旅. 人民法院报，2008（8）

第十九章　涉外民事诉讼程序

随着世界各国经济合作的不断加强，各国人民间的民间交往日渐频繁，随之而来的是涉外民事诉讼案件的逐渐增多，对涉外民事诉讼案件的处理就显得特别重要。为了维护国家利益和本国国民利益，同时兼顾他国组织、个人的合法利益，促进经济合作和民间交往，各国制定了专门的涉外民事诉讼的特别法律规定。我国涉外民事诉讼的特别法律规定设置于《民事诉讼法》第4编中，总计33个条款，内容涉及涉外民事诉讼的一般原则及涉外民事诉讼管辖、送达、期间、财产保全、仲裁和司法协助等内容，本章就这些特别规定内容进行具体阐述和分析。

第一节　涉外民事诉讼程序概述

一、涉外民事诉讼的概念

涉外民事诉讼是具有涉外因素的民事诉讼，也就是指人民法院在当事人和其他诉讼参与人的参加下，依照法定程序审判涉外民事案件的专门活动。涉外民事诉讼中的涉外因素有三种情形。

1. 诉讼主体涉外

诉讼主体涉外是指当事人一方或者双方是外国人、无国籍人或者外国企业和组织。它可能是中国公民、法人及其他组织与外国人、无国籍人及外国企业和组织之间的诉讼，也可能是外国人、无国籍人、外国企业和组织之间在中国境内进行的诉讼。

2. 争议的民事法律关系涉外

争议的民事法律关系涉外是指当事人之间的民事法律关系发生、变更、消灭的事实发生在国外。

3. 诉讼标的物涉外

诉讼标的物涉外指当事人之间争议的标的物在国外。

只要具备上述三个因素之一的民事诉讼就是涉外民事诉讼。人民法院审理涉外民事案件，在实体法方面既有可能适用中国法律，也有可能适用外国法律或者国际条约；在程序法方面，根据国际上公认的原则，一般适用法院地法，即我国的民事诉讼法。[①]当然，我国缔结或者参加的国际条约与我国民事诉讼法有不同规定的，适用国际条约，但是我国声明保留的条款除外。

二、涉外民事诉讼程序的特点

涉外民事诉讼程序是指人民法院受理、审判和执行涉外民事案件所适用的诉讼程序。《民事诉讼法》第4编对涉外民事诉讼程序作了特别规定。

民事诉讼法之所以对涉外民事诉讼程序予以特别规定，主要是因为涉外民事诉讼程序具有不同于国内民事诉讼的特点。涉外民事诉讼程序的特点主要表现在以下几个方面：

（1）涉外民事诉讼涉及国家主权。涉外民事诉讼在管辖、送达、取证、执行等诸多环节中常常涉及法院所在地国家与相关国家的司法权。

（2）涉外民事诉讼在法律适用上会涉及准据法。在法律的选择上既要选择程序法，又要选择实体法。

（3）涉外民事诉讼在管辖、期间和送达、财产保全等具体诉讼制度上作出了不同于国内民事诉讼的特别规定。

（4）涉外民事诉讼有时需要借助司法协助。

涉外民事诉讼程序的特别规定不是与审判程序、执行程序并列的独立、完整的程序规范，它只是针对涉外民事诉讼中的一般原则、管辖、送达、期间、财产保全、仲裁和司法协助等问题作出的特别规定。涉外民事诉讼程序规范与一般民事诉讼程序规范的关系是特殊规范与一般规范的关系，人民法院在审理涉外民事案件时有特别规定的，应适用特别规定，没有特别规定的，适用《民事诉讼法》的一般规定。在适用特别规定时仍应遵循《民事诉讼法》总则中规定的基本原则。[②]

三、涉外民事诉讼的立法体例和法律渊源

虽然世界各国都有关于涉外民事诉讼程序的规定，但对涉外民事诉讼程序的立法体例各有不同。世界各国关于涉外民事诉讼的立法体例主要有以下三类：

（1）在民事诉讼法典之外制定与民事诉讼法并列的独立的涉外民事诉讼法。这种立法体例是早期各国的通行做法，其优点在于使涉外民事诉讼程序自成体系，相对完整，缺点在于造成了立法上的重复规定。

（2）在民事诉讼法典的相关章节中，对涉外民事诉讼设立特别条款，分别加以规定。采用这种立法体例的有土耳其、瑞士等国。

（3）在民事诉讼法典中设立专编、专章，对涉外民事诉讼程序的特殊问题作集中规

① 江伟. 民事诉讼法. 上海：复旦大学出版社，2002. 614

② 张卫平. 民事诉讼法. 北京：法律出版社，2004. 510

定。这类立法又可以分为两种：一是在民事诉讼法的相应章节中分别对涉外民事诉讼程序作出特别规定。例如，在管辖一章中既规定国内民事案件的管辖，又规定涉外民事案件的管辖。这种立法体例以德国、日本为代表。二是在《民事诉讼法》中规定国内民事诉讼的一般问题，同时设置专门的编、章、节集中规定涉外民事诉讼程序中的特殊问题。我国民事诉讼法就是采用这种立法体例，将涉外民事诉讼程序作为一编单独规定在民事诉讼法中。这种立法体例既便于当事人掌握和遵循，又便于人民法院办案，成为各国涉外民事诉讼程序立法的新趋势。

在法律渊源上，涉外民事诉讼程序由国内法和国际法两部分构成，并且国内法是涉外民事诉讼程序的主要法律渊源。就我国涉外民事诉讼程序的法律渊源来讲，国内法渊源是我国《民事诉讼法》第4编以及最高人民法院有关涉外民事诉讼程序的相关司法解释。国际法渊源是国际条约和国际惯例。人民法院在审理涉外民事案件时既适用国内法，也适用国际条约和国际惯例。①

根据我国《民事诉讼法》第4编规定，涉外民事诉讼程序主要内容包括：一般原则、管辖、送达、期间、财产保全、判决和仲裁的相互承认和执行等司法协助活动。

第二节　涉外民事诉讼的一般原则

涉外民事诉讼的一般原则是指对涉外民事诉讼具有指导意义的根本性规则。涉外民事诉讼的一般原则既是人民法院审理涉外民事案件的基本准则，也是涉外民事案件当事人以及诉讼参加人必须遵循的基本准则。

我国民事诉讼法规定的涉外民事诉讼的一般原则除了本教材第2章阐述的同等原则和对等原则外，还包括适用我国民事诉讼法原则，适用我国缔结或者参加的国际条约原则和司法豁免原则，使用我国通用的语言文字原则和委托中国律师代理诉讼原则。

一、适用我国民事诉讼法的原则

在我国进行涉外民事诉讼必须适用我国民事诉讼法，这是涉外民事诉讼的首要原则。《民事诉讼法》第235条规定："在中华人民共和国领域内进行涉外民事诉讼，适用本编规定。本编没有规定的，适用本法其他有关规定。"因此，人民法院审理涉外民事案件只能适用我国民事诉讼法。适用我国民事诉讼法的原则主要表现在以下三个方面：

（1）外国人、无国籍人或者外国企业和组织在我国进行民事诉讼，适用我国民事诉讼法。

（2）属于我国人民法院管辖的案件，我国享有司法管辖权。属于我国人民法院专属管辖的案件，外国法院无权审判。

① 张卫平. 民事诉讼法. 北京：法律出版社，2004. 511

（3）外国法院的裁判必须经我国人民法院依法审查并予承认后，才能在我国领域内发生法律效力。对当事人申请或者外国法院请求我国人民法院承认和执行的外国法院判决或者仲裁机构的裁决，我国人民法院应当依照我国法律，或者根据我国缔结或者参加的国际条约进行审查，裁定予以承认后才具有执行效力，需要实际执行的，可依照我国民事诉讼法的规定予以执行。

二、优先适用我国缔结或者参加的国际条约原则

《民事诉讼法》第236条规定："中华人民共和国缔结或者参加的国际条约同本法有不同规定的，适用该国际条约的规定，但中华人民共和国声明保留的条款除外。"

国际条约是国家之间、国家和地区之间规定在一定国际事务中的权利和义务的协定。凡是参加条约的国家和地区，都有信守该条约的义务。在审理涉外民事案件过程中，如果我国缔结或者参加的国际条约与民事诉讼法的规定不一致，应当优先适用国际条约的规定。但是，如果不一致的部分，我国已经对条约声明保留的，人民法院就不受该条约的约束，适用我国民事诉讼法的规定。

三、司法豁免原则

（一）司法豁免权的概念

司法豁免权是指一个国家或者国际组织派驻他国的外交代表免受驻在国司法管辖的权利。司法豁免权是外交特权的一种，是主权国家平等原则在司法领域的具体体现，它是建立在国与国对等原则基础之上的，有利于各国外交代表和国际组织在驻在国顺利履行职务。

司法豁免原则包括刑事司法豁免和民事司法豁免。刑事司法豁免权是完全的司法豁免权，享有刑事司法豁免权的人即使触犯驻在国刑法，也不受驻在国的刑事司法管辖。民事司法豁免是一种有限的豁免，一般情况下，享有民事司法豁免权的人不受驻在国民事司法管辖，但在法律规定的情形下，原来享有民事司法豁免权的人不能享有民事司法豁免权。

（二）享有司法豁免权的主体

根据我国法律和国际法规定，享有司法豁免权的人包括以下四种人员：①外交代表与其共同生活的配偶及未成年子女；②领事官员和领馆行政技术人员；③来中国访问的外国元首、政府首脑、外交部长及其他具有同等身份的官员；④其他依照我国缔结或者参加的国际条约享有司法豁免权的外国人、外国组织或者国际组织。

（三）司法豁免的例外

上述四种人员虽然享有民事管辖豁免，但在下列情形下不享有民事司法豁免权：①派遣国政府明确表示放弃民事管辖；②享有豁免权的人员主动提起诉讼，对与本诉直接有

关的反诉不享有豁免权；③享有豁免权的人员以私人身份进行的遗产继承诉讼；④享有豁免权的人员因从事公务范围以外的职业或者商业活动而引起的诉讼。

四、使用我国通用的语言文字原则

《民事诉讼法》第248条规定："人民法院审理涉外民事案件，应当使用中华人民共和国通用的语言、文字。当事人要求提供翻译的，可以提供，费用由当事人承担。"涉外民事诉讼使用受诉法院所在国语言文字是国际通行的原则，也是各国独立行使司法权的内容之一。因此，在我国进行民事诉讼时，应使用我国通用的语言、文字。外国当事人向我国人民法院提供的诉讼文书或者外国法院委托我国人民法院代为送达、协助执行的诉讼文书必须附有中译本。外国当事人不通晓我国通用的语言、文字的，人民法院可以为其提供翻译，费用由需要翻译的当事人承担。

五、委托中国律师代理诉讼原则

委托中国律师代理诉讼原则是指外国人、无国籍人或者外国企业和组织在我国起诉、应诉，需要委托律师代理诉讼的，只能委托中国律师代理诉讼，外国律师不能以律师的身份参加中国的诉讼活动。在涉外民事诉讼中，外国当事人需要委托代理人进行诉讼的，可以委托本国人为诉讼代理人，也可以委托本国律师以非律师身份担任诉讼代理人。外国驻华使、领馆官员受本国公民的委托，可以以个人名义担任诉讼代理人，但在诉讼中不享有司法豁免权；外国驻华使、领馆可以授权本馆的官员以外交代表身份为本国当事人在中国聘请诉讼代理人。

第三节　涉外民事诉讼中的实体法适用

一、涉外民事诉讼中的实体法适用概述

涉外民事诉讼中的实体法适用是指我国人民法院审理涉外民事案件适用哪个国家或者地区的实体法，不包括适用冲突法和程序法。在涉外民事诉讼中，我国人民法院要确定当事人的权利和义务，认定赔偿责任和赔偿数额等问题，依据程序法是解决不了的，需要依据实体法来加以解决。在我国进行民事诉讼，适用我国程序法是必须遵循的一个基本原则，适用实体法的问题则根据具体案件情况分别对待。有时适用我国实体法，有时适用其他国家或者地区的实体法，有时适用我国缔结或者参加的国际条约，还适用国家惯例。但是，适用其他国家或者地区的法律或者适用国际惯例不得有违我国的社会公共利益。适用国际条约，我国声明保留的条款除外。

二、民法通则规定的涉外民事诉讼的实体法适用问题

根据我国民法通则的规定，涉外民事诉讼实体法的适用主要有以下几种情形：

（1）我国公民定居国外的，其民事行为能力认定可适用定居国法律。

（2）侵权行为的损害赔偿适用侵权行为地法律。双方当事人的国籍相同或者在同一国家有住所的，也可以适用当事人本国法律或者住所地法律。

（3）我国公民和外国人结婚的，适用婚姻缔结地法律；离婚的，适用受理离婚案件的法院所在地法律。

（4）因扶养引起的诉讼适用被扶养人有最密切联系的国家的法律。

（5）关于不动产所有权的诉讼适用不动产所在地法律。

（6）涉外合同的当事人可以选择处理合同争议所适用的法律，法律另有规定的除外。涉外合同的当事人没有选择处理合同争议所适用的法律的，适用与合同有最密切联系的国家的法律。

（7）关于遗产的法定继承诉讼，动产适用被继承人死亡时住所地法律，不动产适用不动产所在地法律。

三、合同法规定的涉外民事诉讼的实体法适用问题

我国《合同法》第 126 条规定了处理涉外合同争议的实体法适用问题。这一规定包括两个方面的内容：一是一般性规定，也就是重审民法通则的规定，即涉外合同的当事人可以选择处理合同争议所适用的法律，法律另有规定的除外。涉外合同的当事人没有选择处理合同争议所适用的法律的，适用与合同有最密切联系的国家的法律。二是特殊性规定，即在我国境内履行的中外合资经营企业、中外合作经营企业、中外合作勘探开发自然自愿合同适用我国法律。

四、司法解释规定的涉外民事诉讼的实体法适用问题

2007 年 7 月 23 日，最高人民法院颁发了《关于审理涉外民事或者商事合同纠纷案件法律适用若干问题的规定》（以下简称《审理涉外合同纠纷案件规定》），对审理涉外民事或者商事合同纠纷案件的法律适用问题作出了较为明确和具体的规定。关于审理涉外民事或商事合同纠纷案件实体法的适用主要有当事人选择适用法律、人民法院按照密切联系原则适用法律和适用中国法律三种情况。

（一）当事人选择适用法律

当事人选择适用法律是指涉外合同当事人通过协议来确定适用哪个国家或者地区的实体法来解决发生的合同纠纷。《审理涉外合同纠纷案件规定》第 3 条规定："当事人选择或者变更选择合同争议应适用的法律，应当以明示的方式进行。"根据这一规定，当

事人选择适用法律，包括初次选择和变更选择两种情形。也就是说，当事人可以在订立合同时选择适用哪一个国家或者地区的法律，也可以在订立合同时选择确定后的其他时间协议变更选择适用哪一个国家或者地区的法律。订立合同时选择确定后的其他时间可以是第一审法庭辩论终结前的任何时间，在此期间当事人就选择或者变更选择适用的法律的事宜达成一致意见的，人民法院应予准许。当事人没有选择合同争议应适用的法律，但都援引同一国家或者地区的法律，并且没有提出法律适用异议的，应当视为当事人已经选择了合同争议适用的法律。

（二）按照密切联系原则确定适用法律

根据《审理涉外合同纠纷案件规定》第5条规定，按照密切联系原则确定适用法律就是指当事人没有选择合同争议适用的法律，适用与合同有最密切联系的国家或者地区的法律。人民法院根据密切联系原则确定合同争议应适用的法律时，要根据合同的特殊性质、某一方当事人履行义务最能体现合同本质特性等因素，确定与合同最有密切联系的国家或者地区的法律作为合同的准据法。具体确定适用的实体法要遵循下列规定，但是，如果下列合同明显与另一国家或者地区有更密切联系的，适用该另一国家或者地区的法律。

（1）买卖合同适用合同订立时卖方住所地法。如果合同是在买方住所地谈判并订立的，或者合同明确规定卖方必须在买方住所地履行交货义务的，适用买方住所地法。

（2）来料加工、来件装配以及其他各种加工承揽合同适用加工承揽人住所地法。

（3）成套设备供应合同适用设备安装地法。

（4）不动产买卖、租赁或者抵押合同适用不动产所在地法。

（5）动产租赁合同适用出租人住所地法。

（6）动产质押合同适用质权人住所地法。

（7）借款合同适用贷款人住所地法。

（8）保险合同适用保险人住所地法。

（9）融资租赁合同适用承租人住所地法。

（10）建设工程合同适用建设工程所在地法。

（11）仓储、保管合同适用仓储、保管人住所地法。

（12）保证合同适用保证人住所地法。

（13）委托合同适用受托人住所地法。

（14）债券的发行、销售和转让合同，分别适用债券发行地法、债券销售地法和债券转让地法。

（15）拍卖合同适用拍卖举行地法。

（16）行纪合同适用行纪人住所地法。

（17）居间合同适用居间人住所地法。

（三）适用我国法律

根据《审理涉外合同纠纷案件规定》第8条规定，在我国境内履行的下列合同，适用我国法律：①中外合资经营企业合同；②中外合作经营企业合同；③中外合作勘探、开发自然资源合同；④中外合资经营企业、中外合作经营企业、外商独资企业股份转让合同；⑤外国自然人、法人或者其他组织承包经营在中华人民共和国领域内设立的中外合资经营企业、中外合作经营企业的合同；⑥外国自然人、法人或者其他组织购买中华人民共和国领域内的非外商投资企业股东的股权的合同；⑦外国自然人、法人或者其他组织认购中华人民共和国领域内的非外商投资有限责任公司或者股份有限公司增资的合同；⑧外国自然人、法人或者其他组织购买中华人民共和国领域内的非外商投资企业资产的合同；⑨中华人民共和国法律、行政法规规定应适用中华人民共和国法律的其他合同。

第四节　涉外民事诉讼管辖

一、涉外民事诉讼管辖的原则

涉外民事诉讼管辖是指我国人民法院受理涉外民事案件的范围以及我国人民法院内部受理第一审涉外民事案件的分工和权限。

人民法院对涉外民事案件行使管辖权，直接涉及维护国家主权问题。各国在确定涉外民事案件的管辖时，普遍实行国家主权原则，同时要求具体案件必须与本国具有某种联结因素。对于涉外民事诉讼管辖，我国民事诉讼法规定了三个基本原则。

1. 诉讼与人民法院所在地实际联系的原则

凡是诉讼与我国人民法院所在地存在一定实际联系的，我国人民法院都有管辖权。

2. 尊重当事人的原则

无论当事人一方是否为中国公民、法人和其他组织，在不违反级别管辖和专属管辖的前提下，都可以选择与争议有实际联系地点的人民法院管辖。

3. 维护国家主权原则

司法管辖权是国家主权的重要组成部分，对涉外民事诉讼案件行使专属管辖权充分体现了维护国家主权的原则。

二、涉外民事诉讼管辖的特殊规定

根据民事诉讼法规定，涉外民事诉讼管辖包括特殊地域管辖、协议管辖、推定管辖和专属管辖等。

（一）特殊地域管辖的规定

根据《民事诉讼法》第 241 条规定，因合同纠纷或者其他财产纠纷，对在我国领域内没有住所的被告提起的诉讼，如果合同在我国领域内签订或者履行，或者诉讼标的物在我国领域内，或者被告在我国领域内设有代表机构，可以由合同签订地、合同履行地、诉讼标的物所在地、可供扣押财产所在地、侵权行为地或者代表机构所在地人民法院管辖。根据这一规定，因合同纠纷或者其他涉外财产权益纠纷，对在我国领域内没有住所的被告提起的诉讼，应按下列几种情况确定管辖法院：①合同在我国领域内签订或者履行的，由合同签订地或者履行地人民法院管辖；②侵权行为或者损害结果发生在我国领域内的，由侵权行为地或者结果地人民法院管辖；③当事人双方争讼的财产在我国领域内的，由诉讼标的物所在地人民法院管辖；④被告在我国领域内有可供扣押的财产的，由被告可供扣押的财产所在地人民法院管辖；⑤被告在我国领域内设有代表机构的，由代表机构所在地人民法院管辖。

（二）协议管辖的规定

《民事诉讼法》第 242 条规定："涉外合同或者涉外财产权益纠纷的当事人，可以用书面协议选择与争议有实际联系的地点的法院管辖。选择中华人民共和国人民法院管辖的，不得违反本法关于级别管辖和专属管辖的规定。"根据这一规定，涉外合同或者涉外财产权益纠纷的当事人，可以在纠纷发生前或者发生后采取书面协议的方式，选择我国的人民法院或者外国的法院管辖。在涉外民事诉讼中采用协议方式选择管辖法院，应当具备下列条件：

（1）协议管辖的案件，只限于涉外合同或者涉外财产权益纠纷，除此之外的其他案件，不得通过协议方式选择管辖法院。

（2）协议选择我国人民法院管辖时，不得违反民事诉讼法关于级别管辖和专属管辖的规定。诉讼实践中，当事人协议选择的人民法院不符合我国民事诉讼法关于级别管辖规定的，人民法院不应认定该协议无效，应当按照我国民事诉讼法关于级别管辖的规定办理；有关案件已经由有关人民法院受理的，受理案件的人民法院应当按照级别管辖的规定移送有管辖权的人民法院审理。

（3）协议管辖的人民法院必须是与争议有实际联系的地点的人民法院，如合同签订地、合同履行地、诉讼标的物所在地、可供扣押财产所在地、侵权行为地或者代表机构所在地等。

（4）协议管辖必须采用书面形式。

只有同时具备以上条件，当事人选择管辖的协议才是有效的。

（三）推定管辖的规定

涉外民事诉讼中的推定管辖也被称为默示协议管辖，是指双方当事人在纠纷发生前或者发生后，没有达成书面的管辖协议，一方当事人在某国法院起诉，另一方当事人对该国法院行使管辖权不提出异议，无条件应诉、答辩或者提出反诉的，视为承认受诉法院为有管辖权的法院的一种管辖制度。推定管辖是协议管辖中的一种特殊形式，一方当事人以明示方式选择涉外民事案件的管辖法院，另一方以默示方式（行为）表示接受。

《民事诉讼法》第 243 条规定："涉外民事诉讼的被告对人民法院管辖不提出异议，并应诉答辩的，视为承认该人民法院为有管辖权的法院。"根据这一规定，我国涉外民事诉讼中的推定管辖，应当同时具备以下两个条件：①推定管辖必须具备协议管辖的四项条件。这是因为推定管辖也是一种协议管辖，应当具备协议管辖的条件。②受理案件的法院是我国人民法院，被告对我国人民法院的管辖权没有提出异议，并且进行应诉和答辩。这是推定管辖不同于协议管辖的地方，也是推定管辖成立的一个重要条件。

（四）专属管辖的规定

专属管辖是指对于特定的涉外民事诉讼案件只能由我国人民法院管辖，当事人不得以书面协议形式选择其他国家法院管辖。根据我国《民事诉讼法》第 244 条规定，属于我国人民法院专属管辖的涉外民事案件有：①在我国履行的中外合资经营企业合同纠纷；②在我国履行的中外合作经营企业合同纠纷；③在我国履行的中外合作勘探开发自然资源合同纠纷。

根据国际私法的理论和实践，还有一些涉外民事诉讼也应当专属人民法院管辖。如：因不动产纠纷提起的诉讼，由不动产所在地人民法院管辖；因港口作业中发生纠纷提起的诉讼，由港口所在地人民法院管辖。涉外遗产纠纷诉讼，情形比较复杂，一般不作为专属管辖对待。属于我国法院专属管辖的案件，当事人不得用书面协议选择其他国家法院管辖，但当事人可以协议选择仲裁裁决。

三、诉讼竞合及其管辖

诉讼竞合是指同一当事人就同一争议基于相同的事实理由以及相同诉讼目的，在两个以上国家的法院提起诉讼的现象。诉讼竞合包括两种情形：①同一当事人作为原告向两个以上国家法院分别提起诉讼；②一方当事人作为原告向一个国家法院提起诉讼以后，另一方当事人也作为原告向另一个国家的法院提起诉讼。

诉讼竞合现象的产生与当事人的诉讼动机和目的密切相关，同时也是各国涉外民事诉讼管辖权扩大化的必然结果。当事人为了最大限度地维护自己的权益，必然尽力选择最有利于自己的法院起诉，各国为了扩大本国法院对涉外案件的管辖权，通常尽量增加本国法院行使管辖权的联结因素。

诉讼竞合不可避免地会引起各国之间在管辖权问题上的纠纷，为此，各国采取了如下几种对策：①拒绝行使管辖权或者诉讼。②禁止在外国法院进行的诉讼，即由法院发出禁诉令，如果当事人违背禁诉令继续在外国法院进行诉讼，即构成“藐视法庭”的行为，法院可对该当事人予以处罚。③当事人自行选择审判法院。具体做法是既不驳回在本国进行的诉讼，也不禁止当事人在外国法院进行诉讼。这样做是为了保证双方当事人有权选择他认为最好的法律、最好的救济和最好的程序制度。①

我国民事诉讼法没有对诉讼竞合问题作出规定，但在司法解释中却存在关于诉讼竞合的规定。例如《适用民事诉讼法意见》第 306 条规定：“中华人民共和国人民法院和外国法院都有管辖权的案件，一方当事人向外国法院起诉，而另一方当事人向中华人民

① 江伟. 民事诉讼法学. 上海：复旦大学出版社，2002. 627

共和国人民法院起诉的，人民法院可予受理。判决后，外国法院申请或者当事人请求人民法院承认和执行外国法院对本案作出的判决、裁定的，不予准许；但双方共同参加或者签订的国际条约另有规定的除外。”《适用民事诉讼法意见》第 15 条规定：“中国公民一方居住在国外，一方居住在国内，不论哪一方向人民法院提起离婚诉讼，国内一方住所地的人民法院都有权管辖。如国外一方在居住国法院起诉，国内一方向人民法院起诉的，受诉人民法院有权管辖。”

第五节　涉外民事诉讼送达和期间

一、涉外民事诉讼送达

（一）涉外民事诉讼送达的概念

涉外民事诉讼中送达是指人民法院在涉外民事诉讼中，依照法定方式，将诉讼文书送交当事人或者其他诉讼参与人的行为。涉外民事诉讼送达包括域内送达和域外送达。域内送达指对在我国领域内有住所地或者经常居住地居住的当事人送达诉讼文书。域内送达按国内民事诉讼送达方式送达。域外送达是指一国司法机关根据本国法律或者本国签订、参加的国际条约规定，将诉讼文书送交居住在本国外的诉讼当事人的行为。

（二）域外送达的方式

根据《民事诉讼法》第 245 条规定，人民法院对在中华人民共和国领域内没有住所的当事人送达诉讼文书，可以采用七种方式。

1. 依照国际条约规定的方式送达

我国于 1961 年加入《关于向国外送达民事或者商事司法文书和司法外文书公约》，即《海牙送达公约》。该公约规定，各缔约国和参加国要指定一个机关为中央机关和有权接受外国通过领事途径转递文书的机关，我国确定的中央机关和有权接受外国通过领事途径转递文书的机关是国家司法部。我国人民法院向其他缔约国或者参加国的当事人送达诉讼文书的程序分为四个步骤：①由有关中级人民法院将请求书和所要送达的诉讼文书送交其主管的高级人民法院转至最高人民法院；②由最高人民法院送交国家司法部；③由国家司法部转交该国指定的中央机关；④由该国指定的中央机关送达该国当事人。必要时，也可由最高人民法院送交我国驻该国使、领馆转送该国指定的中央机关。这种送达方式以我国与受送达当事人所在国缔结或者共同参加的关于涉外送达的国际条约为前提。

2. 通过外交途径送达

通过外交途径送达是指受送达人所在国与我国没有签订司法协助条约或者协定，也不是《海牙送达公约》的成员国，人民法院可以通过外交途径送达有关诉讼文书。

我国人民法院通过外交途径向国外当事人送达诉讼文书时，可以经我国各省、自治区、直辖市的高级人民法院将应当送达当事人或者其他诉讼参与人的诉讼文书送交我国外交部，由我国外交部领事司送交当事人所在国驻我国的使、领馆，再由其转交给该国的外交机关，然后按照该国法律规定的方式送达。通过外交途径送达是国际上公认的最正规的域外送达方式，因为这种送达方式的操作手续繁杂、费时较长，所以在诉讼实践中很少通过外交途径送达有关诉讼文书。不过，通过外交途径送达仍然是涉外送达途径的重要补充。

3. 通过我国驻受送达人所在国的使、领馆送达

对具有我国国籍但在我国境内没有住所的受送达人，可以由我国司法机关直接委托我国驻受送达人所在国使、领馆代为送达。这种送达方式属于国际惯例，也是我国参加的《维也纳领事关系公约》所承认的。该送达方式主要适用于受送达人是我国公民但在我国没有住所的情形。

4. 向受送达人的诉讼代理人送达

受送达人有委托诉讼代理人，并在授权委托书中明确表示由其诉讼代理人代收诉讼文书的，人民法院可以向其诉讼代理人送达。向受送达人委托的代理人送达诉讼文书是国际上通行的一种做法，这种做法简便易行，而且可以避免某些国际争端，其行为效力为多数国家所认可。

5. 向受送达人在我国领域内设立的代表机构或者有权接受送达的分支机构、业务代办人送达

这种送达方式的适用对象主要是外国企业或者组织。外国企业或者组织在我国境内无住所时，可以通过受送达人在我国领域内设立的代表机构或者有权接受送达的分支机构、业务代办人或者办事处送达。境外当事人在我国境内设立的分公司、全资子公司可以视为境外当事人在我国设立的代表机构，人民法院可以向其送达诉讼文书。但对于有商务代理关系的代理机构，则需要经过境外当事人明确授权才可以进行送达。如果未经授权，则不能向有商务代理关系的代理机构送达。人民法院向外国企业或者组织的驻华代表机构送达诉讼文书时，可以适用留置送达的方式。

6. 邮寄送达

涉外民事诉讼中采用邮寄送达方式必须以受送达人所在国法律允许为邮寄送达的前提。根据我国《民事诉讼法》第 245 条规定，自邮寄之日起满 6 个月，送达回证没有退回，但根据各种情况足以认定已经送达的，期间届满之日视为送达。

7. 公告送达

在不能用上述六种方式送达的情况下，受诉人民法院可以将需要送达的有关诉讼文书的内容在国内外公开发行的报纸或者其他新闻媒体进行公告，自公告之日起满 6 个月的，即视为送达。

我国民事诉讼法规定的几种送达方式除公告送达外，其他几种送达方式不分先后次序。只要不与我国缔结或者共同参加的国际条约的规定相冲突，人民法院可以适用我国民事诉讼法规定的送达方式送达。只有与我国缔结或者共同参加的国际条约的规定相冲突的，才优先适用国际条约。

二、涉外诉讼期间

在涉外民事诉讼中，如果当事人在我国领域内有住所的，适用我国民事诉讼法关于期间的一般规定。当事人在我国领域内没有住所的，在文书的送达、当事人的传唤等程序问题上适用民事诉讼法关于涉外民事诉讼期间的特别规定。

（一）被告提出答辩的期间

被告在中华人民共和国领域内没有住所的，人民法院应当将起诉状副本送达被告，并通知被告在收到起诉状副本后30日内提出答辩状。被告申请延期的，是否准许由人民法院决定。涉外民事案件一方当事人在国内有住所，另一方当事人在国内没有住所，对国内当事人适用诉讼期间的一般规定，对国外当事人适用涉外期间的特别规定。

（二）当事人上诉和答辩的期间

根据《适用民事诉讼法意见》第311条规定，在中华人民共和国领域内没有住所的当事人，不服第一审人民法院判决、裁定的，有权在判决书、裁定书送达之日起30日内提起上诉。被上诉人在收到上诉状副本后，应当在30日内提出答辩状。当事人不能在法定期间提起上诉或者提出答辩状而申请延期的，是否准许由人民法院决定。

（三）审理期限

人民法院审理涉外民事案件期限不受民事诉讼法第一审普通程序和第二审程序审理期间的限制。

第六节　涉外财产保全

一、涉外财产保全的概念和特点

涉外财产保全是指在涉外民事诉讼中，为了保证将来发生法律效力的判决得到执行，人民法院根据涉外民事诉讼当事人或者利害关系人的申请，对被申请人的有关财产采取临时性的强制措施，以限制其对财产进行处分的一种制度。

涉外财产保全与民事诉讼中一般财产保全的目的和法律功能一样，保全的措施的种类也基本相同，但涉外财产保全与民事诉讼中一般财产保全并不完全一致，它具有如下特点：①涉外财产保全只能由当事人提出保全的申请，人民法院批准后执行，人民法院不能依职权主动采取财产保全措施；国内民事诉讼的财产保全在必要时，人民法院可以主动依职权采取保全措施。②涉外财产保全对诉前财产保全的起诉期限规定较长。人民法院裁定准许诉前财产保全后，申请人应当在30日内提起诉讼。逾期不起诉的，人民法院解除财产保全；国内诉前财产保全，申请人的起诉期为 15 日。③涉外财产保全中，人民法院决定保全的财产需要监督的，应当通知有关单位负责监督，费用由被申请人承担；民事诉讼中的一般财产保全没有规定采取保全措施后的监督问题。

二、涉外财产保全措施的实施及解除

涉外民事诉讼的当事人或者涉外纠纷的利害关系人提出保全申请，人民法院经审查同意采取保全措施的，应当在 48 小时内作出书面裁定并开始执行。涉外财产保全的措施主要是发布扣押令扣押被申请人的财产，也不排除采取查封、冻结等措施。

涉外民事诉讼财产保全是一种临时性的强制措施，在采取保全措施的法定原因消失后，人民法院无需再对被申请人的财产进行保全，应当及时解除保全措施。人民法院在下列情况下应当解除涉外财产保全措施：①利害关系人起诉前向人民法院申请财产保全后，30 日内不起诉的；②在人民法院裁定准许财产保全后，被申请人提供担保的；③申请财产保全的原因消失，已经没有必要采取保全措施的。

三、对被申请人的救济

法律规定财产保全的目的在于保护申请人的合法权益。人民法院在依法保护申请人合法权益的同时，也要注意保护被申请人的合法权益。当申请人的申请有错误并造成被申请人损失的，申请人应当承担赔偿责任。

《民事诉讼法》第 252 条规定："申请有错误的，申请人应当赔偿被申请人因财产保全所遭受的损失。"根据这一规定，申请人赔偿被申请人的损失有两个前提条件：①申请有错误，即申请人提出的申请理由不成立，无财产保全必要；②因财产保全给被申请人造成实际损失。为了使被申请人因财产保全错误所遭受的损失能够确实得到赔偿，人民法院往往要求申请人提供担保。申请人提供担保的数额应相当于请求保全的数额。如果申请有错误，就用其提供的担保来赔偿被申请人因财产保全所遭受的损失。

第七节　国际司法协助

一、国际司法协助的概念

国际司法协助是指不同国家的法院之间，根据本国缔结或者参加的国际条约，或者根据互惠原则，相互代为实施一定诉讼行为的制度。各国之间的司法协助的内容主要有两个方面：一是一般司法协助，代为实施一般的诉讼行为；二是特殊司法协助，代为执行外国法院的判决、裁定和仲裁机构的裁决。

在涉外民事诉讼中，常常需要把诉讼文书送达给居住在国外的当事人，或者收集在

国外的证据，需要外国的司法机关承认和执行法院的判决、裁定和仲裁机构的裁决。但是，基于主权独立的原则，任何主权国家都有排斥他国司法行为的权利，一国法院不能直接在外国进行诉讼行为或者执行行为，这就需要由外国法院代为某些诉讼行为。但是，并非需要司法协助的不同国家的法院之间都能互相代为一定的诉讼行为，司法协助必须坚持国家主权和平等互利的原则，它是以国家缔结或者参加的国际条约所规定的司法协助事项或者以互惠原则为根据，没有这种根据，就不存在司法协助关系。

我国《民事诉讼法》第 261 条第 1 款规定："请求和提供司法协助，应当依照中华人民共和国缔结或者参加的国际条约所规定的途径进行；没有条约关系的，通过外交途径进行。"截至 2005 年 7 月，我国已先后参加了《承认及执行外国仲裁裁决公约》、《关于向国外送达民事或商事司法文书和司法外文书公约》、《关于从国外调取民事或商事证据的公约》等国际公约，并与法国、波兰、意大利、比利时、罗马尼亚、西班牙等 32 个国家签订了民事司法协助协定（公约）。有关我国人民法院与外国法院司法协助的事项应依照上述公约和协定的规定办理，但我国声明保留的条款除外。此外，最高人民法院、外交部、司法部于 1986 年联合发出《关于我国法院和外国法院通过外交途径相互委托送达法律文书若干问题的通知》，与我国没有条约关系的国家应依该规定通过外交途径进行司法协助。①

二、一般司法协助

一般司法协助是指根据我国缔结或者参加的国际条约，或者根据互惠原则，人民法院和外国法院之间互相请求代为送达文书、调查取证等诉讼行为的制度。根据《民事诉讼法》规定，一般司法协助应当具备以下条件：

（1）法院所在国之间必须存在共同缔结或者参加的国际条约，或者事实上存在互惠关系，这是一般司法协助的根据。

（2）请求协助的事项不得有损于我国的国家主权、安全和社会公共利益，否则人民法院将不予协助。我国人民法院委托外国法院进行协助时，同样也应尊重该国的国家主权、安全和社会公共利益。

（3）请求和提供司法协助应当依照我国缔结或者参加的国际条约所规定的途径进行；没有条约关系的通过外交途径进行。外国驻我国的使、领馆可以为该国公民送达文书和调查取证，但不得违反我国的法律，并不得采取强制措施。

（4）外国法院请求我国人民法院提供司法协助的请求书及其所附文件，应当附有中文译本或者国际条约规定的其他文字文本。我国人民法院请求外国法院提供司法协助的请求书及其所附文件，应当附有该国文字译本或者国际条约规定的其他文字文本。

一般司法协助主要包括代为送达文书、调查取证。我国人民法院提供司法协助依照我国法律规定的程序进行。外国法院请求采用特殊方式的，也可以按照其请求的特殊方式进行，但请求采用的特殊方式不得违反我国法律。

① 江伟. 民事诉讼法. 北京：高等教育出版社，2004. 524

三、特殊司法协助

特殊司法协助是指根据我国缔结或者参加的国际条约，或者根据互惠原则，我国人民法院和外国法院之间互相接受对方的委托，承认并执行对方的判决、裁定和仲裁机构的裁决的制度。

特殊司法协助包含两方面的内容：一是对外国法院的裁判和外国仲裁机构的裁决的承认和执行；二是我国人民法院的判决、裁定和仲裁机构的裁决在国外的承认和执行。

（一）对外国法院的裁判和外国仲裁机构的裁决的承认和执行

外国法院作出的发生法律效力的判决、裁定需要我国人民法院承认和执行的，当事人可以向我国有管辖权的中级人民法院申请承认和执行，也可以由外国法院依照该国与我国缔结或者参加的国际条约的规定，或者按照互惠原则，请求我国人民法院承认和执行。

外国仲裁机构作出裁决需要我国人民法院承认和执行的，当事人应当直接向被执行人住所地或者财产所在地的中级人民法院申请承认和执行，我国人民法院应当依照我国缔结或者参加的国际条约，或者按照互惠原则办理。

我国人民法院对外国法院作出的裁判以及外国仲裁机构作出的裁决进行审查后，认为不违反我国法律的基本原则或者不损害我国主权、安全和社会公共利益的，裁定承认其效力，需要执行的按照民事诉讼法的规定执行。我国人民法院认为外国作出的发生法律效力的判决、裁定违反我国法律的基本原则或者损害我国主权、安全和社会公共利益的，不予承认和执行。

对与我国没有司法协助协议或者没有互惠关系的国家的法院作出的判决或裁定，只能通过外交途径进行司法协助；未通过外交途径而直接请求我国人民法院予以司法协助的，我国人民法院应予退回并说明理由。

（二）我国人民法院的判决、裁定和仲裁机构的裁决在国外的承认和执行

人民法院作出的发生法律效力的判决、裁定，如果被执行人或者其财产不在中华人民共和国领域内，当事人请求执行的，可以由当事人直接向有管辖权的外国法院申请承认和执行，也可以由人民法院依照我国缔结或者参加的国际条约的规定，或者按照互惠原则，请求外国法院承认和执行。我国仲裁机构作出的发生法律效力的仲裁裁决，当事人请求执行的，如果被执行人或者其财产不在中华人民共和国领域内，应当由当事人直接向有管辖权的外国法院申请承认和执行。

案例分析

【案情】

我国甲公司（以下简称“中方”）与美国乙公司（以下简称“美方”）在我国A市签订了一份汽车销售合同，约定由美方向中方出售价值200万美元的某品牌汽车150辆。中方依约将货款付给美方，美方也依约定的期限和方式将汽车运抵我国B市B港。但中方验货后发现该批汽车与合同约定不符，故要求美方予以更换并赔偿损失，但美方一直不予理睬。于是，中方起诉至A市中级人民法院，美方应诉，经审理，A市中级人民法院判决美方赔偿损失并继续履行合同。美方不服而提起上诉，认为双方在订立合同时曾书面约定对合同履行所发生的争议应提交合同履行地人民法院审理，而该合同的履行地为B市，故应由B市中级人民法院审理，A市中级人民法院对本案没有管辖权，其所作判决应属无效。

【问题】

1. 该案当事人双方自行约定由B市中级人民法院管辖本案是否合法？

2. A市中级人民法院能否管辖该案？

【解析】

1. 根据我国法律的规定，涉外合同的当事人可以用书面协议选择与争议有实际联系的地点的法院管辖。选择我国人民法院管辖的不得违反我国法律有关级别管辖和专属管辖的规定。在本案中，B市作为合同履行地，与争议有实际联系，且合同的标的物价值200万美元，属重大涉外案件，故应由中级人民法院作为第一审法院，所以本案中当事人双方约定由B市中级人民法院管辖是合法的。

2. 根据我国法律的规定，被告在中国领域内没有住所的，如果合同在中国领域内签订，则合同签订地人民法院有管辖权。本案中合同的签订地是A市，故A市中级人民法院是具有管辖权的。同时，尽管当事人双方曾约定由B市中级人民法院管辖，但是中方向A市中级人民法院起诉后，美方并未提出异议且应诉答辩，而根据我国法律的规定，涉外民事诉讼的被告对人民法院管辖不提出异议，并应诉答辩的，视为承认该人民法院为有管辖权。因此，美方应诉答辩的行为也使得A市中级人民法院在事实上拥有了对该案的管辖权。故A市中级人民法院能够管辖此案，美方在上诉时才提出管辖异议，不会得到人民法院的支持。①

① 江伟. 民事诉讼法习题集. 北京：高等教育出版社，高等教育电子音箱出版社，2005

第二十章　涉港、澳、台民事诉讼程序

20世纪90年代中期前，涉港、澳、台民事诉讼是参照涉外民事诉讼规定处理的。随着香港、澳门的回归，内地与台湾地区经济、法律、文化、体育等方面联系的不断加强，民事诉讼方面的协助也日益频繁。自1998年至2008年，最高人民法院制定了一系列涉及香港、澳门和台湾地区民事诉讼的司法解释，形成了较为完整的涉港、澳、台民事诉讼规范体系，使涉港、澳、台民事诉讼活动有了切实可行的法律依据。本章主要介绍涉港、澳、台民事诉讼中的管辖、证据、委托代理人、送达、相互承认和执行法院裁判等方面的规定以及司法协助制度。

第一节　涉港、澳、台民事诉讼

一、涉港、澳、台民事诉讼概述

涉港、澳、台民事诉讼是指在当事人、争议标的物或者争议法律关系等方面具有涉港、澳、台因素的民事诉讼。

由于历史原因，中国内地、香港、澳门、台湾之间的民事诉讼制度分别在不同法域内运行。内地人民法院在审理涉港、澳、台民事案件时，在实体法上会遇到区际法律冲突问题，需要制定区际法律冲突规范；在程序法上，从管辖、诉讼文书的送达到裁判的执行都会遇到与涉外民事诉讼相类似的问题，也需要制定相应的法律规范予以解决。因此，最高人民法院为适应审判实践的需要，制定了一系列有关涉港、澳、台民事诉讼的司法解释。主要有《关于内地与香港特别行政区法院相互委托送达民商事司法文书的安排》（1998年）、《关于内地与澳门特别行政区法院就民商事案件相互委托送达司法文书和调取证据的安排》（2001年）、《关于民事诉讼证据的若干规定》第11条（2001年）、《关于人民法院认可台湾地区有关法院民事判决的规定》（1998年）、《关于内地与香港特别行政区相互执行仲裁裁决的安排》（1999年）、《内地与澳门特别行政区关于相互认可和执行民商判决的安排》（2006年）、《关于涉台民事诉讼文书送达的若干规定》（2008年4月）。这些司法解释为我国处理涉港、澳、台民事诉讼提供了法律依据，对构建统一的中国区际司法协助制度有着积极意义。

二、涉港、澳、台民事诉讼程序的特别规定

（一）委托诉讼代理人

港、澳、台自然人、法人或者组织在内地人民法院起诉、应诉，需要委托律师代理诉讼的，必须委托内地的律师。当事人可以委托港、澳、台律师或者普通公民以非律师身份代理在内地的诉讼。港、澳、台当事人委托诉讼代理人代为诉讼，应当提交经我国司法部授权的香港特区委托公证人证明、澳门特区有关机构证明或者台湾地方法院公证的授权委托书，并明确代理权限。

（二）管辖

涉港、澳、台当事人的民商纠纷案件的管辖，参照最高人民法院关于涉外民商纠纷案件诉讼管辖的规定办理。

港、澳、台投资者在大陆发生的与投资有关的争议，可以根据书面仲裁协议，申请仲裁；没有仲裁协议，或者仲裁协议无效，或者仲裁协议的内容不明确以致无法执行，当事人又无法达成新的仲裁协议的，可以向人民法院起诉。

凡是内地人民法院享有管辖权的案件，港、澳特区法院对该案的受理，并不影响当事人就同一案件在内地人民法院起诉；但是否受理应视案件具体情况作出决定。案件虽经台湾地区有关法院判决，但当事人未申请认可，而是就同一案件事实向内地人民法院提起诉讼的，应予受理。内地组织和个人与港、澳、台当事人签订的合同，可以选择港、澳、台法院处理有关争议，内地人民法院可以尊重当事人的选择，认可当事人选择管辖的效力，但港、澳、台地区应当与案件争议有实际联系。

（三）证据

根据最高人民法院《民事诉讼证据的若干规定》第 11 条第 2 款规定，当事人向内地人民法院提供的证据是在港、澳、台地区形成的，应当履行相关的证明手续。

港、澳、台地区诉讼文书认定的事实对内地人民法院一般不具有预决的效力。但当事人对已为内地人民法院认可的台湾地区有关法院作出的民事判决所认定的事实无需举证。如果对方当事人有相反证据足以推翻该判决所确认的事实的，则不能免除当事人的举证责任。对于香港、澳门地区法院的诉讼文书确认的事实也照此原则办理。

第二节　中国区际司法协助

一、区际司法协助的概念

区际司法协助是指同一主权国家内部不同法域的司法机关之间在司法领域内的合作与互助。内地与港、澳、台地区的司法协助是中国内部不同法域之间的司法协助，它既有别于国际司法协助，又有别于一般的国内司法协作。司法协助范围主要包括：送达诉讼文书，调查取证，承认与执行法院判决，承认与执行仲裁裁决。

二、送达方面的协助

内地人民法院与香港和澳门特别行政区法院相互委托送达司法文书，需按规则执行。

（一）委托送达机构

内地人民法院和特别行政区法院双方委托送达司法文书，必须通过内地各高级人民法院和香港特别行政区高等法院或者澳门特别行政区终审法院进行。内地最高人民法院司法文书可以直接委托香港特别行政区高等法院或者澳门特别行政区终审法院送达。

（二）委托送达司法文书的范围

内地人民法院可以委托香港法院送达的司法文书包括：起诉状副本、上诉状副本、授权委托书、传票、判决书、调解书、裁定书、决定书、通知书、证明书、送达回证。香港特别行政区法院可以委托内地人民法院送达的司法文书包括：起诉状副本、上诉状副本、传票、状词、誓章、判案书、判决书、裁决书、通知书、法庭命令、送达证明。

内地人民法院和澳门法院相互委托送达的文书范围更宽，包括上述列举的司法文书以外的其他司法文书和所附相关文件。

内地人民法院送达或者代为送达涉台民事诉讼法律文书包括：起诉状副本、上诉状副本、反诉状副本、答辩状副本、授权委托书、传票、判决书、调解书、裁定书、支付令、决定书、通知书、证明书、送达回证以及与民事诉讼有关的其他文书。

（三）委托请求

委托方请求送达司法文书必须出具盖有委托方印章的委托书，并在委托书中说明委托机关的名称、受送达人的姓名或者名称、详细地址及案件的性质。委托书应当以中文文本提出。所附司法文书没有中文文本的，应当提供中文译本。以上文件一式两份。受送达人为两人以上的，每人一式两份。受委托方对委托书有异议的，应当通知委托方并说明对委托书的异议，必要时可以要求委托方补充材料。

（四）送达

送达司法文书应当依照受委托方所在地法律规定的程序进行。委托方法院请求按照特殊方式执行委托事项的，如果受委托方法院认为不违反本辖区的法律规定，可以按照其特殊方式执行。受委托方对委托方委托送达的司法文书的内容和后果不负法律责任。

不论司法文书中确定的出庭日期或者期限是否已过，受委托方均应送达。委托方应当尽量在合理期限内提出委托请求。受委托方接到委托书后应当及时完成送达，最迟不得超过自收到委托书之日起2个月。

委托送达司法文书费用互免，委托方在委托书中请求以特定送达方式送达所产生的费用由委托方负担。

最高人民法院《关于涉台民事诉讼文书送达的若干规定》中规定，对不在内地居住的台湾地区的个人或者在内地没有办事机构和代理机构的台湾地区的企业、组织送达司法文书，可以采用邮寄送达、电子传真送达、电子邮件送达和公告送达等方式。受送达人有明确的地址或者有明确的传真号码、电子邮箱地址的，可以采用邮寄送达、传真方式或者电子邮件方式送达；采用上述方式不能送达或者台湾地区的受送达人下落不明的，采用公告送达。公告送达的，自公告之日起满3个月即视为送达。

三、取证方面的协助

内地人民法院与香港和澳门特别行政区法院相互委托取证有两个规则。

（一）代为调取证据的范围

委托方法院请求调取的证据只能是与诉讼有关的证据。代为调取证据的范围包括：代为询问当事人、证人和鉴定人，代为进行鉴定和司法勘验，调取其他与诉讼有关的证据。

（二）调查取证

受委托方法院取证时，被调查的当事人、证人、鉴定人等可以出席。如委托方法院提出要求，受委托方法院应当将取证的时间、地点通知委托方法院，以便对方当事人及其诉讼代理人也能够出席。根据委托方法院的请求，可以允许委托方法院派司法人员出席。必要时经受委托方允许，委托方法院的司法人员可以向证人、鉴定人等发问。受委托方法院可以根据委托方法院的请求，并经证人、鉴定人同意，协助安排其辖区的证人、鉴定人到对方辖区出庭作证。

四、相互承认和执行法院裁判

台湾地区对于承认和执行内地、香港、澳门的判决和裁决有较为确定的规定。台湾地区的《两岸关系条例》第74条规定：“在大陆地区作成之民事确定裁判、民事仲裁判断，不违背台湾地区公共秩序或善良风俗者，得申请法院裁定认可。”根据这一规定，内地人民法院的裁判和仲裁机构的裁决都可以在台湾地区得到承认执行。最高人民法院 1998 年发布了《关于人民法院认可台湾地区有关法院民事判决的规定》，以司法解释的形式表示承认台湾地区的裁判和仲裁裁决。其主要内容有三个方面。

（一）申请

台湾地区有关法院的民事判决中一方当事人的住所地、经常居住地或者被执行财产所在地在内地的，另一方当事人可以向申请人住所地、经常居住地或者被执行财产所在地中级人民法院申请认可。申请认可应当在判决发生法律效力的 1 年内提出。申请人应提交申请书，并须附有台湾地区有关法院民事判决书正本或者经证明无误的副本、证明文件，其内容不得违反一个中国原则。

（二）受理和审查

内地人民法院受理申请后，经审查符合上述条件的，应当在 7 日内受理；不符合上述条件的不予受理，并在 7 日内通知申请人，同时说明不予受理的理由。

（三）裁定及效力

台湾地区有关法院的民事判决如果符合法定条件，裁定认可其效力。内地人民法院不予认可的民事判决，申请人不得再提出申请，但可以就同一案件事实向内地人民法院提起诉讼。

根据司法实践，上述司法解释的适用范围包括：台湾地区有关法院民事判决、民事裁定、仲裁机构裁决、法院出具的民事调解书和支付命令。

五、相互承认和执行仲裁裁决

香港、澳门回归之前，内地将香港、澳门的仲裁裁决视为外国裁决，其承认与执行按照涉外民事诉讼程序的特别规定办理。1999 年内地与香港特别行政区达成相互执行仲裁裁决的协议，相互同意执行对方仲裁裁决。澳门地区在其回归之前，与内地没有共同适用的条约和协议，很长一段时间内并没有承认和执行内地裁决。直到 1998 年上半年，中国国际贸易仲裁委员会的一份裁决得到澳门法院的执行。目前，在澳门，只要符合其法律规定的条件，任何国家或者地区的仲裁裁决均可在澳门得到承认与执行，除非澳门法院确信外国或者外法域将拒绝承认和执行澳门的仲裁裁决。

根据《关于人民法院认可台湾地区有关法院民事判决的规定》的规定，台湾地区的仲裁裁决可向内地申请认可；如获认可，则依民事诉讼法规定的程序办理。在台湾地区，根据《两岸人民关系条例》（台湾地区 2008 年 10 月 9 日修订），内地的仲裁裁决都可以在台湾地区得到承认执行。

案例分析

【案情】

2005年8月6日，高雄地方法院就台湾居民王某与李某债权债务纠纷案的判决发生法律效力，在王某向高雄地方法院申请执行时发现，李某本人在台湾没有足够的财产可供执行，但其在厦门有大量财产。2006年5月10日，王某向厦门市中级人民法院申请对该判决予以承认和执行。

【问题】

厦门市中级人民法院能否承认执行该判决？

【解析】

本案涉及台湾地区的法院作出的民事裁判在内地的承认与执行问题。

根据《关于人民法院认可台湾地区有关法院民事判决的规定》，当事人申请承认和执行台湾地区法院的判决，应当在该判决生效后1年内提出。人民法院应当组成合议庭对当事人的申请进行审查，对符合要求的裁定认可其效力。被认可的民事判决需要执行的，依照《民事诉讼法》的有关规定办理。本案中王某所持有的判决是2005年8月6日生效的，2006年5月10日王某向厦门市中级人民法院申请对该判决予以承认和执行，是在该判决生效后1年内提出的。所以，对于本案中王某所持有的判决，厦门市中级人民法院能够予以承认和执行。

参考文献

[1] 张卫平. 民事诉讼法. 北京：法律出版社，2004

[2] 邵明. 民事之诉法理研究. 北京：中国人民大学出版社，2004

[3] 江伟. 民事诉讼法学. 北京：高等教育出版社，2007

[4] 汤维建. 民事诉讼法. 北京：中国人民大学出版社，2006

[5] 江伟. 中国民事诉讼法专论. 北京：中国政法大学出版社，1998

[6] 江伟，邵明，陈刚. 民事诉权研究. 北京：法律出版社，2002

[7] 常怡. 民事诉讼法学. 北京：中国政法大学出版社，2002

[8] 王盼. 民事诉讼法学. 郑州：郑州大学出版社，2004

[9] 张晓茹. 民事诉讼法教程. 北京：对外经济贸易大学出版社，2007

[10] 江伟. 民事诉讼法学. 上海：复旦大学出版社，2006

[11] 汤维建. 民事诉讼法学原理与案例教程. 北京：中国人民大学出版社，2006

[12] 张卫平. 民事诉讼法. 北京：高等教育出版社，2006

[13] 江伟. 民事诉讼法专论. 北京：中国人民大学出版社，2005

[14] 章武生，李浩. 司法现代化与民事诉讼制度的建构. 北京：法律出版社，2000

[15] 李仕春. 民事保全程序研究. 北京：中国法制出版社，2005

[16] 田平安. 民事诉讼程序改革热点问题研究. 北京：中国检察出版社，2001

[17] 廖中洪. 中国民事诉讼程序制度研究. 北京：中国检察出版社，2004

[18] 章武生. 民事诉讼简易程序研究. 北京：中国人民大学出版社，2003

[19] 黄松有. 中国现代民事审判权论. 北京：法律出版社，2003

[20] 曾宪义，王立明. 民事诉讼法. 北京：中国人民大学出版社，2007

[21] 廖永安. 民事审判全作用范围研究. 北京：中国人民大学出版社，2007

[22] 齐树洁. 民事上诉制度研究. 北京：法律出版社，2006

[23] 张卫平. 民事诉讼法教学案例. 北京：法律出版社，2005

[24] 谭兵. 民事诉讼法学. 北京：法律出版社，2004

[25] 马原. 民事诉讼法条文精释. 北京：人民法院出版社，2003

[26] 张登科. 强制执行法. 台北：三民书局有限公司，1999

[27] 杨与龄. 强制执行法论. 台北：三民书局有限公司，2006

[28] ［德］汉斯·约阿西姆·穆泽拉克. 德国民事诉讼法基础教程. 周翠译. 北京：中国政法大学出版社，2005

[29] ［日本］兼子一，竹下守夫. 民事诉讼法（新版）. 白绿铉译. 北京：法律出版社，1995

[30] 王国征. 论诉的变更. 中国人民大学学报，1999（6）

[31] 章武生. 论民事再审程序的改革. 法律科学，2002（1）
[32] 李祖军. 论民事再审程序. 现代法学，2002（4）
[33] 景汉朝，卢子娟. 论民事审判监督程序之重构. 法学研究，1999（1）
[34] 李浩. 民事再审程序改造论. 法学研究，2000（5）
[35] 张卫平. 民事再审事由研究. 法学研究，2000（5）
[36] 高执办. 国外执行机构概览. 人民司法，2001（3）
[37] 范瑜. 小额诉讼程序研究. 中国社会科学，2001（3）